DOM AUKCYJNY SOTHEBY'S
za zamkniętymi drzwiami

Od Autora:
Ze względów prawnych zmianom uległy dwa nazwiska. Zaznaczono je w tekście gwiazdkami. Dotyczy stron 38 i 71.

PETER WATSON

DOM AUKCYJNY SOTHEBY'S za zamkniętymi drzwiami

PHILIP WILSON

TYTUŁ ORYGINAŁU:
Sotheby's: Inside Story

First published in Great Britain 1997
Bloomsbury Publishing Plc, 38 Soho Square, London W1V 5DF

tłumaczenie:
Leszek Kubiak

projekt okładki:
Aleksandra Gligorijević

redakcja:
Danuta Rzeszewska-Kowalik

korekta:
Barbara Wiśniewska

redakcja techniczna:
Aleksandra Napiórkowska

CIP Biblioteka Narodowa

Watson, Peter (1943-)
Dom aukcyjny Sotheby's za zamkniętymi
drzwiami / Peter Watson ; [tł. Leszek
Kubiak]. - Warszawa : Philip Wilson, 2002

ISBN: 83-7236-150-9

WYDAWNICTWO PHILIP WILSON
Warszawa, ul. Piaskowa 6/10,
tel. 636 74 78, 636 77 79
e-mail: pwilson@pol.pl

Skład i łamanie: Jacek Świderski
Druk i oprawa: Rzeszowskie Zakłady Graficzne S.A.

Spis treści

ROZDZIAŁ PIERWSZY

Dama z Neapolu

Z hotelu Vesuvio roztacza się jeden z najpiękniejszych widoków na świecie. Z okien widać okrągłą wieżę z blankami Castel dell'Ovo, chroniącą dostępu do Zatoki Neapolitańskiej, dalej ponad wodami zatoki – wulkan z łagodnie wznoszącymi się stokami, zwieńczony szczytem, często skrytym za chmurami. Ale wtorkowego ranka 27 lutego 1996 roku, kiedy się goliłem w hotelowym pokoju na czwartym piętrze, piękne widoki były ostatnią rzeczą, jaka mogłaby mi przyjść do głowy. Byłem niespokojny. Właśnie tego dnia miał nastąpić ostatni akt skomplikowanej, wielce delikatnej i tajnej operacji, która, gdyby się powiodła, udowodniłaby ostatecznie, że jeden z najbardziej prestiżowych domów aukcyjnych na świecie, Sotheby's, w sposób jak najbardziej rażący, lekceważy prawo.

Operacja ta stanowiła punkt kulminacyjny wieloletniego dochodzenia, które rozpocząłem, kiedy były pracownik tego domu aukcyjnego przedstawił mi plik dokumentów wskazujących, że jego firma dopuściła się wielu nieprawości i wykroczeń. Krok po kroku udało mi się potwierdzić wszystkie szczegóły zawarte w dokumentach, ale sama operacja, jeśli zakończy się sukcesem, będzie stanowić o wiele lepszy dowód niż to, co mi przedstawiono.

Skończyłem golenie i ubrałem się. Używałem nazwiska Peter Carpenter i uchodziłem za angielskiego znawcę sztuki. Nosiłem drogie ubrania i posiadałem fałszywe karty kredytowe z numerami telefonów i faxów w Nowym Jorku i Londynie.

W lobby hotelowym spotkałem się z dwojgiem przyjaciół. Cecilia Todeschini była rzymską dokumentalistką i tłumaczką, gotową w każdej chwili tłumaczyć z włoskiego na angielski, gdyby zaszła taka potrzeba. Wysoka i wyniosła, Cecilia wychowała się w Afryce Południowej, co wyczuliło ją na wszelkie akty niesprawiedliwości czy zła. Paliła już trzeciego papierosa tego ranka. Sam Bagnall był na co dzień telewizyjnym producentem, lecz teraz udawał mojego asystenta. Ostrzyżony krótko, z kilkudniowym zarostem i w wielkich buciorach sprawiał wrażenie angielskiego chuligana piłkarskiego (i naprawdę był fanatycznym kibicem Arsenalu). Lecz wygląd może mylić. Mając trzydzieści lat i będąc świeżo upieczonym ojcem, Sam posiadał dużo zdrowego rozsądku i nieomylne poczucie humoru, nawet w sytuacjach dalekich od zabawnych. Jego jedyną wadą z mojego punktu widzenia było to, że podobnie jak Cecilia, był nałogowym palaczem.

Sprawdziliśmy zegarki. Za pięć dziesiąta. Jeszcze za wcześnie na wizytę u handlarzy, więc poszliśmy na spacer wzdłuż zatoki, aby ustalić do końca szczegóły naszego kamuflażu. Było słonecznie, ale nie parno. Powietrze rześkie. Fale odbijały srebrzyście promienie słońca w oddali. Według wersji, którą opracowaliśmy wspólnie z telewizją Channel 4, aprobującą na najwyższym szczeblu wszelkie tajne operacje tego rodzaju, miałem uchodzić za nieco podejrzanego typa ze świata sztuki, bardziej kolekcjonera niż handlarza, aczkolwiek nie wszystko miało być dopowiedziane do końca. Przyjechałem do Włoch w poszukiwaniu obrazów i, choć nie miałem pisemnej rekomendacji z cechu londyńskiego, miałem zamiar rzucić kilkoma nazwiskami na dowód mojej wiarygodności. Interesował nas szczególny rodzaj malarstwa.

Cała nasza trójka współpracowała już ze sobą w przygotowaniu programu dla telewizji angielskiej o domu aukcyjnym Sotheby's, ukazującego iż firma ta handlowała nielegalnie antykami pochodzącymi z wykopalisk i przeszmuglowanymi z Włoch. Lecz program ten, przygotowany także dla Channel 4 przez firmę Clark Television, której właścicielem był mój przyjaciel Bernard Clark, dotyczył tylko stosunkowo niewielkiego zakresu przestępstw. Nasza znajomość sprawy wykraczała daleko poza to, co mogliśmy wykorzystać w tym programie, mającym na celu zbadanie reakcji Sotheby's i sprawdzenie prawdziwości materiałów i dokumentów będących w naszym posiadaniu. W cztery miesiące po emisji firma Sotheby's nie potrafiła wykazać, że przedstawione dokumenty były nieprawdziwe lub że wnioski, jakie wyciągnęliśmy z nich były niewłaściwe. Nie wniesiono przeciwko nam żadnej sprawy do sądu, co upewniło nas w przekonaniu, iż dokumenty te były naprawdę autentyczne. A zatem nadszedł czas na przedstawienie całej tej gorszącej sprawy. Dlatego znaleźliśmy się w Neapolu.

Zawróciliśmy ze spaceru. Cecilia zapewniła mnie i Sama, że ostatnio ruch uliczny został zreorganizowany. Trudno było nam w to uwierzyć, ponieważ samochody osobowe i ciężarówki hałasowały dalej potwornie, pędząc na łeb na szyję bulwarami.

Dotarliśmy do hotelu i złapaliśmy taksówkę.

– Via Domenico Morelli – powiedziała Cecilia taksówkarzowi.

Via Domenico Morelli jest krótsza od londyńskiej Bond Street i o wiele mniej reprezentacyjna od Madison Avenue na Manhattanie, ale podobnie jak tamte arterie miejskie stanowi centrum handlu dziełami sztuki. Biegnie lekko pod górę, przechodząc w ładny plac, na którym znajduje się rzeźba czterech lwów i sławny sklep z wyrobami czekoladowymi. Wszyscy co ważniejsi handlarze dziełami sztuki w Neapolu mają tu swoje galerie. Taksówka dowiozła nas do dolnej części ulicy około wpół do jedenastej. Udaliśmy się najpierw pod numer 6b, do galerii Antimo d'Amodio. Znajomi handlarze powiedzieli mi w Londynie, że galeria ta była najbardziej prestiżową w mieście. Cecilia zadzwoniła w moim imieniu kilka dni wcześniej, by upewnić się, czy signor d'Amodio będzie w sklepie.

Wkroczyliśmy do środka. Lata doświadczeń nabytych podczas pisania o rynku dziełami sztuki nauczyły mnie, że najlepszym sposobem wywarcia wrażenia na ajentach i handlarzach jest udawanie człowieka bardzo majętnego, otoczonego służbą i pochlebcami. Signor d'Amodio znajdował się na miejscu. Był to mały, przysadzisty i przyjaźnie usposobiony jegomość, z ciemnymi włosami i szczerą twarzą. Nie mówił po angielsku. Były tam jeszcze trzy inne osoby, w tym kobieta, która mówiła trochę po francusku i wystarczająco tyle po angielsku, by rozumieć, co się do niej mówiło. Zwróciliśmy się do niej.

Życzenia nasze były szczególnego rodzaju. Szukaliśmy dzieła starego mistrza włoskiego, namalowanego między szesnastym i osiemnastym wiekiem, w cenie poniżej dziesięciu tysięcy funtów szterlingów. Mieliśmy także i inne życzenia, ale szczegóły pragnęliśmy zachować dla siebie. Nie chcieliśmy powiedzieć czegokolwiek, co by powstrzymało ich od legalnej sprzedaży obrazu.

D'Amodio miał kilka cudownych płócien oraz parę znakomitych przedmiotów ozdobnych Michelangelo Cerquozziego, doskonałe malowidło przedstawiające Wezuwiusz oraz unikatową panoramę portu neapolitańskiego pędzla Oratio Grevenbroecka. Lecz każdy z tych obiektów stanowił dla nas nie lada problem. Cerquozzi kosztował bowiem 50 tysięcy funtów, o wiele więcej niż wynosił nasz budżet. Co ważniejsze, d'Amodio nabył je na aukcji w nowojorskiej siedzibie Sotheby's pod koniec lat osiemdziesiątych. A zatem były dla nas nieprzydatne.

Widok Wezuwiusza nie był najwyższego lotu, ale cena jego mieściła się w naszym budżecie – 12 tysięcy funtów. Znałem na tyle rynek dzieł sztuki, iż byłem pewny, że d'Amodio cenę tę obniży. Problem polegał na czymś innym. Obraz był zbyt włoski w swym charakterze. Był o wiele więcej wart we Włoszech, szczególnie w Neapolu, aniżeli gdziekolwiek indziej. Tak więc nie mógł być pomocny w naszym skrytym przedsięwzięciu.

Trzeci obraz, pędzla Grevenbroecka, lepiej nam odpowiadał pod każdym względem. Cena wywoławcza wynosiła 18 tysięcy funtów, ale d'Amodio na pewno przystanie na propozycję niższej zapłaty. Temat płótna był także odpowiedni. Statki w porcie namalowane były znakomicie. Można było rozpoznać nawet ich przynależność państwową po banderach powiewających na rufach. Morze spokojne (kolekcjonerzy nie lubią wzburzonych fal). Obraz zawierał mnóstwo ludzkich postaci wykonujących różne czynności. Kolory wyraziste. Jedynym problemem było to, że Grevenbroeck nie był Włochem. Był Holendrem. Tak naprawdę to narodowość malarza nie miała dla nas większego znaczenia, ale ze względów formalnych woleliśmy obraz artysty włoskiego. Mimo to poprosiłem szeptem Cecilię, by zapytała d'Amodiego, czy będzie miał cokolwiek przeciwko temu, że sfotografujemy obraz. Nie oponował, tak więc Sam wyjął polaroida i skierował obiektyw na Grevenbroecka. Mając fotografię pożegnaliśmy się z d'Amodiem. Wręczyłem mu swą wizytówkę, zapewniając go, że będziemy w kontakcie.

Następna galeria sztuki na tej samej ulicy nazywała się Falanja. Była większa od sklepu d'Amodia. Sprzedawano tu również meble. Wśród obrazów ujrzeliśmy śliczne płótno przedstawiające *Zdjęcie Chrystusa z krzyża*, przypisywane Francesco Zuccarellemu, choć ja osobiście w to wątpiłem. Cena wywoławcza 95 milionów lirów, czyli około 43 tysięcy funtów. Był tam także duży obraz o wymiarach półtora metra na metr dwadzieścia, przedstawiający jakieś nadmorskie miasto, z zatoką z przodu i wzgórzami porosłymi lasem z tyłu. Obraz nie był w najlepszym stanie. Jego cena wywoławcza wynosiła 35 milionów lirów, czyli nieco ponad 15 tysięcy funtów. Sam sfotografował obydwa płótna, po czym wyszliśmy.

Nieco dalej na tej samej ulicy znajdowała się trzecia galeria pod nazwą Bello Goia z zadziwiającym portretem kobiety na wystawie. Było to z całą pewnością dzieło starego mistrza, najwidoczniej z piętnastego lub szesnastego wieku, przedstawiające bardzo piękną dziewczynę o blond włosach splecionych w warkocze upięte na głowie. Obraz namalowany na desce, a nie płótnie, oprawiony był w przepięknie rzeźbioną ramę. Niestety właściciela nie było, a jego pomocnik, młody człowiek w wieku około dwudziestu lat, nie znał się wcale na sztuce i nie potrafił nawet podać ceny. Odniósł się bardzo niechętnie do pytania czy możemy sfotografować obraz. Mówi się trudno. Wyszliśmy nie posuwając się nawet o krok w naszych dociekaniach.

Zdecydowaliśmy się zrobić małą przerwę na kawę. Na via Domenico Morelli biegnącej łukiem w kierunku ogrodów schodzących do morza znajdowała się kawiarnia, z której tarasu roztaczał się piękny widok. Zdawaliśmy sobie sprawę z tego, że się nam nic nie udaje i byliśmy trochę tym przygnębieni. Cecilia i Sam sięgnęli po papierosy. Płótna, jakie obejrzeliśmy, były albo zbyt drogie jak na naszą kieszeń, lub zbyt marne, by się plan nasz powiódł. Ponieśliśmy spore koszty przyjazdu do Neapolu (istniał poważny powód, dla którego przyjechaliśmy właśnie do tego miasta, a nie do innego), a mimo to byliśmy przekonani, że ponieśliśmy sromotną klęskę. Nikt z nas nic nie powiedział, ale zachowanie nasze wyraźnie wskazywało, co w głębi duszy odczuwaliśmy.

Po wypiciu kawy, udaliśmy się w górę ulicy via Domenico Morelli, ale szliśmy po jej drugiej stronie. Na początek, odwiedziliśmy kilka bardzo małych galerii, prawie że butików, gdzie natychmiast stało się rzeczą oczywistą, że nie znajdziemy płócien mogących nas zainteresować. I wówczas pod numerem 33 natknęliśmy się na Artemisię. Była to z całą pewnością najbardziej okazała galeria na ulicy po galerii d'Amodia. Składała się z podłużnego i wąskiego pokoju, z krętymi schodami na końcu, wypełnionego po brzegi obrazami, rzeźbami i dużymi bukietami kwiatów ustawionymi gęsto na drewnianych postumentach. Za biurkiem siedział brodaty mężczyzna, zaś kobieta o długich blond włosach układała wiązanki kwiatów. Uśmiechnęli się do nas, gdy weszliśmy do środka, i zapalili światło. Choć było już prawie wpół do dwunastej, najwidoczniej byliśmy pierwszymi klientami tego dnia.

Na ścianach ładne płótna. Duża, sklepiona brama o żywych barwach, przypominająca, tak mi się wydawało, szkołę malarzy bolońskich Carracich, za 110 milionów lirów, czyli 55 tysięcy funtów. Był także rysunek głowy kobiecej wykonany czerwoną kredką przypominający Rubensa, za 50 milionów lirów, czyli 23 tysięcy funtów. A z tyłu duży olejny obraz martwego łabędzia. Kosztował 77 milionów lirów, czyli 35 tysięcy funtów. Każde płótno, które przypadło mi do gustu i odpowiadało naszym planom było o wiele za drogie na naszą kieszeń.

Właśnie w tej chwili młody człowiek zszedł na dół stukając głośno butami po spiralnych schodach. Mijając mnie powiedział coś po włosku. Cecilia zwróciła się do mnie mówiąc:

– O ile dobrze dosłyszałam, na górze jest jeszcze druga galeria. Właśnie powiedział, że zreperowano światło.

Schody trzeszczały pod nogami i były wąskie, ale weszliśmy na górę. Były tam dwa pokoje, każdy zapchany obrazami. W pierwszym duże malowidła – krajobrazy, sceny batalistyczne, architektura, ale wszystkie wydawały mi się słabe. W drugim pokoju były mniejsze płótna i bardziej swojskie w wymowie: martwa natura, cytryny, chleb, ostrygi. Były także kwiaty i wnętrza, ale wszystkie nudne i nagle ujrzałem to, czego poszukiwałem. Na środku przeciwległej ściany wisiał portret starej kobiety trzymającej w rękach puchar. W pewnym sensie był to dziwny obraz. Niezbyt piękny, ponieważ kobieta była bardzo stara. Brwi miała siwe, widoczne żyłki na policzkach i chudą szyję. Ale coś jednak było w tej twarzy. Każdy szczegół był starannie dopracowany i nałożenie farby na kołnierzu wskazywało, że portret namalował nie byle jaki artysta. Co rzucało się natychmiast w oczy to jej palce. Były jak żywe. Wiadomo, że ręce bardzo trudno namalować i wielu malarzy ich unika.

Nie towarzyszył nam nikt z personelu galerii. Poprosiłem więc Sama, by sfotografował obraz. Powiem o tym właścicielowi później. Kiedy zeszliśmy na dół do głównego pomieszczenia oczekiwała nas niespodzianka w postaci tacy z filiżankami mocnej, świeżo zaparzonej kawy. Oznaczało to, że zostaliśmy przyjęci za tych, za których się podawaliśmy, tj. międzynarodowych ekspertów sztuki. Zdziwiłem się niepomiernie, kiedy sięgnąłem po wizytówkę z nazwiskiem Petera Carpentera. Okazało się, że galerię Artemisia prowadziła blondynka o nazwisku Concha Barrios. Biorąc ode mnie wizytówkę przeczytała ją z uśmiechem. Skinęła głową i rzekła cicho, że widziała mnie już wcześniej. Sam spojrzał niespokojnie, obawiając się trudności. Wydawało się jednak, że chociaż rozpoznała mnie, to jednak nie kojarzyła mnie jako dziennikarza, lecz jako kogoś, kto obracał się wokół salonów sprzedaży. Odetchnęliśmy i dokończyliśmy kawę. Nie zdemaskowano nas.

Concha Barrios powiedziała nam, że *Stara kobieta z pucharem* to płótno pędzla Giuseppe Nogariego, osiemnastowiecznego malarza z północnej części Włoch. Cena wynosiła 45 milionów lirów, czyli nieco ponad 20 tysięcy funtów szterlingów, co dwukrotnie przekraczało nasz budżet. Oświadczyłem jej, że sfotografowaliśmy obraz, kiedy byliśmy na piętrze i chcielibyśmy się zastanowić kilka dni. Nie miała nic przeciw sfotografowaniu płótna i oświadczyła, żc obniży cenę do 25 milionów lirów, tj. do około 16 tysięcy funtów. Ale ani lira więcej.

Udałem, że notuję jej słowa w notatniku. Zapytałem następnie, czy cena ulegnie zmianie, jeśli zapłaciłbym całość gotówką. Odpowiedziała, że musi się zastanowić. Dokończyłem kawę i obszedłem galerię wokół ponownie, przyglądając się co droższym obrazom na parterze. Po kilku chwilach zaczęliśmy się zbierać do wyjścia. Concha Barrios podeszła do mnie z katalogiem, który niedawno wydała. Nie wziąłem go, ale skinąłem na Sama, tak jak na służącego.

Gdy staliśmy przy drzwiach rozmawiając, Concha Barrios zapytała mnie, czy mam zamiar udać się do Maastricht, gdzie w marcu odbywały się targi dzieł starych mistrzów. Dało mi to pretekst, którego potrzebowałem. Nie, powiedziałem. Nie jadę do Maastricht, ponieważ w następnym tygodniu lecę do Ameryki. Jeśli zdecyduję się nabyć Nogariego negocjacje przeprowadzę faxem ze Stanów podczas podróży po tym kraju. Wyjąłem następną wizytówkę i pokazałem na niej numer faxu w Nowym Jorku, który tak naprawdę należał do mojego agenta uprzedzonego o całej sprawie. Wszystko to wydawało się satysfakcjonować Conchę Barrios, tak że rozstaliśmy się po przyjacielsku, obiecując sobie pozostać w kontakcie.

I to byłoby tyle. Via Domenico Morelli może i jest ulicą Bond Street w Neapolu, ale Neapol nie jest Londynem. Zatem odwiedziliśmy wszystkie galerie i nadszedł czas powrotu do Rzymu.

Jak się okazało podróż ta miała swój komiczny aspekt. Gdy dotarliśmy do dworca w Neapolu i wsiedliśmy do ekspresu odjeżdżającego o godzinie 12.25 dowiedzieliśmy się, że odjazd jest opóźniony ze względu na demonstracje polityczne. Choć było to irytujące, nic nie byliśmy w stanie zrobić poza oczekiwaniem.

Mieliśmy dla siebie cały przedział, tak więc spędziliśmy czas na omawianiu dokonań tego poranka. Uzgodniliśmy, że obrazami, jakie odpowiadały z grubsza naszemu celowi, był Grevenbroeck w galerii d'Amodia i Nogari w Artemisia. Z tych dwóch ostatni bardziej nam odpowiadał, ponieważ Nogari był Włochem, a Grevenbroeck nie.

Miałem odlecieć do Ameryki pod koniec tygodnia. Zdecydowaliśmy, że stamtąd rozpocznę negocjacje, dzięki czemu czasu będzie dość, aczkolwiek nie mieliśmy go zbyt wiele ze względu na nieprzekraczalny termin, jaki nam wyznaczono. Jeśli osiągniemy porozumienie, Sam powróci do Neapolu z gotówką i odbierze obraz.

Ni stąd, ni zowąd pojawił się w drzwiach naszego przedziału człowiek w mundurze.

– On jest z wagonu restauracyjnego – rzekła Cecilia. – Chce się dowiedzieć, czy chcemy kupony na obiad.

– A co z demonstracją? – zapytaliśmy jednocześnie z Samem.

Nastąpiła wymiana zdań po włosku pomiędzy Cecilią i tym człowiekiem, po czym nasza przyjaciółka wybuchnęła gwałtownym śmiechem.

– Co się stało? – zapytałem.

Odpowiedział, że jesteśmy we Włoszech. Demonstranci też będą chcieli spożyć obiad, a zatem demonstracja zakończy się lada chwila.

Wykupiliśmy kupony.

I rzeczywiście pięć minut później olbrzymi tłum wymaszerował z peronu wzdłuż pociągu, niosąc sztandary i głośniki i wykrzykując jakieś hasła. Demonstrantów eskortowała policja, ale wydawało się, że nie są oni wrogo nastawieni. Kiedy szliśmy do wagonu restauracyjnego i pociąg ruszył wolno półtorej godziny po czasie, jeden z demonstratorów krzyknął: – Buon appetito.

* * *

Będąc już z powrotem w Londynie musiałem sprawdzić wartość płótna przed rozpoczęciem negocjacji. Jeśli mieliśmy złożyć ofertę Conchi Barrios czy d'Amodiemu, musiała ona być realistyczna – taka, jaką złożyłby prawdziwy kupiec. Dlatego właśnie poleciłem Samowi zrobić fotografie. Posłałem je znajomemu, który był handlarzem obrazów starych mistrzów. Ale najpierw musiałem wymyślić jakiś pretekst, ponieważ nie chciałem go wciągać w naszą grę czy zwrócić uwagę kogokolwiek na to, że w ogóle realizujemy jakiś plan. Pretekst taki winien być wiarygodny i legalny. A zatem powiedziałem swojemu znajomemu, że podczas pisania dreszczowca, którego akcja rozgrywa się w świecie sztuki, natknąłem się na kolekcję obrazów wystawionych na sprzedaż w Ticino we włoskiej części Szwajcarii. Dałem mu do zrozumienia, iż znajdują się one w Locarno nad brzegami jeziora Maggiore. Szwajcarskie pochodzenie „kolekcji" było istotne, ponieważ wywóz starych mistrzów z Włoch bez zezwolenia jest nielegalny, podczas gdy podobny zakaz nie istnieje w Szwajcarii. Mój znajomy handlarz był bardzo uczynny. Odesłał mi zdjęcia pocztą, zaznaczając wartość każdego z nich na odwrocie. Na zdjęciu obrazu Grevenbroecka napisał ołówkiem 10 000–14 000 funtów, natomiast na zdjęciu Nogariego nakreślił 8000–12 000 funtów.

Podczas weekendu poleciałem do Ameryki. W dwa dni po przylocie wysłałem fax do Conchy Barrios, o następującej treści, oraz do d'Amodio z odpowiednimi zmianami:

> Droga pani Barrios,
>
> Było miło się spotkać z panią podczas pobytu z moim asystentem w Neapolu. Dziękuję za pokazanie mi pani obrazów. Po stosownych konsultacjach miło mi teraz złożyć pani następującą ofertę. W pomieszczeniu na piętrze znajdował się portret starej kobiety – osiemnastowieczne płótno olejne z północnych Włoch, za które mogę zapłacić 18 500 000 lirów (8050 funtów).
>
> Zdaję sobie sprawę, że nie tyle się pani spodziewa, ale obydwoje wiemy jak obecnie wygląda sytuacja na rynku. Proponuję pani szybką transakcję. Pragnę podkreślić, że jeśli przystanie pani na tę cenę, to jeden z moich asystentów uda się do Neapolu w ciągu trzech tygodni i może pani wypłacić całą kwotę gotówką.

Następnie podałem moje namiary w Stanach i postanowiłem czekać.

D'Amodio odpowiedział pierwszy, w dwa dni potem. Zaproponowałem mu także 18 500 000 lirów. Obniżył swą cenę do 26,5 miliona lirów, ale więcej ustąpić nie chciał. Następnego dnia przyszła odpowiedź od Conchy Barrios. W swym faxie napisała, że zapłaciła 20 milionów za Nogariego i że muszę zapłacić nieco ponad dwadzieścia milionów, by się stać jego posiadaczem. Dwadzieścia milionów lirów w owym czasie odpowiadało 9090 funtom szterlingom, co mieściło się w ramach naszego budżetu. Ale wyłożyć musiałem trochę więcej, ponieważ w dniu transakcji parytet funta wynosił 2200 lirów, a więc suma do zapłacenia wynosiła 9545 funtów, kilkaset funtów poniżej naszego limitu finansowego.

Poczekałem jeszcze dobę i zaproponowałem 21 milionów. Następnego dnia Concha Barrios przysłała fax ze szczegółami sposobu dokonania płatności w banku. Poczułem się nieco speszony tym, że tak szybko obniżyła cenę z 45 milionów lirów do 35 milionów, a następnie do 21 milionów w trzech krótkich posunięciach. Zapłaciliśmy mniej niż połowę ceny wywoławczej, co dało mnie i Samowi wiele do myślenia, zastanawialiśmy się, czy taki rodzaj prowadzenia negocjacji był rzeczą normalną w świecie sztuki. Ale nie mieliśmy zbyt dużo czasu na rozmyślania. Dobiliśmy targu, mieszcząc się w ramach naszego budżetu. Realizacja planu postępowała naprzód. Mieliśmy dokładnie określony termin i musieliśmy działać tak szybko jak tylko możliwe. Sam poczynił przygotowania do podróży do Neapolu. Odebrał obraz bez żadnych przygód w ostatnim tygodniu marca. Zwłoka dwutygodniowa nastąpiła na skutek konieczności dopracowania innych szczegółów naszego planu.

Wśród dużej ilości materiałów, które wręczył mi były pracownik firmy Sotheby's, jedna z najgrubszych teczek zawierała pięćdziesiąt lub sześćdziesiąt stron dokumentów. Po ich skrupulatnym przestudiowaniu okazało się, że firma Sotheby's wywoziła nielegalnie płótna starych mistrzów z Włoch, a następnie sprzedawała je na aukcji w Londynie (patrz rozdział 6. *Śpiewaczka świątynna*). Przedstawicielstwo mediolańskie stanowiło centrum nielegalnego handlu, zaś pisma firmowe zawierały szczegóły transakcji z klientami oraz pytania, jaką cenę taki to a taki obraz osiągnie we Włoszech lub Londynie. W kilku dokumentach wymieniano tytuły płócien oraz nazwiska malarzy. W ciągu kilku miesięcy wraz z Samem prześledziliśmy w ten sposób losy wielu obrazów, które w końcu sprzedawano na aukcji w Londynie. Praktyki takie były powszechne i dotyczyły wielu naprawdę pięknych malowideł.

Musieliśmy sprawdzić zasięg tego tajnego handlu, tak jak na to wskazywały rzeczone dokumenty, odnoszące się zarówno do początku, jak i do końca lat osiemdziesiątych. Chcieliśmy się przekonać, czy przemyt odbywa się dalej. Dlatego zamierzaliśmy zanieść obraz starego mistrza do przedstawicielstwa firmy Sotheby's w Mediolanie i poprosić o sprzedaż dzieła w Londynie, a następnie zobaczyć, co się będzie działo dalej. Handel dziełami sztuki odbywa się w niewielkim kręgu i nie chcieliśmy ryzykować wybierając obraz, który sprzedano na aukcji niedawno, zaledwie kilka miesięcy temu. To zniweczyłoby nasz plan całkowicie. Galerie w Neapolu były na tyle odległe od głównych domów aukcyjnych, na ile było to możliwe.

Teraz, gdy mieliśmy już upatrzony obraz, potrzeba nam było wiarygodnej historyjki, i właśnie nad tym pracowaliśmy bezpośrednio przed wyjazdem Sama do Neapolu. Ponieważ byłem znany w świecie sztuki (w każdym razie o wiele bardziej niż Sam) pozostałem w Londynie, ale pozostawałem w ciągłym kontakcie telefonicznym.

Nasz pomysł, przedstawiony telewizji Channel 4 i przez nią przyjęty, sprowadzał się do tego, żeby posłać kogoś z obrazem do biura Sotheby's w Mediolanie i oświadczyć, że obraz jest częścią odziedziczonej niedawno kolekcji. Problem polegał na tym, że robiliśmy program telewizyjny w Anglii i dlatego transakcja musiała odbyć się w języku angielskim. Dlatego konieczne było odpowiednie uzasadnienie, dlaczego osoba posiadająca ten obraz mówi po angielsku, a nie po włosku. Będąc niedawno w Australii przekonałem się, że w Sydney znajduje się spora mniejszość włoska. Wielu jej członków mówiło po angielsku. A zatem zdecydowaliśmy, że ze względu na wymóg wiarygodności należy znaleźć „odpowiedniego człowieka" mającego związki z Australią oraz adres i numer telefonu w tym kraju. Dodatkowa korzyść polegała na tym, że Sydney, Melbourne czy Perth są daleko od Londynu i istniała niewielka szansa, że ktoś z firmy będzie podejrzewał nas o branie w tym udziału.

Zastanawialiśmy się z Samem, który z naszych przyjaciół czy znajomych mógłby pasować do tej roli. Zdecydowaliśmy się najpierw na kogoś, kogo nazwę Gloria. Była zatrudniona w dziale analiz telewizji. Wyglądała bardzo schludnie i fachowo, i pod każdym względem nam odpowiadała. Jeśli o mnie chodzi, to wyglądała tak jakby w każdej chwili miała odziedziczyć kolekcję obrazów. Tak naprawdę Gloria była Libanką z pochodzenia, ale ojciec jej mógł z łatwością ożenić się z Włoszką w Australii. Niestety, wyrażając na początku zgodę, później zmieniła zdanie. Miała pełne prawo, lecz w ten sposób straciliśmy jeden tydzień. Mieliśmy nadzieję, że obraz zostanie przeszmuglowany na czas, by go wystawić na licytację 3 lipca, i dlatego musieliśmy go dostarczyć do domu aukcyjnego jak najszybciej.

Nagle dopisało nam szczęście. W stacji telewizyjnej Clark Television pracowała nad innym programem kamerzystka australijska Victoria Parnall. Co więcej, była pochodzenia włoskiego. Panieńskie nazwisko jej matki brzmiało Costello, a jej kuzyn Peter, zamieszkały w Sydney, nazywał się tak samo. A zatem pochodzenie Victorii było właściwe, podczas gdy adres w Sydney oraz numer telefonu i faxu były dla nas jak najbardziej przydatne. Dodatkowy atut w jej przypadku stanowił fakt, że będąc kamerzystką, znakomicie nadawała się do filmowania z ukrycia, które mieliśmy zamiar robić.

Uczyliśmy ją całe dnie, ponieważ nigdy nie była na aukcji i nie wiedziała prawie nic o rynku dzieł sztuki i nie bardzo zdawała sobie sprawę, czego od niej chcemy. Wyjaśniłem jej, że nie w tym problem. To, że nie bardzo się orientuje w tych sprawach może być nawet jej atutem. Ma odgrywać rolę kobiety niewiele znającej się na sztuce, która spędziła większość swego życia w Australii i która nieoczekiwanie odziedziczyła kolekcję malowideł od prababki zamieszkałej we Włoszech. Poinstruowaliśmy Victorię, by powiedziała, że jej prababka mieszkała w małej wiosce nieopodal Bergamo i nic więcej. Wybraliśmy Bergamo, ponieważ leży niedaleko Mediolanu i ponieważ Nogari pochodził z północy kraju. A zatem wyglądało na rzecz zupełnie prawdopodobną, że jego obraz znalazł się w tym zbiorze i właśnie tam.

Po pierwsze, Victoria miała mówić mgliście o tym, co dokładnie odziedziczyła. Miała wtrącić tylko, że miejscowy handlarz dzieł sztuki już jej złożył odpowiednią propozycję kupna. Nie chcieliśmy, aby firma Sotheby's pomyślała sobie, iż do niej świat należy. Chcieliśmy, by ludzie ci odnieśli wrażenie, że Victoria daje im Nogariego tylko do wyceny i że chce porównać tę wycenę z ofertą miejscowego handlarza. Dołożyliśmy Victorii „siostrę" z małymi dzieci, z powodu których nie mogła opuścić Sydney, ale znała się na sztuce o wiele lepiej. Być może siostra ta przyda się później, gdy Victoria będzie negocjować i trzeba będzie wykazać się większą znajomością sztuki. Mogłaby wówczas postępować wedle wskazówek tej fikcyjnej siostry, podczas gdy powoływanie się na siostrę i konsultacje z nią dałoby nam trochę czasu, gdybyśmy go potrzebowali.

Po opuszczeniu Neapolu Sam udał się na północ z obrazem, by spotkać się z Victorią na lotnisku mediolańskim, skąd pojechali do hotelu Excelsior San Marco w Bergamo. Tam odegrali niewielką, lecz zabawną komedię. Zgodnie z planem Sam i Victoria mieli zarejestrować się w hotelu oddzielnie. Wymogi kamuflażu nakazywały, by się nie znali. W przeciwnym wypadku telefony od firmy Sotheby's byłyby łączone do pokoju Sama, kiedy Victorii nie było, i ponieważ nazwisko jego widniało w pierwszym programie telewizji, z łatwością mógłby być rozpoznany. Sam i Victoria przybyli do hotelu dość późno, ponieważ lot British Airways został opóźniony i recepcjonistka widziała ich razem wysiadających z samochodu na opustoszałym parkingu. Sam musiał improwizować. Poprosił kierownika na stronę i wyjaśnił mu, że ma z Victorią romans i że jej mąż może telefonować. Z tego więc powodu nie można łączyć telefonów do Victorii do jego pokoju. Kierownik hotelu oświadczył, że całkowicie go rozumie.

Nazwisko Amerykanki Nancy Neilson z mediolańskiego przedstawicielstwa firmy Sotheby's było najczęściej wymieniane w dokumentach. Lecz ona tam już nie pracowała i dowiedzieliśmy się, że jej miejsce zajął niejaki Roeland Kollewijn będący Holendrem. I to właśnie do niego zadzwoniła Victoria w środę rano 27 marca. Wykonaliśmy kilka czynności w związku z tym telefonem. Po pierwsze, zadzwonić należało w porze obiadowej, ponieważ ze względu na konieczność zachowania pozorów chcieliśmy, by go nie było w tym momencie w biurze i by pozostawić dla niego wiadomość. Gdyby sam oddzwonił do Victorii w hotelu w Bergamo, nie miałby żadnych wątpliwości, że rozmawia z kimś we Włoszech. Historyjka, jaką mieliśmy zamiar mu sprzedać, o wiele lepiej trzymać się będzie kupy.

Za pierwszym razem, Victorii powiedziano, że Kollewijna nie ma i że wróci dopiero w czwartek. Nie można było zatem nic zrobić, tylko czekać. Bergamo jest miastem górzystym i nie pozbawionym uroku. Są znacznie gorsze miejsca do zabicia czasu od tego miasta.

Następnego dnia Kollewijn oddzwonił i Victoria powiedziała mu, że odziedziczyła pewne obrazy, dodając, że jest Australijką i przebywa we Włoszech dopiero od kilku dni. Zapytała, czy może się z nim szybko spotkać. Wyraził zgodę i zasugerował, by przyjechała do Mediolanu od razu. Nam to odpowiadało i Sam wraz z Victorią dotarli na spotkanie o godzinie 11.30.

Dzień był szary, niebo zasnute chmurami, pogoda taka, że czasami zimą trzeba było zamykać mediolańskie lotnisko Linate. Biuro Sotheby's na via Broggi wyglądało niepokaźnie i mieściło się w spokojnej i eleganckiej dzielnicy między parkiem miejskim i głównym dworcem. Oprócz przygotowania psychologicznego Sam wyposażył Victorię w odpowiednie urządzenia elektroniczne. W torbie miała magnetofon najnowszego typu i, co nie mniej istotne, wewnątrz kryształowej broszy przypiętej do klapy znajdowała się niewielka kamera typu rybie oko połączona kabelkiem, pod żakietem, z magnetowidem typu Hi-8, wielkości paczki papierosów, umieszczonym w kieszeni. Pole widzenia kamery przetestowano tak, że Victoria dokładnie wiedziała, gdzie należy usiąść, by uchwycić twarz Kollewijna. Zanim wkroczyła do biura wraz z Samem obeszli cały kwartał ulic, by upewnić się, że sprzęt działa i by Victorię uspokoić.

Za kwadrans dwunasta wkroczyła sama do biura. Nogariego niosła w zwyczajnej papierowej torbie, zawiniętego w folię plastykową i brązowy papier oblepiony taśmą samoprzylepną. Kiedy zapytała o Roelanda Kollewijna, poprowadzono ją schodami do pokoju na półpiętrze. Był to duży pokój ze świetlikiem, w którym normalnie odbywały się aukcje. Taśmy do nagrywania głosu i obrazu miała dosyć, zatem nie musiała się śpieszyć.

Kollewijn przyszedł do niej po kilku chwilach. Był niewielkiego wzrostu, szczupły, o jasnoblond włosach, w okularach bez oprawy. Zaczął rozmowę dobrą angielszczyzną z ostrym akcentem holenderskim. Victoria wyjaśniła mu raz jeszcze, że w spadku dostała wiele malowideł i że specjalnie przyjechała z Australii, dając do zrozumienia, iż w sprawach dzieł sztuki jest nowicjuszką.

Kollewijn rozwinął obraz. Wydawał się być zachwyconym, ale coś go powstrzymywało. Powiedział, że to dobry obraz, że jest autentykiem. Zwykle ludzie, którzy pojawiają się znikąd przynoszą falsyfikaty. Obraz jest wart, dodał, jakieś 15 do 20 milionów lirów, czyli innymi słowy kilkaset funtów mniej aniżeli zapłaciliśmy.

– Jest ślicznie namalowany, ale... niechodliwy... To ładny obraz, ale ona jest taka smutna.

Następnie znowu się zapalił, rzucając kilka uwag o tym, że włosów kobiety nie można odróżnić od tła, i dodał:

– Ładnie namalowany obraz. Dobrze wykonany.

Po chwili zaproponował, że jeśli Victoria wyrazi zgodę, to jego dom aukcyjny wystawi go na sprzedaż we Włoszech w maju za 15–20 milionów lirów. Podkreślił, że ramy są tylko dwudziestowieczną imitacją, ale to nie ma najmniejszego znaczenia. Zakończył oświadczając, że jeśli Victoria chce sprzedać obraz na aukcji majowej, musi się zdecydować od razu, ponieważ katalog trzeba wysłać do drukarni następnego dnia.

Victoria zaczęła się wić i kręcić. Nie o to nam wcale chodziło. Odpowiedziała, że musi się poradzić „siostry", która znała się o wiele lepiej na sprawach związanych ze sztuką. Ze względu na to, że mieszka w Australii jest tam o dziewięć godzin do przodu. Była godzina dziewiąta wieczorem w Sydney, późno, ale nie za późno na ważne sprawy. Kollewijn zaproponował skorzystanie z telefonu swej firmy, ale znów nie o to nam chodziło, więc Victoria zaczęła grać na zwłokę. Jednak zgodziła się pozostawić mu obraz, zachowując na tyle przytomność umysłu, że poprosiła go o pokwitowanie, na co przystał. Pomówili jeszcze chwilę o honorarium, jakie Sotheby's pobierze od sprzedaży obrazu w Mediolanie, podatku VAT i ubezpieczeniu.

Kollewijn nie nadmienił o możliwości sprzedaży Nogariego w Londynie, dlatego Victoria powtórzyła raz jeszcze, że obraz jest jednym z kilku, które dostała w spadku i że jej siostra pragnie uzyskać jak najwyższy dochód ze sprzedaży. Dodała, że chcą porównać ofertę miejscowego sprzedawcy z tym, co obrazy te mogą osiągnąć w salonach aukcyjnych. Następnie zapytała, czy Nogari osiągnąłby tę samą cenę w Londynie.

– Tak – odrzekł Kollewijn. – Można go równie dobrze sprzedać w Mediolanie, co i w Londynie. Jest to obraz włoski i według standardów firmy Sotheby's niezbyt drogi. Odpowiedź nie była pocieszająca, ale interesująca sama w sobie, sugerowała bowiem, że choć Nogari nie był, mimo wszystko, dobrym środkiem do udowodnienia przestępstwa, to jednak bardziej kosztowny obraz mógłby cel ten spełnić.

Kollewijn potwierdził to przekonanie w późniejszych rozmowach. Nawiązując do uwagi Victorii, że jej siostra pragnie zmaksymalizować dochód z kolekcji, rzekł:

– Tak. Widzi pani, jeśli chodzi o te rzeczy... różnica między rynkiem międzynarodowym i włoskim ma miejsce wówczas, gdy się ma towar najwyższego rzędu... Ten tu, to dobry, ale podrzędny malarz... znany tylko na tutejszym rynku. Tak więc lepiej wystawić go wśród innych tu, a nie wysyłać do Nowego Jorku. Gdyby miała pani coś na rynek międzynarodowy, pięknego Guida Reni czy Rafaela, coś naprawdę dobrego, o czym głośno na świecie, lub znane płótno w bardzo dobrym stanie, wówczas tak, różnica byłaby duża. Ktoś na Piątej Ulicy, co tam... każdy w Nowym Jorku powiedziałby: „Co za piękny obraz. Warto go mieć"...

– Chyba tak – odrzekła Victoria.

– ...i wówczas dostałaby pani o wiele więcej niż tutaj. Włochy to nie rynek międzynarodowy, więc jeśli ma się coś naprawdę dużej klasy, to należy to wysłać. Wie pani, jeśli ma się Canaletta czy Guardiego, to tam, nigdy tu – kontynuował rozmowę Kollewijn.

– Chyba tak – wtrąciła Victoria.

– ...powiedzieliby: obraz wart jest sześć lub dziewięć tysięcy funtów, czyli tyle samo, co tu. Ale jeśli przyniesie pani Guardiego i powie, że chce za niego sto milionów lirów, czyli 45 tysięcy funtów, to Londyn może odpowiedzieć, że da nawet sto tysięcy, ponieważ to się opłaca. Niech pani tylko pomyśli – jeśli wstawia się coś na rynek międzynarodowy, to po co się to robi? A ten obraz na pewno nie trafi do Houston, Dallas czy Nowego Jorku, ale w przypadku Guardiego czy czegoś naprawdę na fali... – wyjaśniał Kollewijn.

– Tak, rozumiem – powiedziała Victoria.

– ...różnica byłaby spora i wówczas opłacałoby się na pewno zorganizować przerzut. Z Włoch lepiej wywieźć do Londynu niż do Nowego Jorku ze względu na wysokość VAT-u od zadeklarowanej ceny, ponieważ obraz idzie... poza Wspólny Rynek. A zatem lepiej do Londynu niż do Nowego Jorku... To zdecydowanie dobry obraz. Przyjemny, aczkolwiek nieco niezgrabny tu, w tym miejscu, co czyni go jeszcze cieplejszym. To alegoria wieku starczego... – mówił dalej Kollewijn.

– Portret Doriana Greya – odrzekła Victoria.

Kollewijn: – Owszem, malowano je parami... podobnie martwe natury. Martwa ryba i zwierzyna płowa... czyli lata chude i tłuste lub ten obraz w parze z młodą damą, symbolizującą młodość. To płótno symbolizuje starość.

Victoria: – Rozumiem.

Kollewijn: – Jeśli można wybierać, to lepiej wybrać młodość. To temat weselszy. Oznacza, że nie dbamy o rzeczy materialne. Taki jest morał...

Victoria: – Interesujące.

Kollewijn: – Nawet gdyby pani przyniosła młodą dziewczynę... to i tak obraz należałoby sprzedać tu, we Włoszech.

Victoria: – Pewnie tak.

Kollewijn: – Ale wówczas mógłby to być także odpowiedni obraz na Londyn.

I na tym rozmowa wkrótce się zakończyła. Dokładne zapisy rozmów są często mylące, o czym wie dobrze każdy, kto był kiedyś członkiem jakiegoś jury. Ale sens wypowiedzi Kollewijna był wyraźny. Dawał bowiem do zrozumienia, że nasz obrazek nie jest na tyle wart, by wysyłać go do Londynu i że można go równie dobrze sprzedać w Mediolanie, co i w Londynie, ale gdybyśmy mieli coś lepszego, coś ładniejszego i bardziej cennego, wówczas sprawa wyglądałaby zupełnie inaczej. Mógłby wówczas zorganizować przerzut. Pod koniec rozmowy zmienił nieco zdanie, mówiąc, że gdybyśmy mieli obraz do pary, wówczas kilka płócien warto byłoby także wywieźć.

Victoria zakończyła szybko rozmowę, oznajmiając, że przemyśli wszystko, zadzwoni i porozmawia z siostrą, i że oddzwoni następnego dnia. Powiedziała, że ma zamiar udać się do Australii następnego wieczoru, co później okazało się bardzo istotne. Pozostawiła płótno Kollewijnowi, podała mu swój adres, numer telefonu i faxu w Australii, i wyszła.

Kiedy Sam i Victoria zadzwonili do mnie do domu tego popołudnia, byli w nie najlepszym nastroju. Byliśmy już tak blisko celu, a zarazem tak daleko. Kollewijn dał do zrozumienia, że przemyt ma miejsce, ale tylko obrazów o wiele bardziej wartościowych, aniżeli nasz. Porozmawiałem przez chwilę z Samem, wymieniając spostrzeżenia, ale nic nie uzgodniliśmy. Sam był pod wrażeniem otwartości Kollewijna odnośnie przemytu dzieł sztuki, ale przesłuchawszy taśmę wyraził opinię, że Holender wydawał się być nieugiętym, iż nasz obrazek się do tego nie nadawał. Postanowiliśmy „przespać się z tematem".

Tego wieczoru poszedłem na operę do Covent Garden. Oddając się czarowi muzyki, cały czas rozmyślałem nad naszym problemem. Im głębiej się zastanawiałem, tym bardziej oczywiste stawały się dwie rzeczy. Z dokumentów, jakie otrzymałem od byłego pracownika firmy Sotheby's wynikało, że przemyt starych mistrzów z oddziału mediolańskiego do Londynu odbywał się na wszystkich poziomach, a nie tylko na poziomie kosztownych obrazów, nawet wziąwszy pod uwagę fakt, że dokumenty te odnosiły się do lat osiemdziesiątych, kiedy ceny były inne. Nie wszystkie przeszmuglowane obrazy warte były sześciocyfrowych kwot.

Po powrocie do domu raz jeszcze przejrzałem dossier. Tak, miałem rację. Sporo płócien, jakie wysłano z Włoch do Londynu to dzieła pośledniejszego gatunku, właśnie takie, jak nasze. A zatem dlaczego Kollewijn grymasił? I dopiero kiedy zwróciłem uwagę na sformułowania w dokumentach nastąpiło olśnienie. Wiele osób wymienionych w nich było po imieniu z personelem. Byli to handlarze lub kolekcjonerzy, którzy regularnie powierzali obrazy. Innymi słowy zajmowali się hurtem i uważano ich za bezpiecznych. Z nimi Sotheby's mógł robić interesy, ale nie z nieznaną nikomu Victorią.

Zauważyłem coś jeszcze innego tego wieczoru, coś, na co nie zwróciłem przedtem uwagi. Główną osobą wymienianą w dokumentach mediolańskich był Amerykanin, podczas gdy teraz osobą odpowiedzialną za tego rodzaju sprawy był Holender. Czy to przypadek? Czy obcokrajowcom łatwiej brać udział w wywozie starych mistrzów aniżeli rodowitym Włochom, mogącym mieć wyrzuty sumienia przy wyzbywaniu się swego dziedzictwa narodowego? Na pozór nienormalne było to, że Włoch nie był szefem wydziału starych płócien w Mediolanie, ponieważ Włosi są na pewno najlepszymi specjalistami w dziedzinie swej rodzimej sztuki.

Zastanawiając się nad tym poważnie, doszedłem do wniosku, że Kollewijn był właściwym człowiekiem na właściwym miejscu i zdałem sobie sprawę, iż musimy podnieść stawkę i przekonać go, że jesteśmy warci zachodu.

Przed ósmą rano czasu londyńskiego zadzwoniłem do Sama i Victorii. Wyjaśniłem im mój sposób rozumowania oraz to, że cała sprawa ma dwa aspekty. Po pierwsze, chciałem, by Victoria udała się do przedstawicielstwa firmy bez zapowiedzi, ponieważ jej pojawienie się może nieco zaskoczyć Kollewijna. Co ważniejsze, jej nagłe pojawienie się tam oznaczałoby jak bardzo zależy jej na sprzedaży obrazu na aukcji, a nie po prostu miejscowemu handlarzowi w rejonie Bergamo. Pomyślałem, że mogłoby to uspokoić i upewnić Kollewijna oraz skłonić do większej współpracy. Było rzeczą zupełnie normalną, że Victoria chce się z nim zobaczyć, ponieważ powiedziała mu poprzedniego dnia, że leci do Australii tego wieczoru i chce wszystko uzgodnić.

Po drugie, chciałem, by Victoria powiedziała, że rozmawiała już z siostrą zamieszkałą w Sydney i że ta doradziła jej, by powiedzieć Kollewijnowi o pozostałych obrazach z „kolekcji" w ich posiadaniu. Podanie kilku szczegółów pozwoliłoby mu ocenić jej wartość i jednocześnie zaostrzyłoby jego apetyt. Uwaga, jaką rzucił poprzedniego dnia o tym, że młoda dziewczyna Nogariego mogłaby „nadawać się na Londyn" wskazywałaby, że to, co mamy, prawie się nadaje na nielegalny wywóz. Mając całą kolekcję na widoku, kto wie, co może uczynić Kollewijn?

To, co się znajdowało w kolekcji było sprawą niezmiernie istotną. Zdawaliśmy sobie sprawę, że Kollewijn jest pod wrażeniem Nogariego. Artysta ten z pewnością nie był bardzo znanym malarzem, ale obraz był całkowicie autentyczny, dobrze wykonany, i to się liczyło. Wielu ludzi zgłaszających się do domów aukcyjnych przynosi obrazy, twierdząc, że namalowali je Tycjan, Caravaggio lub Tiepolo. W rzeczywistości, jednak, okazuje się później, że to obrazy ze szkoły tych mistrzów, namalowane przez ich uczniów i to często gęsto kiepsko. Obraz „ze szkoły Tycjana" jest o wiele mniej wart niż autentyczny Nogari.

Ale wróćmy do tematu. Jeśli ktoś wstawia do domu aukcyjnego Tycjana, który okazuje się być tylko z jego szkoły, to oznacza, że (a) osoba ta nie zna się na sztuce, i że (b) kolekcja, do której ma dostęp będzie się prawdopodobnie składać z drugorzędnych dzieł, w przeszłości niewłaściwie skatalogowanych przez ludzi, którzy się także na sztuce nie znali zbyt dobrze. I na odwrót, ponieważ nasz Nogari był autentykiem i to dobrze namalowanym, oznaczało, że kolekcja, którą Victoria wraz z siostrą dostała w spadku będzie się składać z podobnych prac.

A zatem sporządzając listę obrazów naszej tzw. kolekcji nie możemy wypełnić jej arcydziełami Tintoretta, Tycjana czy Tiepola, ale obrazami podobnej rangi co Nogari, a które, jak sądziliśmy, były przemycane w przeszłości. Ale i to wystarczyłoby, by zaostrzyć apetyt Kollewijna. Tak przynajmniej mi się wydawało. Różni artyści, nawet ci nieznani szerokiemu ogółowi, osiągają na aukcjach ceny od 40 tysięcy do nawet 400 tysięcy funtów. Nie było zatem rzeczą zbyt trudną zebrać kolekcję dziesięciu czy dwunastu obrazów wartych, przynajmniej teoretycznie, od 500 tysięcy do pięciu milionów funtów. Prowizja dla domu aukcyjnego Sotheby's z takiej kolekcji wynosiłaby od 100 tysięcy funtów do jednego miliona, suma nie do pogardzenia.

Starannie sporządziliśmy listę nazwisk. Najpierw wybraliśmy Niccolo Frangipana, malarza żyjącego w Wenecji i nieopodal niej w końcu XVI w. Obrazy jego „szły" za 5 do 15 tysięcy funtów. Potem zdecydowaliśmy się na Benvenuto Tisiego, zwanego Il Garofalo, żyjącego i malującego w Ferrarze w latach 1481–1559 znakomite Madonny, osiągające około 20 tysięcy funtów. Do nazwiska dodaliśmy słowa „złoty grunt", co oznaczało, że malował na złocistym tle. Umieściliśmy na liście parę płócien Mario Nuzziego, specjalizującego się w malowaniu kwiatów, mimo że prace jego osiągały tylko od 10 do 15 tysięcy funtów, o ile były autentykami. Ale kolekcje takie jak nasza zwykle zawierały podobne płótna. Potem był Andrea di Bartola. On także malował Madonny na złotym tle. Żył i malował w Siennie od 1389 do 1428 roku, a płótna jego osiągały cenę około 20 tysięcy funtów. Celowo nieprawidłowo napisaliśmy jego nazwisko (winno brzmieć Bartolo), by podkreślić, że Victoria nie zna się na sztuce. Następny na liście Michele Rocca żył i pracował w Parmie i Wenecji w latach 1670–1751. Obrazy jego osiągają cenę od 10 do 20 tysięcy funtów. Wszystkie płótna pochodziły z północnych Włoch, każde z nich było warte mniej więcej tyle, co Nogari.

Nieco lepiej brzmiały nazwiska Pompeo Batoniego, osiemnastowiecznego malarza rzymskiego, który sportretował kilku papieży i tuziny książąt. Prace jego mogły być warte od 75 do 100 tysięcy funtów. Bernardo Strozzi był następny. Pochodził z Genui i naśladował Rubensa. Płótna jego o żywych barwach mogły z łatwością osiągnąć cenę od 40 do 50 tysięcy funtów. Dorzuciliśmy do tego jeszcze kilka „pomniejszych płotek". Jeśli Kollewijn uwierzy w prawdziwość pozostałych płócien ze względu na autentyczność Nogariego, wówczas zwiększą one wartość całej kolekcji przynajmniej dziesięciokrotnie.

Na liście naszej umieściliśmy jedno z dzieł Luca Carlevarijsa, prekursora Canaletta, który żył i pracował w Udine i Wenecji w latach 1663–1730. Obrazy jego osiągają 150 tysięcy funtów. Innym jeszcze płótnem, które posiadaliśmy był „Crivelli". Świadomie nie określiliśmy dokładnie imienia, ponieważ było ich dwóch: Angelo Maria Crivelli, malujący w Mediolanie na początku osiemnastego wieku, którego obrazy warte były pięć tysięcy funtów i Carlo Crivelli, który żył i malował w Wenecji pod koniec piętnastego wieku i naśladował Mantegnę. Jego obrazy „szły" nawet za 500 tysięcy funtów. Dorzuciliśmy do tego płótna Oraziego, Gentileschiego, Marco Ricci, Sassoferratiego i Luci Giordano. Byłem przekonany, że dzięki tym nazwiskom Kollewijn nie będzie w stanie się oprzeć wrażeniu, że są one także autentykami. Gentileschi i Giordano, jeśli tylko tematy wybierzemy właściwe, mogą być warci milion funtów, podczas gdy Sassoferrato i Ricci mogą osiągnąć cenę 250 tysięcy za każdy obraz.

Według moich obliczeń oznaczało to, że „kolekcja", którą Victoria „dostała w spadku" składała się w ponad pięćdziesięciu procentach z malarzy włoskich i warta była 4 390 000 funtów. To oznaczało prowizję ponad ośmiuset tysięcy funtów dla Sotheby's. Podyktowałem nazwiska Victorii, ale celowo nie powiedziałem jej nic o płótnach. Jeśli okaże całkowitą ignorancję, nie będzie mogła popełnić błędu. Skończyłem rozmowę, życząc powodzenia i postanowiłem czekać.

Nie wiedziałem, że Sam pójdzie jeszcze dalej. Przesłał faxem moją listę do Londynu z prośbą o przepisanie jej i odesłanie z powrotem. Następnie oderwał nagłówek wskazujący na miejsce wysłania faxu. Pomysł jego sprowadzał się do tego, że Victoria pokaże Kollewijnowi fax, udając, że otrzymała go od siostry z Sydney. Pomysł był dobry.

Jadłem obiad, około wpół do drugiej, czyli około wpół do trzeciej w Mediolanie, kiedy zadzwonił telefon. Dzwoniła Victoria i była bardzo podekscytowana.

– Peter – rzekła podniecona – kupił wszystko, naprawdę wszystko.

Ale dajmy głos Kollewijnowi. Na następnych stronach podaję istotne wyjątki z nieco poprawionego zapisu rozmowy, jaka miała miejsce pomiędzy nim i Victorią. Spotkanie odbyło się na półpięterku. Zapis ma charakter chaotyczny, niemniej jednak główny wątek jest wyraźny.

Po wymianie grzeczności Kollewijn powiedział, że bada autentyczność naszego obrazu i sprawdza, czy w podręcznikach historii sztuki nie opublikowano jego zdjęcia. Na mniej wartościowe dzieła można od czasu do czasu uzyskać pozwolenie na wywóz, oświadczył, ale mówiąc fachowo nie można wywozić czegoś, co już opublikowano w książce lub magazynie. Nie można potem mówić, że się o tym nie wiedziało. Gdyby władze włoskie obejrzały katalog Sotheby's, będą w stanie wskazać na publikację we Włoszech jako na dowód, że dane płótno znajdowało się w kraju stosunkowo niedawno i zostało nielegalnie wywiezione, jeśli nie było na nie oficjalnego zezwolenia. Victoria wręczyła Kollewijnowi listę pozostałych obrazów znajdujących się w „kolekcji", którą odziedziczyła.

Kollewijn: – Dobry towar... O ile jest... To kupa pieniędzy...

Victoria: – Widzi pan teraz dlaczego... pokazaliśmy ten, może niezbyt cenny... by sprawdzić rynek...

Kollewijn: – To dobry towar... towar, którego nie można wywieźć. Wie pani, Włochy są we Wspólnym Rynku, to trudny kraj, zazdrośnie strzegący swych dzieł sztuki. To mniej więcej jedyny ich naturalny skarb... Nie mają ropy, ani niczego... Są bardzo dokładni... jeśli ma pani Luca Giordano, to nie pozwolą. Dobrego Garofalo, także nie. Gentileschiego, nie, jeśli jest dobry. Crivellego, nie ma mowy. Może pozwolą na wywóz Batoniego, ale nie na Carlevarijsa, Strozziego czy Marieschiego... Mówiąc całkiem prywatnie, mam ścisłe instrukcje z Londynu... Ze względu na wymogi ideologiczne żaden rząd, ani lewicowy, ani prawicowy, nie zezwoli na wywóz obrazów. My sobie niewiele z tego robimy, ale im zależy na tym, by ich nie oskarżono, że zezwalają na grabież dziedzictwa kulturowego. Są bardzo czuli na tym punkcie, ponieważ jest to jedyna dziedzina, w której są naprawdę dobrzy. Rozumie pani?

Victoria zapytała, ile mogłaby wynosić różnica, gdyby obrazy sprzedano w Londynie. Dała przy tym wyraźnie do zrozumienia, że ma na myśli obrazy z listy.

Victoria: – Mam na myśli... czy może pan podać jeden przykład ceny tutaj i w Londynie... z listy...

Kollewijn: – Hmm, tak...

Victoria: – Załóżmy...

Kollewijn: – Załóżmy...

Victoria: – Chcę powiedzieć...

Kollewijn: – Gdyby miała pani Geriniego na złotym tle... Na przykład tych rozmiarów (wyciągnął ręce na około metr), jak to zwykle bywa, wówczas wart byłby tu około 50 milionów lirów, a w Londynie 200 milionów.

Victoria: – Hmm.

Kollewijn: – Nie chciałbym, aby pani mnie źle zrozumiała... Sprzedaż publiczna obrazów we Włoszech nastręcza problemy. Nie zajmuję się obrazami klasy A, tzw. pięciogwiazdkowymi, ponieważ są powszechnie znane... Włosi rejestrują obrazy, a potem je trudno sprzedać, ponieważ ludzie takich nie chcą. Rejestracja oznacza bowiem, że rząd posiada wykazy obrazów i wie, gdzie się znajdują. Oznacza to także, że wartość obrazu została oficjalnie potwierdzona i wywóz z kraju będzie niemożliwy. (Zarejestrowany obraz posiada pieczęć na widocznym miejscu na odwrotnej stronie, tak by każdy mógł rozpoznać jego status oficjalny).

Victoria: – Hm, wnoszę z tego, co pan powiedział, że nie ma sposobu na wywiezienie go z kraju.

Kollewijn: – Tak, ale nie mówię tego jako przedstawiciel Sotheby's...

Victoria: – Ale jak Roeland do Victorii?

Kollewijn: – Tak... potrzeba pani adresu w Londynie. Nieważne czyjego...

Victoria: – Rozumiem.

Kollewijn: – ...Nikt o tym nie będzie wiedział. Może powiedzieć (niezrozumiałe) – prywatna osoba, oczywiście.

Victoria: – Rozumiem.

Kollewijn: – Wówczas można go przeszmuglować.

Następnie oznajmił, że polecił sfotografować Nogariego i sprawdzić jego status prawny, ponieważ nigdy przedtem nie miał do czynienia z obywatelką australijską, zamieszkałą we Włoszech i na domiar posiadającą obrazy w tym kraju. Powiedział, że problem ze sprzedażą we Włoszech polega na tym, że władze się o niej tak czy inaczej dowiedzą i jeżeli obrazy okażą się dobre, to przynajmniej niektóre zostaną zarejestrowane i trzeba będzie za nie zapłacić podatek.

Kollewijn: – I powiedzmy, że zarejestrują wszystkie, a my uznamy, że nie należy ich tu sprzedawać...

Victoria: – No dobrze, i co wtedy?

Kollewijn: – Wtedy będzie mieć pani dwie możliwości. Albo sprzedać je po cichu pośrednikowi, który być może podejmie ryzyko i sam wywiezie je z Włoch, ale wtedy dostanie pani o wiele mniej... Albo pójdzie pani drogą nielegalną, ale wtedy musi mieć pani adres w Londynie, kogoś, kto nie będzie chciał nic o tym wiedzieć. Ekspert w Londynie uda się pod ten adres i obejrzy obraz. O mam go tu. Hm, ekspert będzie kosztował... zrobi to ktoś, kogo my dostarczymy, nie ma problemu. Wiem, jak to się robi, ale oni nie chcą bym to robił (założył ręce)... Będzie to panią kosztować około jednego miliona lirów (450 dolarów) za każdy obraz.

Victoria: – Dobrze.

Kollewijn: – Dobrze, że nie będzie pani mieć żadnych problemów z wywozem, żadnych problemów prawnych. Odbierze pani obraz w Londynie, i wszystko gra.

Victoria: – Wspaniale.

Kollewijn: – Trzeba będzie zapłacić szoferowi z góry.

Victoria: – Dobrze.

Kollewijn: – Najlepsze w tym wszystkim jest to, że nie trzeba płacić ubezpieczenia, ponieważ sprawy nie będzie... ot po prostu do kierowcy ciężarówki i to wszystko (klasnął rękoma).

Victoria: – A jeśli dojdzie do wypadku?

Kollewijn: – Wypadku? No to wszystko się rypnie. My o niczym nie wiemy, ja nic nie widziałem, wszystkiemu zaprzeczymy.

Victoria: – Tak, rozumiem.

Kollewijn: – Przykro nam z powodu obrazów. Były jakieś obrazy? Nie wiedziałem, że ktoś stracił jakieś obrazy... Jeśli przerzut się nie powiedzie...

Victoria: – To co?

Kollewijn: – To je skonfiskują. My nie znamy właściciela, a pani je straci...

Victoria: – Często do tego dochodzi?

Kollewijn: – Nigdy, ale może się tak zdarzyć... Czuję to, kiedy to robię... Statystycznie rzecz ujmując nigdy, co oznacza, że za każdym razem wszystko idzie jak po maśle...

Victoria: – Ale istnieje możliwość...

Kollewijn: – Zawsze istnieje możliwość, że coś pójdzie nie tak. W pewnym momencie może do tego dojść. Niełatwo jest... wie pani taki ruch na drogach... nie powinno, ale jeśli już to mnie nie ma. Przykro mi.

Victoria: – W porządku, nie ma sprawy.

Kollewijn: – Gdyby pani chciała je wysłać, będę potrzebował przynajmniej 10 milionów lirów, lub nawet 15. Sam nie wezmę ani grosza, ale oni żądają gotówki.

Victoria: – Dobrze, rozumiem, o co im chodzi.

Kollewijn: – Dostarczą pod wskazany adres w Londynie, a potem przyjdzie ekspert Sotheby's i powie: „Och jak miło, co za niespodzianka", choć wie, ale nie wie (tekst niezrozumiały). Jeśli coś pójdzie nie tak, to powie: „Obejrzałem obrazy w Londynie. Nie wiedziałem, że właściciel wywiózł je nielegalnie".

Victoria: – W porządku.

Kollewijn: – Zupełnie przyzwoita historyjka.

Na chwilę powrócili do rozmowy o obrazach odziedziczonych przez Victorię w spadku. Kollewijnowi bardzo podobał się Nogari. Powiedział, że jeśli Carlevarijs jest równie dobrym przykładem geniuszu malarza, co stara kobieta Nogariego, to może osiągnąć kwotę nawet 250 tysięcy funtów. Ponownie starał się zabezpieczyć przed Victorią, oświadczając, że posiada ściśle instrukcje nieangażowania się w przemyt. Dał jednak wyraźnie do zrozumienia, że mówi to tylko na użytek publiczny. W dalszej części rozmowy powie to jeszcze wielokrotnie. Mówił także dużo o ryzyku wpadki podczas wywozu obrazów z Włoch.

– To tak jak domek z kart. Może w każdej chwili runąć. Wiąże się z tym spore ryzyko, ale może będzie pani musiała je podjąć, jeśli obrazy okażą się naprawdę warte zachodu. Ja się nie zawaham... Wszystko będzie zależeć od pani.

Rozmowa potoczyła się dalej o władzach włoskich.

Victoria zapytała: – Myśli pan, że Włosi wiedzą o tym wszystkim, o czym tu mówimy... Czy zdają sobie sprawę, co się dzieje?

Kollewijn: – Z całą pewnością.

Victoria: – To może dlatego...

Kollewijn: – Dlatego nie będę do pani dzwonić... nie lubimy telefonów.

Victoria postanowiła wziąć byka za rogi i zapytała wprost: – Co by pan zrobił, gdyby był pan na moim miejscu?

Kollewijn: – Wywiózłbym z tego kraju.

Victoria: – Na pewno?

Kollewijn: – Absolutnie tak, ale ja patrzę na to z innego punktu widzenia. Mam z przemytem do czynienia cały czas... Wie pani, ja w tym siedzę. Zdaję sobie sprawę z ryzyka. Jestem gotów je podjąć, ale pani być może nie, ponieważ jest ono pani obce... Jeśli nazwiska te są prawdziwe (z listy artystów), to lepiej obrazy wywieźć, ponieważ to kupa forsy. Ja bym tak zrobił, ale to mój punkt widzenia. Wiem, co mówię... Lista ta ładnie wygląda... i lepiej nie podejmować decyzji zanim się nie dowiemy, ile obrazy są warte w Londynie. Najpierw je trzeba przewieźć... (tekst niezrozumiały) potem Sotheby's lub Christie's czy ktokolwiek, kogo pani zechce, idzie, wycenia je. Wówczas pozna pani ich cenę.

Victoria: – Dobrze, ale najpierw je pan tam dostarczy?

Kollewijn: – Tak, ktoś musi tam pojechać. Albo będę musiał pojechać ja, albo tak czy inaczej obrazy dotrą do mnie w pewnym momencie... Gdyby pani chciała wywieźć je legalnie... Myślę, że Nogariego nie zatrzymają, ale mogą go zatrzymać, nie powinni, ale wszystko zależy od tego, kto tam będzie siedział. Ponieważ się ciągle zmieniają, nie możemy ich przekupić. Nie pozwolą pani, w tym cały problem...

Następnie Kollewijn zaproponował Victorii zupełnie coś innego, na co nie była wcale przygotowana przy swym braku doświadczenia.

– Gdyby miała pani kłopoty z transportem, będzie się pani musiała zdecydować: czy sprzedać obrazy pośrednikowi, czy też my mamy zorganizować prywatną aukcję dla pani na podobnych warunkach finansowych.

Innymi słowy Kollewijn powiedział Victorii, że być może zechce ona wraz z siostrą sprzedać Sotheby's całą kolekcję zamiast pośrednikowi, ale za 60 procent kwoty, którą ten by zapłacił. I przypuszczalnie Sotheby's sprzedałaby obrazy w Mediolanie lub Londynie na własny rachunek. A więc proponował transakcję nie jako pośrednik, ale jako zleceniodawca.

Victoria: – Jak się można z panem skontaktować, jeśli się zdecydujemy na wywóz? ... Mam na myśli Nogariego...

Kollewijn: – Uważam, że należy trzymać Nogariego aż do... przewiezie się go w jednym transporcie.

Victoria: – Tak, rozumiem... Myślałyśmy o sprzedaży jeden po drugim, by nie zwracać uwagi.

Kollewijn: – Przecież może je pani wysłać wszystkie razem, a potem sprzedawać jeden po drugim. Znowu chodzi o statystykę. Jeśli stracimy ciężarówkę, to traci się wszystko naraz, ale jeśli wyślemy dwadzieścia ciężarówek z dwudziestoma płótnami, to szansa wpadki wzrasta dwudziestokrotnie... za każdym razem bowiem samochód mogą zatrzymać. I dojdą do tego, kim pani jest... Jeśli chodzi o Nogariego, gdy się pani zdecyduje proszę dać mi znać. Zorganizuję wszystko. To mały obrazek... i będę potrzebował około... prawdopodobnie zażądają 800 tysięcy lirów lub coś w tym rodzaju.

Victoria: – Dobrze.

Kollewijn: – Załadujemy go na ciężarówkę i dostarczymy pod adres wskazany przez panią.

Victoria: – Dobrze.

Kollewijn: – Zapłata z góry, albo nie... Potem na samochód i do Londynu pod wskazany adres... Trzy dni niespokojnego oczekiwania, bo tyle trwa przejazd. Potem zadzwonię do pani, czy wszystko w porządku, i to tyle.

Kollewijn powtórzył instrukcje kilkakrotnie, podkreślając, że płatność z góry pobierze nie on, lecz kierowca. A potem dodał:

– Wystawię pokwitowanie, że odebrała pani obraz. My go mieć nie będziemy. Nie może pani twierdzić, że go mamy. Chcę, by pani coś podpisała: „Obraz odebrałam"... Nie mam zamiaru go wywozić, zanim nie opuści mego biura w sposób całkowicie legalny... Nie chodzi tu o to, że pani nie ufam, ale o to, że to nieczysty interes... to tylko Nogari, wie pani, ale przy sprzyjających okolicznościach dostanie pani za niego pięć milionów lirów (2300 funtów) więcej w Londynie niż tutaj.

Victoria odrzekła, że jej siostra chciała wypróbować przerzut do Londynu, nawet gdyby cena tamtejsza okazała się być o niewiele wyższa od włoskiej. Zapytała, jak ma mówić przez telefon, kiedy będzie dzwonić do Kollewijna z Sydney.

Kollewijn: – Niech się pani wyraża w sposób ogólnikowy.

Victoria: – Dobrze.

Kollewijn: – Mogą nas podsłuchiwać, co zwykle robią... Mam nadzieję, że nie będą, ale mają do tego prawo...

Victoria: – Naprawdę?

Kollewijn: – Hmm, tak.

Victoria: – Skąd pan wie?

Kollewijn: – Nie jestem dobry w historiach szpiegowskich... Tu chodzi o aspekt prawny. Sędziowie mają uprawnienia śledcze. Mogą zdecydować... podsłuch zakłada się w ważnych przypadkach, ale kto wie, przecież ten kto decyduje o jego założeniu równocześnie go zakłada... Mogą pomyśleć, że Sotheby's chce coś przemycić, i to wystarczy...

Victoria: – Tak, jasne.

Kollewijn: – I to wystarczy.

Victoria: – Rozumiem.

Kollewijn: – Widzi pani... Gdybym był sędzią śledczym, zarządziłbym podsłuch Sotheby's.

Victoria: – Czy dlatego, że dzieje się to cały czas?

Kollewijn: – Dobrze wiedzą, że tak. A niby od czego my tu jesteśmy?

Victoria: – Tak?

Kollewijn: – To tylko czubek góry lodowej i naturalnie powinni nas podsłuchiwać. Gdybym tylko miał władzę, aresztowałbym całą tutejszą zgraję.

Victoria aż się spociła z wrażenia. Nawet w najskrytszych swych marzeniach nie mogła przypuszczać, że Kollewijn, człowiek, którego spotkała dopiero co, będzie się tak oskarżał, i to nie tylko siebie osobiście, ale cały personel mediolański i to właśnie w taki sposób. Ale Kollewijnowi chodziło o dobicie interesu.

– A więc, jeśli się pani zdecyduje, prześlę pani do Australii DHL-em druk, że odebrała pani Nogariego... Odeśle mi go pani z powrotem i wtedy będę potrzebował 800 tysięcy lirów. Mogę się umówić z kurierem, że otrzyma zapłatę w Londynie... Ja wolałbym mu nie płacić. I chyba lepiej będzie, żeby pieniądze wręczył mu adresat londyński, bowiem wtedy ja będę kryty.

Kollewijn oświadczył, że rozumie dlaczego Victoria chce wypróbować kanał przerzutu płótnem Nogariego i być może mimo wszystko nie jest to zły pomysł, ponieważ jeśli dojdzie do wpadki ryzykowałaby tylko częścią spadku. Dodał, że mówił o problemach, o ewentualnej wpadce, itd. tylko dlatego, aby podkreślić ryzyko towarzyszące tego rodzaju operacjom.

Zwykle wszystko jest w porządku – powiedział.

Uzgodnili, ile i co można powiedzieć przez telefon.

Kollewijn: – Dzwonię do kogoś, by tylko mu powiedzieć, że mam coś dla niego, i to wszystko.

Victoria: – Pieniądze przy odbiorze?

Kollewijn: – Tak, pieniądze przy odbiorze.

Victoria: – Zgoda.

Kollewijn: – Dobrze, a więc robimy interes. Wyślę pismo, pani je odeśle z powrotem. Po otrzymaniu go będę rozumiał, że nie zmieniła pani zdania.

Victoria: – Tak, owszem.

Oznajmił, że będą mu potrzebne fotografie wszystkich obrazów, by móc sprawdzić, czy nie zostały opublikowane, nawet dawno temu, tak jak to miało miejsce w przypadku „prywatnej kolekcji Bergamo". Gdyby tak się okazało, nie ma mowy o realizacji planu. Victoria obiecała dostarczyć mu zdjęcia możliwie jak najszybciej. W międzyczasie on sprawdzi Nogariego w książkach i archiwach prywatnych tak znanych uczonych jak Roberto Longhi z Kunsthistorsches Institute we Florencji. Rozmowę zakończył pocieszającą uwagą: – Niech pani się zbytnio nie przejmuje całą tą historią. Wszystko będzie grać.

Spotkanie dobiegło końca. Kollewijn nie tylko się zgodził na przerzut płótna, ale podał nawet szczegóły operacji i marszrutę, przyznając wielokrotnie, że przemyt miał miejsce przez cały czas. Ba, powiedział nawet, że sędzia śledczy powinien założyć podsłuch na jego własną firmę i że całą tę zgraję z oddziału mediolańskiego należałoby zamknąć. Najbardziej znamienne z tego, co powiedział było to oto zdanie: „A niby od czego my tu jesteśmy?" Innymi słowy, wszystko to, na co wskazywały dokumenty, jakie mi przekazano, znajdowało potwierdzenie: przemyt odbywał się bez przerwy.

Na razie napięcie, w jakim żyliśmy, zmalało. Victoria spisała się bardzo dobrze. Podprowadzała Kollewijna znakomicie, nie sugerując mu niczego, a kiedy trzeba było milczeć, zamykała buzię na kłódkę. Kollewijn miał zamiar udać się na wakacje, a zatem nic się nie wydarzy w najbliższym czasie. Musieliśmy tylko znaleźć jakiś adres w Londynie, pod który dostarczą malowidło. Będzie trzeba ostrzec krewnych Victorii w Australii, że wkrótce nadejdzie do nich przesyłka DHL-em.

Przynajmniej tak się nam wydawało.

Pod koniec tego tygodnia zbierałem materiał do artykułu o sztuce dla magazynu amerykańskiego. W związku z tym musiałem pójść do Sotheby's w Londynie, by zajrzeć do materiałów dotyczących odkryć i znalezisk ostatnich miesięcy i ostatnio wystawionych na sprzedaż. Jednym z najbardziej ekscytujących aspektów świata sztuki jest to, że od czasu do czasu kolekcjonerzy, handlarze, a nawet zwykli ludzie nie znający się na rzeczy, natykają się na coś, o czym sądzą, że jest nic niewarte lub prawie nic, a potem okazuje się, iż jest to dawno temu zaginione arcydzieło. Dotarłem do około dwudziestu takich przypadków. Połowa z nich dotyczyła przedmiotów wystawionych na sprzedaż przez Sotheby's. Była wśród nich rzeźba hinduska znaleziona w żywopłocie (poszła za 15 tysięcy funtów), rosyjski manuskrypt wygrzebany ze śmieci w Helsinkach (poszedł za 14 tysięcy funtów) oraz akwaforta Dürera znaleziona w stodole (588 tysięcy funtów).

We wtorek, po piątku, kiedy to Victoria spotkała się z Kollewijnem w Mediolanie, udałem się na ulicę St George, gdzie mieściło się tylne wejście Sotheby's. Przyjął mnie rzecznik prasowy firmy Christopher Proudlove. Był to niewysoki, o łagodnym usposobieniu człowiek pochodzący z północno-wschodniej Anglii, mówiący bardzo szybko i sprawiający wrażenie kompetentnego. Miał ze sobą teczkę „Odkrycia" firmy. Zaprowadził mnie do niewielkiego pokoiku przyjęć i zostawił mnie tam samego na półtorej godziny. Usiadłem i zacząłem przeglądać materiały. Robiłem notatki i oglądałem kolorowe przezrocza interesujących mnie przedmiotów. Kiedy skończyłem, zadzwoniłem do Christophera, by przyszedł po teczkę.

Jednakże zamiast odebrać ode mnie teczkę i odprowadzić do wyjścia – zamknął drzwi za sobą i zwrócił się do mnie:

– Peter, muszę zadać ci jedno pytanie.

Zaniepokoiłem się natychmiast. Dotychczas nasze spotkania miały charakter przyjazny i niefrasobliwy, a tu nagle Christopher staje się bardzo poważny.

– Powiedz mi, czy ty robisz następny program o Sotheby's?

Popatrzyłem na niego, starając się zachować spokój. Do czego on zmierza? Ile i co wiedział? Nie chciałem się zdradzić, ale nie chciałem także kłamać. Będę z nim musiał pracować później i nie chciałem, by miał cokolwiek więcej przeciwko mnie niż może wynikać z rodzaju dochodzenia, jakie prowadziliśmy. Mając na względzie, że mamy tylko fundusz na zbieranie materiałów, powiedziałem zgodnie z prawdą:

– Christopher, nie podjęto jak dotąd żadnej decyzji, ani w tę, ani w tamtą stronę. Dlaczego pytasz?

– Doszło do mnie – powiedział – że ta sama stacja, która przygotowała pierwszy program, robi teraz następny. I dodał: – Słyszałem także, że robią to skrycie i podstępnie.

Powtórzyłem mu raz jeszcze to, co już powiedziałem i szybko wyszedłem, tak szybko jak tylko mogłem. Ale kiedy szedłem do samochodu, poczułem się poruszony. Nie lubię określenia „skrycie i podstępnie", wszystkie bowiem działania tego typu implikują jakąś ponurą tajemnicę, są jak gdyby złym dobrodziejstwem inwentarza. Natomiast to, co my robiliśmy było poufne, ale nie skryte. To Kollewijn kpił sobie z prawa włoskiego, a nie my. Jednak o wiele gorszą rzeczą aniżeli użycie określenia „skryty i podstępny" było to, że wiedział czym my się zajmujemy. Mieliśmy do czynienia z poważnym przeciekiem informacji. Właśnie kiedy wydawało się, że jesteśmy tuż-tuż od udowodnienia, że dokumenty mówiły prawdę, dochodzenie nasze miało się zawalić.

Podczas weekendu Sam, Bernard i ja spotkaliśmy się w moim mieszkaniu w Chelsea. Postanowiliśmy nie spotykać się w biurze Clarka przez pewien czas, aż do chwili znalezienia źródła przecieku informacji. Bernard upierał się, że przeciek nie nastąpił w biurze Clarka. Owszem, znajdowali się tam ludzie przygotowujący inne programy, ale żaden z nich nie miał dostępu do naszych materiałów. Jedna czy dwie sekretarki wiedziały czym się zajmujemy, ale przysięgał, że są one godne zaufania. Jedna z nich, Gloria, wiedziała, co planujemy i nie była częścią zespołu. Ale nie znała szczegółów, nie wiedziała nic o obrazie, ani o tym, że Victoria bierze udział w tej akcji. Niemniej jednak, jeśli ostrzeżono kogoś od Sotheby's, że ludzie z Clark TV byli we Włoszech ubiegłego tygodnia i że robili coś tam „skrycie i podstępnie", nietrudno było zliczyć dwa do dwóch. Wykorzystaliśmy prawdziwe nazwisko Victorii.

Wzięliśmy także pod uwagę możliwość powstania przecieku w telewizji Channel 4, ale odrzuciliśmy ją natychmiast. Ludzie stamtąd znali tylko z grubsza zarysy tego, co planowaliśmy, nie znali szczegółów odnośnie obrazu, dat czy członków naszego zespołu. Kręcili programy typu dochodzeniowego każdego tygodnia i nie zanotowali żadnych przecieków. Nękało nas to i frustrowało. Kollewijn udał się na tygodniowy urlop. Jeśli dom aukcyjny Sotheby's byłby na naszym tropie, nie wydawało się prawdopodobne, by podjął jawną akcję przeciwko nam. Po prostu zwróciłby obraz Victorii z jakimś wyjaśnieniem lub bez i zrezygnowałby z dalszej transakcji. Ale nie dowiemy się tego aż do powrotu Kollewijna z urlopu i jego telefonicznej rozmowy z Victorią.

W międzyczasie powinniśmy dopracować dwa szczegóły naszego planu, a mianowicie sprawę kamuflażu w Australii i adresu w Anglii. Ale w obawie, że przedsięwzięcie nasze spaliło na panewce, zabraliśmy się do tego bez zbytniego entuzjazmu.

Victoria zadzwoniła do swego kuzyna Petera Costello w Sydney i wyjaśniła jemu, jego żonie i dwóm ich synom, że pewien osobnik pod nazwiskiem Roeland Kollewijn z domu aukcyjnego Sotheby's może do nich zadzwonić lub przesłać fax z Mediolanu. Poprosiła ich, aby powiedzieli, że choć mieszka pod tym adresem, to jednak w tym czasie podróżuje gdzieś po Australii w sprawach służbowych, gdzie dokładnie – nie wiadomo. Gdyby zadzwonił, mieli natychmiast zatelefonować do niej do Londynu bez względu na porę dnia czy nocy, by mogła oddzwonić do Kollewijna możliwie jak najszybciej. Gdyby wiadomość przesłał faxem, mieli przekazać jego treść także faxem Victorii do Londynu, zaś oryginał przesłać natychmiast pocztą DHL lub Federal Expressem.

Problem z adresem londyńskim polegał na tym, że powinien on być całkowicie przekonywający, czyli że powinien być prawdziwy z autentycznym nazwiskiem. Dobrze by było, aby zarówno nazwisko, jak i adres widniały w książce telefonicznej na wypadek gdyby pracownicy Sotheby's chcieli go sprawdzić. Oznaczało to, że musieliśmy znaleźć kogoś, kto nie miał nic przeciwko temu, że wykorzystamy jego nazwisko i jego mieszkanie. Szkopuł w tym jednak, że trudno było wymagać od tego kogoś, by użyczył swego nazwiska i adresu bez zadawania jakichkolwiek pytań. Gdybyśmy musieli cokolwiek wyjaśniać, a osoba ta odmówiłaby współpracy, wówczas mielibyśmy następną osobę typu Glorii, która wiedziała o naszym planie, lecz nie stanowiła jego części. Pamiętając o zaistniałym przecieku informacji, byliśmy niespokojni, że zwrócimy się do niewłaściwej osoby.

Pierwszą osobą, która przyszła mi na myśl, była moja stara przyjaciółka – aktorka szwedzka mieszkająca w Sussex, mówiąca świetnie po angielsku ze śpiewną skandynawską intonacją. Nikt nie mógłby jej skojarzyć z nami. Niestety, ku mojemu zmartwieniu, nie mogła pomóc ze względu na nie cierpiące zwłoki obowiązki domowe. A zatem następna osoba wtajemniczona w nasz plan, ale nie będąca jego elementem. Zacząłem się mocno pocić, ale na szczęście przypomniałem sobie o innej koleżance, której nie widziałem chyba dziesięć lat. Kiedyś byliśmy dobrymi znajomymi i przyjaciółmi w pewnej redakcji. Mieszkała nadal pod tym samym adresem w Primrose Hill, w północnej części Londynu, od dwudziestu sześciu lat. Telefon także był ten sam. Na dodatek obejrzała pierwszy program i była wściekła na Sotheby's, i po jednodniowym namyśle zgodziła się na udostępnienie swego nazwiska i mieszkania. Nazywała się Heather Cotham* mieszkała na ulicy Princess Road, NW1. Zastrzegła się, że nie chce brać udziału w realizacji naszego planu, ale to, na co się zgodziła wystarczało. Sam miał kogoś, kto mógł ją udawać.

Pozostało tylko czekanie. Sam pojechał na wakacje do Grecji, ale zostawił numer telefonu. Był równie niespokojny jak my, i chciał wiedzieć czy plan nasz się powiedzie. Kollewijn wrócił z urlopu w poniedziałek, 15 kwietnia. Aż kusiło nas, by do niego zadzwonić tego dnia, ale się powstrzymaliśmy, by nie stwarzać podejrzeń, że nam bardzo na całej sprawie zależy. Następnego dnia Victoria przyszła do mnie, przyłączyła magnetofon do telefonu i wykręciła numer Sotheby's w Mediolanie. Była godzina wpół do jedenastej w Anglii, a wpół do dwunastej we Włoszech. Byliśmy podnieceni. Taśma wideo z Kollewijnem była solidnym dowodem, ale daleko jej do tego, co byśmy zdobyli, gdyby cały nasz plan wypalił.

Kiedy Victoria uzyskała połączenie z via Broggi, powiedziano jej, że Roeland Kollewijn jest w Londynie. Co to mogło znaczyć? Czy wezwano go do Londynu celem omówienia naszej tajnej operacji i reakcji Sotheby's? Ale gdyby tak miało być, to dlaczego pozwolili mu pojechać na urlop? Jedno było pewne – gdyby przejrzeli nasze zamiary, to zareagowaliby o wiele wcześniej. Ale po co Kollewijn jest w Londynie? Byliśmy zbici z tropu. Powiedziano nam, że Kollewijn powróci do Mediolanu w czwartek, osiemnastego.

Victoria przyszła do mnie dwa dni później i znowu podłączyliśmy podsłuch do telefonu, ale tym razem bez zbytniego przekonania. W międzyczasie zadzwoniłem do Sama w Grecji i powiedziałem mu co się dzieje. Victoria uzyskała połączenie z działem starych mistrzów w Mediolanie bez żadnego kłopotu. Sekretarka powiedziała jej, że Kollewijn rozmawia właśnie z klientem. Victoria odpowiedziała, że dzwoni z Australii i zapytała czy można go odwołać, na co sekretarka odrzekła, że nie, ale Roeland oddzwoni do niej jak tylko będzie mógł. Przewidzieliśmy taką ewentualność: Victoria powiedziała, że jest wpół do ósmej rano w Sydney że telefonuje z restauracji i nie zna numeru telefonu. Zapytała, kiedy Kollewijn będzie wolny, tak by mogła zadzwonić jeszcze raz.

– Chwileczkę – odpowiedziała sekretarka. – Dowiem się.

Czekaliśmy. Przysłuchiwałem się rozmowie dzięki słuchawkom, które podłączyliśmy do mikrofonu nagrywającego rozmowę.

Sekretarka powróciła wkrótce.

– Proszę zaczekać chwilę – powiedziała. – Roeland będzie wolny lada moment. Połączę panią z nim.

Popatrzyłem na Victorię. Co to mogło znaczyć? Czy sekretarka spodziewała się naszego telefonu? Czy Kollewijn poinstruował ją, by połączyła Victorię kiedy zadzwoni? Czyżby mieli nas zdemaskować i oskarżyć przez telefon?

– Halo? Słucham – był to Kollewijn.

– Mówi Victoria Parnall z Sydney.

– Witam. – W głosie jego nie wyczuwało się ani podejrzliwości, ani wrogości.

– Dzwoniłam do pana niedawno, ale był pan w Londynie.

– Tak, zabrałem ze sobą fotografię pani obrazu. Ma zapewnione miejsce w katalogu.

Co się dzieje? Nie wydawało się wcale, by podejrzewał cokolwiek. A więc co miał na myśli Christopher Proudlove? Wyglądało na to, że możemy kontynuować realizację naszego planu. Poczułem się pokrzepiony na sercu.

– Panie Roelandzie, mam adres, o który pan prosił.

– W Londynie?

– Tak, w Londynie.

Najwidoczniej Kollewijn nie chciał, by Victoria podawała mu

numer telefonicznie. Powiedział tylko, że wyśle upoważnienie do Australii i poprosił, by napisała nazwisko, adres i numer telefonu swego „kontaktu" w Londynie na kartce papieru i odesłała wraz z pokwitowaniem. Był życzliwy, wspomniał o urlopie, ale nie wspomniał ani słowem o jakimkolwiek tajnym lub skrytym działaniu. Pragnąc uniknąć jakichkolwiek błędów i odczuwając wewnętrzną ulgę z powodu niezdemaskowania naszego planu Victoria szybko zakończyła rozmowę.

Potem nastąpił jeszcze jeden okres niespokojnego wyczekiwania na pismo od Roelanda. Victoria zadzwoniła raz jeszcze do swych krewnych w Sydney, prosząc ich, by odesłali do Londynu wszystko, co dostaną od Sotheby's pocztą Federal Express.

W międzyczasie Sam powrócił z Grecji i spotkaliśmy się z Bernardem w moim domu, aby raz jeszcze przedyskutować to, co mógł mieć na myśli Christopher Proudlove. Przez ostatnie dwa tygodnie trzymałem się z dala od siedziby Clark TV, a Bernard rozpowiadał wokoło, że stacja ta wycofała się z finansowania realizacji programu o domu aukcyjnym Sotheby's, po to, aby przekonać wszystkich, że telewizja nie kręci już nic o rynku sztuki. Była to trochę niezdarna próba „mądrego Polaka po szkodzie", lecz nic innego nie mogliśmy wymyślić.

W końcu doszliśmy jednak do wniosku, że przeciek miał miejsce nie w telewizji, ale, o dziwo, w Scotland Yardzie. Po realizacji pierwszego programu, byliśmy w kontakcie z jednostką zajmującą się dziełami sztuki i antykami, podobnie jak i z włoskimi karabinieri, ponieważ obydwie służby policyjne chciały zapoznać się z naszymi dokumentami. Charles Hill, ówczesny szef jednostki Scotland Yardu, chwalił bardzo nasz program i zazdrościł nam, że nie ma funduszy na przeprowadzenie takiego śledztwa. Dodał nawet mimochodem, że Yard prowadzi własne dochodzenie w sprawie firmy Sotheby's, ale ku naszemu zmartwieniu nie powiedział nic więcej.

Rozmawialiśmy o tym z Bernardem. Przed Bożym Narodzeniem zaprosiliśmy Hilla na drinka. Umówiliśmy się z nim w piwiarni Nelson, nieopodal Trafalgar Square. Otóż okazało się, że właśnie tam popija sobie trzech policjantów z jego jednostki z kilkoma likwidatorami szkód z firm ubezpieczeniowych specjalizujących się w ubezpieczeniach dzieł sztuki. Podczas tego wieczoru odciągnęliśmy Hilla na stronę i zapytaliśmy, czy byłby gotów wymienić z nami informacje, abyśmy mogli zrobić program zawierający także wyniki jego dochodzenia. Odpowiedział, że się nad tym zastanowi, lecz nigdy do tego później nie powrócił. Podczas następnych odwiedzin Scotland Yardu w związku z zupełnie inną sprawą dotyczącą kradzieży dzieł sztuki dowiedziałem się, że jeden z likwidatorów szkód z piwiarni Nelson pracował dla firmy Sotheby's. Nie można było mieć całkowitej pewności, ale doszliśmy z Bernardem do wniosku, że facet ten rozpoznał mnie z pierwszego programu i podsłuchał rozmowę z Hillem. Możliwe, że z punktu widzenia domu aukcyjnego nasza próba połączenia wysiłków ze Scotland Yardem została postrzeżona jako „skryte" działanie. Jeśli tak, to ironią losu było to, że włączenie się jednej z najsławniejszych policji na świecie do naszych działań było uważane przez firmę Sotheby's za coś niewłaściwego.

* * *

Czas upływał. Był już czwarty tydzień kwietnia i nie mieliśmy żadnych wiadomości o pokwitowaniu z Australii. Wraz z Samem udaliśmy się do mieszkania Heather Cotham. Miejsce nadawało się znakomicie do filmowania. Drzwi otwierały się bezpośrednio na ulicę, ale samo mieszkanie znajdowało się na pierwszym piętrze. Salonik zawalony książkami, co wielce ułatwiało ukrycie dwóch miniaturowych kamer obejmujących cały pokój.

Pomyśleliśmy także i o tym, jak i czy w ogóle powinniśmy iść za osobą, która dostarczy obraz. Nie mieliśmy pojęcia, czy będzie to mężczyzna czy kobieta, i czy mieszkanie Heather było jedynym punktem docelowym, czy też tylko jednym z adresów tego dnia. Na pewno program nabrałby pikanterii, gdyby kurier krążył po Londynie dostarczając płótna starych mistrzów do różnych miejsc. Doszliśmy do wniosku, że istnieją trzy drogi, którymi pojazd może opuścić Princess Road, i aby móc go śledzić, potrzebować będziemy przynajmniej dwóch pojazdów. Jeden z nich musi być motocyklem, dającym większą swobodę w ruchu ulicznym. Pytaliśmy w firmach zajmujących się filmowaniem z ukrytej kamery o możliwość wmontowania kamery w kask motocyklowy, ponieważ motocyklista musi mieć wolne obydwie ręce.

Pokwitowanie z Sydney nadeszło w końcu we wtorek, 30 kwietnia. Niestety, nie dowiedzieliśmy się o nim aż do następnego dnia, kiedy Victoria otrzymała fax, pokwitowanie i informację, że oryginalną kopię wysłano nam pocztą ekspresową. Pomimo prośby, by wysłać całą paczkę pocztą DHL lub Federalnym Expressem, co zajęłoby tylko dwa dni zamiast czterech, krewni Victorii wysłali ją normalną pocztą.

Miało to istotne znacznie, ponieważ sprzedaż starych mistrzów wyznaczono na trzeciego lipca. Katalog miał się ukazać miesiąc wcześniej – 3 czerwca. Wziąwszy pod uwagę, że druk trwa miesiąc (większość katalogów ukazuje się w kolorze), oznaczało to, że obraz nasz powinien być w Londynie najdalej 27 maja. Wiedzieliśmy, że Sotheby's zarezerwowała miejsce w katalogu, ale nie mogliśmy być pewni, czy umieszczą go zanim będą pewni, że obraz jest już w Londynie, ponieważ gdyby płótno znalazło się w katalogu, a później zdjęcie trzeba by wycofać, to wyszliby na głupców, szczególnie gdy w grę wchodzi kilka obrazów.

Błąd krewnych Victorii zirytował nas, lecz nie można było już nic poradzić. Przesyłka znajdowała się w rękach poczty. Co gorsza, następny poniedziałek, szóstego maja, kiedy mieliśmy otrzymać pokwitowanie, był dniem świątecznym, czyli jeszcze jednym dniem straconym.

Pierwsza poczta przyszła we wtorek, siódmego maja, na adres Victorii w zachodniej części Londynu przed godziną dziewiątą rano, lecz nie zawierała nic z Australii. Wraz z Samem wychodziliśmy ze skóry, natomiast Victoria była zupełnie spokojna.

– Czuję, że będzie w następnej poczcie – rzekła opanowana. – Zwykle przychodzi około dwunastej.

I rzeczywiście. Co za ulga. Zrobiliśmy kolorowe odbitki i Victoria podpisała dokument. Tymczasem ja i Sam zastanawialiśmy się głęboko. Jeśli odeślemy go do Sydney Federalnym Expressem, zabierze to nam trzy dni, w tym dwa dni robocze. Strefa czasowa w Australii wyprzedza naszą, a zatem jeśli wyślemy pokwitowanie we wtorek w porze obiadowej, w Sydney będzie już wieczór i przesyłka nie dotrze aż do piątku. Nawet jeśli nie nastąpi jakaś zwłoka i zostanie odesłana do Włoch tego samego dnia, czego nie można było być pewnym, to i tak będzie już weekend i paczka nie dotrze do Mediolanu aż do następnego wtorku, czyli 14 maja. Oznaczać to będzie, że Kollewijn będzie miał tylko dwa tygodnie na zorganizowanie przerzutu obrazu do Londynu, by zdążyć na publikację katalogu. A zatem czas naglił.

Zaleta wysłania dokumentów do Sydney i odesłania ich stamtąd Expressem Federalnym do Mediolanu była oczywista, ponieważ Kollewijn nie będzie wówczas podejrzewać czegokolwiek;

wysłał je do Australii i powrócą do niego także stamtąd. Ale im bardziej się nad tym zastanawialiśmy, tym bardziej widoczne było, że czas odgrywa istotną rolę. Co mogliśmy zrobić w takiej sytuacji?

W rzeczywistości jedyną rzecz. Dostarczyć pokwitowanie osobiście do siedziby Sotheby's na via Broggi, na przykład przez znajomego Victorii, który przyleciał do Mediolanu liniami lotniczymi Qantas lub Alitalia. Im bardziej się nad tym zastanawialiśmy, tym bardziej plan ten wydawał się być atrakcyjnym. Zyskalibyśmy wówczas kilka dni i Kollewijn mógłby zdążyć na czas. Problem tylko w tym, że wręczenie przesyłki przez „umyślnego" nie będzie miało posmaku autentyczności, jakie stwarzałby Express Federalny dostarczając ją z Sydney.

Zastanawialiśmy się nad dwiema możliwościami zwiększenia wiarygodności. Byłem użytkownikiem poczty Expressu Federalnego w Anglii i miałem kilka czystych kopert tej firmy. Może by tak włożyć pokwitowanie do jednej z nich i dostarczyć ją prywatnie? Nie, nic z tego nie wyjdzie, ponieważ nie można wówczas żądać potwierdzenia przesyłki. A może zdobyć papier z nagłówkiem linii lotniczych Qantas od ich przedstawicielstwa w Londynie i poprosić kuriera o skreślenie notatki przewodniej, którą niby to napisał podczas lotu? Pomysł ten także odrzuciliśmy jako zbyt skomplikowany. A może by tak Sam zawiózł przesyłkę osobiście do Mediolanu, zatrzymał się w jakimś miejscowym hotelu i napisał list towarzyszący na papeterii hotelowej, tak jakby kurier napisał go po przyjeździe? Pomysł ten wydawał się być jeszcze bardziej skomplikowany. A może by tak znaleźć wycinek z jednej z ostatnich gazet australijskich ze wzmianką o rynku dzieł sztuki i dołączyć go do przesyłki, jako dodatkową informację od Victorii z Australii, ot taki jej gest przyjacielski? Ale ku naszemu zdziwieniu nie mogliśmy zdobyć żadnej z najświeższych gazet australijskich w Londynie, przynajmniej tego dnia, gdy jej szukaliśmy. Nasunęło to Samowi pomysł poszperania wśród agencji prasowych w Internecie. Właśnie wtedy natknął się on na depeszę Reutera o australijskim rynku dzieł sztuki, awizowaną z Melbourne, opisującą boom na miejscowym rynku. Sprawdził u Reutera, czy oznakowania w nagłówku depeszy wskazują na miejsce jej pochodzenia. Zapewniono go, że oznakowania te są takie same na całym świecie.

Sam wydrukował depeszę i oderwał ją nonszalancko. Poprosiliśmy Victorię, by napisała na niej: „Roelandzie, mam nadzieję, że to dobry prognostyk dla naszej transakcji. Victoria". Mieliśmy nadzieję na to, że pomyśli, iż ma do czynienia z Australią. Depeszę włożyliśmy do paczki wraz z adresem Heather Cotham i jej numerem telefonicznym w domu.

Przesyłka nie sprawiała kłopotu. Nasza rzymska współpracowniczka – Cecilia Todeschini – miała brata mieszkającego w Mediolanie. Zwróciliśmy się do niego o pomoc. Przesłaliśmy mu paczkę Federalnym Expressem i poprosiliśmy go, by osobiście zaniósł przesyłkę albo wczesnym rankiem albo wieczorem, kiedy Kollewijna nie będzie już w biurze. (Nie chcieliśmy, aby spotkał się z posłańcem). W rzeczywistości nasz posłaniec sprawił się o wiele lepiej, ponieważ zaniósł przesyłkę w sobotę rano, kiedy biuro było otwarte, ale wszyscy pracownicy, łącznie z Kollewijnem byli nieobecni.

Teraz należało odczekać kilka dni i sprawdzić, czy Kollewijn otrzymał przesyłkę, czy nie powziął jakichś podejrzeń na skutek doręczenia mu jej przez posłańca i czy zaczął działać. Zadzwoniliśmy do niego we wtorek pod pozorem podania mu numeru telefonu Heather w pracy, którego celowo nie podaliśmy w przesyłce, oraz zakomunikowania mu, że powinien powiadomić ją o dostawie przynajmniej na dwadzieścia cztery godziny wcześniej, by mogła sobie załatwić dzień wolny od pracy.

Kollewijn był odprężony. Oświadczył, że przesyłkę otrzymał i że wszystko było w porządku. Pozostawał w kontakcie z kurierami i właśnie nie zdążył na transport, ale teraz nie będzie już żadnej zwłoki. Ku naszemu zdumieniu powiedział, że kurierzy pochodzili z firmy londyńskiej pod nazwą Europe Express i że zadzwonią do Heather po przywiezieniu obrazu do Londynu. Należy im zapłacić gotówką kwotę, którą wkrótce nam poda. Najwyraźniej nie podejrzewał niczego w związku z dostarczeniem mu przesyłki przez umyślnego kuriera.

Wszyscy teraz byli w pogotowiu: Australijczycy, Victoria, Heather, Sam, ja oraz kamerzyści ze specjalistycznej firmy od filmowania z ukrytej kamery. Musieliśmy tylko znaleźć kogoś, kto by mógł odegrać rolę Heather.

W piątek, 17 maja, około trzeciej po południu, zadzwoniła Heather. Właśnie dopiero co rozmawiała z Kollewijnem, który telefonował do niej z Mediolanu. Dostawa nastąpi w środę lub czwartek następnego tygodnia i opłata wyniesie 200 funtów gotówką. Miała zadzwonić do George'a Gordona, zastępcy kierownika działu starych mistrzów w centrali londyńskiej, po dotarciu obrazu na miejsce, ale przedtem zadzwonią do niej z firmy Europe Express. Oznaczało to, że obraz dotrze do Londynu w środę lub czwartek, 22 lub 23 maja, czyli na dwa dni robocze przed publikacją katalogu. A zatem wszystko szło znakomicie.

Sam umówił się z kamerzystami. Mieliśmy zamiar umieścić dwie kamery w saloniku oraz jedną na zewnątrz w furgonetce z lustrzanymi oknami. Zrezygnowaliśmy z zamiaru śledzenia kuriera, po pierwsze, dlatego, że wiedzieliśmy już skąd pochodzi. (Sam złożył krótką wizytę w firmie, która zajmowała się przeprowadzkami i mieściła się w Norwood. Zanotował numery furgonetek zaparkowanych w pobliżu. Wiele się o niej dowiedział. Jednym z dyrektorów był A. Morgan). Po drugie, doszliśmy do wniosku, że obserwacja kuriera byłaby ryzykowna, ponieważ śledzenie ludzi bez zwracania na siebie uwagi jest o wiele trudniejsze niż pokazują na filmach. A ponieważ znaliśmy już tożsamość kuriera, nie chcieliśmy ryzykować całej operacji dla jeszcze jednego szczegółu. Po trzecie, nie było żadnych podstaw do sądzenia, że Europe Express wie, iż dopuszcza się przestępstwa.

Znaleźliśmy kogoś do roli Heather. Była to kobieta zatrudniona u Clarka, o imieniu Fiona. Miała wiele zalet, była w tym samym wieku co Heather i na dodatek aktorką, a więc mogła do pewnego stopnia naśladować jej głos, ale pewne niebezpieczeństwo wiązało się z osobą Tony Morgana z Europe Express. Ma on bowiem zadzwonić do Heather, by podać jej dokładny czas dostarczenia obrazu, ale potem ma spotkać się z Fioną, a przecież nie chcieliśmy, by zauważył różnicę w głosie.

To prawda, że Fiona była aktorką, ale występowała ona w telewizji. Co prawda w telewizji biznes, i to o nieprzyzwoicie wczesnej porze porannej, jednak mimo to istniało pewne ryzyko, iż facet z Europe Express może ją rozpoznać. Martwiło mnie to, ale Sam w końcu przekonał mnie, że ryzyko jest naprawdę niewielkie.

Jak już przy wielu okazjach przedtem i tym razem pozostało nam tylko czekanie. Na początku następnego tygodnia pojawił się nowy problem: Heather nie mogła nam udostępnić swego mieszkania w czwartek ze względu na jakieś kłopoty osobiste, które co prawda nie miały jej zająć całego dnia, ale uniemożliwią umieszczenie kamer w mieszkaniu. Ponieważ i tak już wiele jej zawdzięczaliśmy, nie pozostało ma nic innego jak tylko się modlić.

Przyszła środa i nic, ani słowa. Potem czwartek, wszyscy byliśmy w pogotowiu, przy telefonach, gotowi do działania. Fiona sama w mieszkaniu, Sam w furgonetce z kamerzystami. Ja byłem w swoim mieszkaniu, ponieważ nie było potrzeby bym z nimi przebywał i niepotrzebnie robił tłok.

Telefon zadzwonił po jedenastej. Facet z Europe Express chciał doręczyć obraz od razu, ale Heather wypełniła swą rolę znakomicie, grając na zwłokę i oświadczając mu, że może się z nim spotkać dopiero jutro. Narzekał coś tam chwilę, ale w końcu się zgodził dokonać zrzutu, jak się wyraził, o wpół do jedenastej. Przypomniał Heather, by miała przy sobie 200 funtów gotówką. Problem z naszego punktu widzenia polegał jednak na tym, że rozmowa trwała zbyt długo. Prosiliśmy, by mówiła jak najkrócej, lecz nie była to jej wina. Pozostało więc tylko mieć nadzieję, że nie zauważy różnicy w głosie między nią i Fioną.

Sam przyjechał do mieszkania Heather następnego ranka przed ósmą piętnaście. Zainstalowanie kamer, upewnienie się, że obejmują to, co potrzeba oraz sprawdzenie natężenia światła zabrało około godziny. Musieliśmy też udzielić Fionie odpowiednich wskazówek, ponieważ kurier mógłby chcieć skorzystać z łazienki. Musiała zatem wiedzieć, gdzie się ona znajduje i jak otwierają się drzwi. Mógłby także poprosić o pióro i kawałek papieru do pisania, a więc musiała wiedzieć, gdzie te rzeczy się znajdują. Powinna też pamiętać na wszelki wypadek numer telefonu mieszkania, numer kodu pocztowego i znać zawód Heather. Musieliśmy wyłączyć telefon, żeby nie zadzwonił podczas rozmowy i by Fiona nie musiała go odbierać. Ale kurier mógłby poprosić o skorzystanie z telefonu, a więc musieliśmy jej dostarczyć telefon komórkowy, który mogłaby mu udostępnić. Być może żadna z tych ewentualności nie wystąpi, ale musieliśmy być na nie przygotowani.

Do godziny dziesiątej mieszkanie było przygotowane. Włączyliśmy kamery. Taśmy filmowej i magnetofonowej powinno wystarczyć na dwie godziny. Sam poszedł do furgonetki. Kamerzyści przyjechali wcześnie na ulicę Princess Road i zaparkowali w miejscu, skąd widać było dobrze drzwi do mieszkania Heather przez lustrzane szyby furgonetki. Ale podczas gdy wraz Samem przygotowywali się do pracy zauważyli, że ktoś im się uważnie przygląda z zakładu oprawiającego obrazy po drugiej stronie ulicy. Sam zaklął, ponieważ wścibscy sąsiedzi to ostatnia rzecz, jakiej w tej chwili potrzebowaliśmy.

W Londynie lało jak z cebra tego dnia, ale nie było zimno. Ani śladu kuriera o wpół do jedenastej. Nie pojawił się także za kwadrans jedenasta i Sam zaczął się denerwować, ponieważ nie mógł opuścić furgonetki dopóki kurier nie przyjedzie i nie odjedzie. I znowu cały nasz plan zawisł w powietrzu. Pocieszające było tylko to, że rzemieślnik znikł wewnątrz zakładu.

Pomalowana na biało ciężarówka wjechała na ulicę za dziesięć jedenasta.

– To on – wyszeptał Sam do kamerzystów. Rozpoznał tablicę rejestracyjną z wcześniejszej wizyty, jaką złożył na ulicy Camberwell. Kamery zaczęły cicho terkotać, podczas gdy ciężarówka zajechała pod dom Heather. W szoferce było dwóch mężczyzn. Pasażer siedzący obok kierowcy sięgnął za siebie i wyjął obraz zapakowany w celofan. Kierowca wysiadł i odebrał go od niego. Z całą pewnością było to płótno Nogariego. Szybko przebiegł w deszczu chodnik i zadzwonił do mieszkania Heather. Fiona otworzyła mu drzwi domofonem.

Zastanawialiśmy się, co powinniśmy zrobić, jeśli kurier natknie się na któregoś z sąsiadów Heather na klatce schodowej, ponieważ powiedziała nam, że są bardzo dociekliwi, jeśli chodzi o obcych. Dlatego zasugerowaliśmy jej, by im powiedziała z góry, że oczekuje wizyty znajomego z Australii, przebywającego obecnie w Londynie w związku z targami dzieł sztuki, których zawsze pełno w tym mieście, i że znajomy ten spodziewa się doręczenia pewnych antyków. Ale okazało się, że kurier nie natknął się na nikogo na schodach i Fiona zaprosiła go do saloniku, gdzie znajdowały się kamery. Był to szatyn w niebieskiej koszuli wyraźnie opinającej okazały brzuch piwosza.

Fiona położyła kopertę z dwustoma funtami na kanapie tak, by mógł ją dojrzeć. Zerwał folię, wyjął obraz i zaniósł pod okno, by Fiona mogła sprawdzić jego stan, a potem oparł go na kanapie w polu widzenia kamer. Popsioczył trochę na korki uliczne, usprawiedliwiając nimi spóźnienie, i oświadczył, że następnego tygodnia wiezie do Włoch obraz wart milion funtów, po czym niedbale zajrzał do koperty z pieniędzmi, zabrał ją i wyszedł. Podczas całego spotkania Fiona mówiła tylko tyle, ile konieczne. Będąc już na dworze kurier zatrzymał się na chwilę, sprawdził zawartość koperty, po czym samochód odjechał.

Około wpół do pierwszej prawdziwa Heather odebrała telefon w biurze. Dzwonił Roeland Kollewijn z Mediolanu, by sprawdzić czy obraz dostarczono. Na szczęście czasu było dość, przynajmniej w teorii, by Heather mogła odebrać obraz i powrócić do pracy. Tak, obraz dostarczono bez żadnych kłopotów. Kollewijn sprawiał wrażenie odprężonego, ponieważ najwyraźniej niepokoił się, podobnie jak i my, czy Nogari dotrze do Londynu na czas, by znaleźć się w katalogu sprzedaży. Poprosił Heather o telefon do George'a Gordona z działu starych mistrzów domu aukcyjnego Sotheby's i przyniesienie mu obrazu.

Byłem temu przeciwny. Uważałem, że zrobiliśmy już dość, aby pokazać, że Sotheby's handluje dziełami sztuki z przemytu. Jana Tomalin, która jest bardzo zdolną prawniczką Channel 4, argumentowała, że jeśli płótno nie znajdzie się na aukcji, firma Sotheby's będzie w stanie wyprzeć się, iż miała jakikolwiek związek z przemytem i sprzedażą tego obrazu. David Lloyd, redaktor naczelny działu depesz, w pełni się z nią zgadzał. Film z aukcji nie tylko będzie stanowił znakomite ukoronowanie całego przedsięwzięcia, ale dostarczy także niezbitego dowodu na to konkretne przestępstwo. Dlatego zostałem przegłosowany i nasza aktorka wcielająca się w postać Heather miała zanieść obraz do siedziby Sotheby's.

Przynajmniej usiłowała, ponieważ kiedy Fiona (udająca Heather) chciała się skontaktować z George'em Gordonem, on właśnie rozmawiał przez telefon i Fionie powiedziano, aby zadzwoniła ponownie za dziesięć minut. Ale kiedy zadzwoniła ponownie, powiedziano jej, że Gordon właśnie skończył pracę i udał się na weekend. Poczułem się zniechęcony i sfrustrowany. Poniedziałek był dniem wolnym od pracy i na dodatek Fiona dowiedziała się, że Gordona nie będzie w biurze także przez cały wtorek, ponieważ musi robić wyceny. Z drugiej strony Kollewijn wyraźnie dał do zrozumienia, że powinniśmy rozmawiać tylko z Gordonem, co oznaczało, że obraz nie zostanie doręczony aż do środy, czyli 29 maja. Istniała zatem realna groźba, że nie zdążymy na czas z katalogiem.

I znowu pięć dni oczekiwania i nerwów. Postanowiliśmy, że Victoria powinna zatelefonować do Kollewijna z okazji dostarczenia malowidła oraz by go poprosić o pomoc w zamieszczeniu obrazu w katalogu. Zadzwoniła do niego w poniedziałek 27 maja, który był dniem wolnym od pracy w Anglii, ale nie we Włoszech czy Australii. Kollewijn wydawał się być całkowicie spokojny. Nie było żadnego problemu, że nie zdążymy na czas, ponieważ centrala w Londynie posiadała zdjęcie płótna już od pewnego czasu. A zatem wszystko w porządku. Jednak pewna część rozmowy z tego dnia zasługuje na szczegółowe zrelacjonowanie.

Victoria oświadczyła, że ma kłopoty ze skontaktowaniem się z Gordonem, ale nikt jej nie powiedział, iż może rozmawiać z kimkolwiek innym. Dodała, że nie ma go w biurze, na co Kollewijn odrzekł, iż nie ma żadnego pośpiechu, ponieważ „Gordon zawsze wraca samolotem do Londynu każdego tygodnia, więc gdzieś tam będzie".

Victoria: – Myśli pan, że wróci? Na pewno?

Kollewijn: – Och tak, wkrótce przyleci. To jedyna osoba, z jaką należy się kontaktować...

Victoria: – Będzie wiedział o co chodzi?

Kollewijn: – Tak, będzie. Jest ekspertem w tych sprawach i moim przyjacielem i...

Victoria: – Cieszę się. A zatem wie wszystko?

Kollewijn: – O tak. Rozmawiałem z nim. Zna całą historię, choć może temu zaprzeczyć i powiedzieć, że nie wie nic.

Victoria: – Tak?

Kollewijn: – Przecież wie.

Victoria: – W porządku.

Kollewijn: – On jest tą osobą, z którą się zwykle najpierw kontaktuję, aby zamieścić płótno w katalogu.

Naturalnie osoba George'a Gordona wzbudziła nasze żywe zainteresowanie. Postanowiliśmy, że kiedy Fiona zaniesie obraz do Sotheby's będzie miała przy sobie ukrytą kamerę.

Przyszła wreszcie środa i Fiona zadzwoniła do Gordona. Odpowiadał rzeczowo, ale był pełen rezerwy i odprężył się dopiero, kiedy zaproponowała mu odniesienie obrazu zamiast fatygować go na ulicę Princess Road (czego i my sobie także nie życzyliśmy). Fiona jako Heather przybyła około trzeciej po południu i weszła tylnym wejściem od George Street. Miała przy sobie tę samą malutką kamerę, ukrytą w broszy na klapie, którą przedtem używała Victoria w Mediolanie. Podała nazwisko George'a Gordona recepcjoniście. Gordon pojawił się wkrótce. Zajrzał do papierowej torby, którą Fiona przyniosła i wziął od niej obraz. Następnie zapytał o zapłatę. Czy chce ją dostać w funtach w Londynie?

O tym nie pomyśleliśmy i Fiona wpadła w panikę.

– Nie bardzo wiem co robić, nie chciałabym popełnić jakiegoś błędu. Lepiej zapytam Heather.

Film ze spotkania ukazuje osłupiałe oczy George'a Gordona, ponieważ Fiona miała właśnie odgrywać rolę Heather. Zdała sobie sprawę, że popełniła poważny błąd, ale nic już nie mogła zrobić. Zakończyła rozmowę i wyszła szybko, by nie pogorszyć sprawy. Sam i personel techniczny z Clark Television przez cały następny ranek pracowali nad synchronizacją obrazu z głosem i kiedy wraz z nim obejrzeliśmy gotowy film po południu, żaden z nas nie miał wątpliwości. W momencie kiedy Fiona wypowiedziała imię „Heather", Gordon osłupiał i wyraz jego twarzy całkowicie się zmienił. Ale czy było to podejrzenie, zdziwienie, czy po prostu zmieszanie? Czy naprawdę zrozumiał, że kobieta, z którą miał do czynienia nazywa się Heather? A może myślał, że to Victoria?

Jak by jednak na to nie patrzeć, Sam i ja byliśmy w głębi duszy przekonani, że Fiona spartaczyła sprawę. Nawet gdyby Gordon się nie zorientował, to i tak jakieś niestosowne posunięcie w związku z obrazem mogłoby go skłonić do wycofania go z aukcji. Aukcje starych mistrzów w domu Sotheby's to wydarzenie dużej wagi. Miały być na niej wystawione na sprzedaż obrazy z kolekcji Funduszu Emerytalnego Kolei Brytyjskich oraz płótno Pietera de Hoocha wycenione na trzy miliony funtów. Nasz obraz to mała płotka niewarta zachodu. Podczas weekendu zastanawialiśmy się bez przerwy z Samem, co powinniśmy w tej sytuacji zrobić. Czy Gordon zadzwoni do Kollewijna, a ten z kolei do Victorii? Ponownie ostrzegliśmy jej krewnych – państwo Costellos – w Sydney. Ale czy powinniśmy zatelefonować do Kollewijna i poprosić Victorię, by mimochodem napomknęła mu, że imię jej siostry brzmi Heather, tak jak gdyby ją właśnie Fiona miała na myśli? Doszliśmy jednak do wniosku, że wyrządzi to więcej szkody niż pożytku. Im dłużej to roztrząsaliśmy, tym bardziej stawało się oczywiste, że nic się nie da zrobić, pozostaje tylko – jak już wiele razy przedtem – czekać.

Katalog miał się ukazać, o czym dowiedziała się telefonicznie jedna z sekretarek Clark TV, piątego czerwca w środę, czyli za pięć dni. Przedtem jednak odbyliśmy jeszcze jedną naradę w redakcji Channel 4. Ze smutkiem zrekapitulowaliśmy sytuację: byliśmy tuż od celu w ponad trzech czwartych drogi, a mimo to cały plan może jeszcze spalić na panewce. Następne spotkanie odłożyliśmy.

Piątego czerwca dowiedzieliśmy się, że katalog starych mistrzów ukaże się dopiero dziesiątego, czyli w następny poniedziałek. Ta dalsza zwłoka wydawała się nie do zniesienia. Zastanawialiśmy się, dlaczego nastąpiła. Co się wydarzyło? Czy nasz obraz został wycofany i Sotheby's wymienia strony? Dzwoniliśmy do siebie z Samem dwa razy dziennie, lecz do niczego to nas nie doprowadziło. Dziesiątego powiedziano nam, że nastąpi jeszcze jedna zwłoka. Teraz katalog miał się ukazać dopiero w środę 12 czerwca. Byliśmy całkowicie przekonani, że gra jest skończona. Na domiar złego w międzyczasie wyszedł katalog domu aukcyjnego Christie's. Ich aukcja płócien starych mistrzów miała się odbyć wieczorem trzeciego i piątego lipca, innymi słowy po aukcji firmy Sotheby's, ale katalog mieli już gotowy. Dwunastego powiedziano nam, że katalog Sotheby's nie ukaże się aż do piątku 14 czerwca. Publikację odkładano już trzykrotnie. Najwyraźniej Sotheby's miała jakieś poważne kłopoty, i to naszego autorstwa. Wraz z Samem wychodziliśmy ze skóry. Byliśmy przecież już tak blisko celu, a tu klapa.

Powiedziano nam, że katalog nie ukaże się przed piątkiem, więc nie zwróciłem uwagi na zieloną przesyłkę, jaką dostarczono mi do domu następnego ranka, w czwartek. Dostawałem dziesiątki katalogów każdego tygodnia ze wszystkich domów aukcyjnych. Ale kiedy rozerwałem opakowanie, natychmiast zdałem sobie sprawę z tego, co trzymam w ręku. Na okładce widniała *Służąca z miotłą i kubłem na słonecznym podwórku* Pietera de Hoocha. Był to katalog dzieł starych mistrzów domu aukcyjnego Sotheby's.

Serce zaczęło mi bić mocno. Była wpół do siódmej rano. Dłonie mi się spociły z wrażenia. Katalog był gruby, miał 250 stron, i zamiast szukać naszego obrazu, zajrzałem na ostatnie strony, gdzie spodziewałem się znaleźć indeks malarzy w porządku alfabetycznym. Liczył sobie dwie strony – pięć kolumn nazwisk, w sumie dwieście pięćdziesiąt. Palcem przejechałem do litery N.

Neefs, przeczytałem. Nigdy o nim nie słyszałem. Neer, także nie. Neapolitańska szkoła... Netscher... Nogari. Ale czy to nasz Nogari? Pozycja nr 140 – wskazywał indeks.

Pozycję nr 140 znalazłem na stronie 160. Giuseppe Nogari, przeczytałem w indeksie, *Wenecja 1699–1763, Portret starej kobiety*, olej na płótnie, 56 na 40 cm, 7000–10 000 funtów.

Na odwrocie strony kolorowa fotografia ukazująca starą kobietę o siwych brwiach, z widocznymi żyłkami na policzkach, w białym kołnierzu. W misternie namalowanych palcach trzymała czarę.

Z całą pewnością nie było to najpiękniejsze malowidło w katalogu, ale coś w nim było. Było nasze.

* * *

Mówiąc po prostu, plan został wykonany. Pokazaliśmy, że dom aukcyjny Sotheby's w dalszym ciągu prowadzi handel płótnami starych mistrzów włoskich pochodzącymi z przemytu. Wiedzieliśmy już teraz, jakie wybiegi stosuje i jaki rodzaj płócien wchodzi w rachubę.

Jednak należało prześledzić koleje losów obrazu na aukcji. Stwarzało to swoiste problemy samo w sobie. Ściśle mówiąc, choć Sotheby's była siłą sprawczą przemytu, niemniej jednak my byliśmy biernymi współwinnymi, ponieważ dopuściliśmy do złamania prawa włoskiego. Co prawda, uważaliśmy to za niewielkie naruszenie prawa w porównaniu z poważnym przestępstwem, jakie udało się nam wykryć, ale mimo to czuliśmy się odpowiedzialni i za Nogariego. Przez pewien czas nie bardzo wiedzieliśmy, co należy robić dalej. Nie mogliśmy się zdecydować. Były ważkie argumenty za i przeciw. W końcu postanowiliśmy, że należy dopuścić do aukcji, ale powinniśmy w niej uczestniczyć i odkupić obraz. Bez względu na cenę nie można dopuścić do kupna płótna przez kogoś innego. Musimy go zdobyć i następnie zwrócić Włochom, do których należy.

W teorii było to niebezpieczne zamierzenie. A co będzie, jeśli znajdzie się ktoś na sali aukcyjnej, komu Nogari spodoba się bardzo i postanowi go kupić? Tłumaczyłem jednak Samowi i innym, że groźba nie była aż tak wielka, na jaką mogła wyglądać. Płótno Nogariego było dość dobre, ale nie na tyle, by ktoś się miał w nim zakochać. Muszą mi zaufać.

Uzyskaliśmy zgodę Channel 4 na odkupienie obrazu. Oznaczało to dla nich pewne dodatkowe wydatki, ale nie tak znowu duże, jakby można się było spodziewać. Nogariego wyceniono na 7000–10 000 funtów, co oznaczało, że prawdopodobnie nie zostanie sprzedany powyżej górnych widełek. Jeśli pójdzie za 10 000 funtów, będziemy musieli zapłacić 15 procent prowizji sprzedawcy, 15 procent prowizji od kupna plus podatek VAT od prowizji, jeden procent za ubezpieczenie oraz 450 funtów za opublikowanie zdjęcia w katalogu. W sumie wydatki wyniosą 4075 funtów. Jeśli obraz osiągnie wyższą cenę, powiedzmy 15 tysięcy funtów, wówczas honorarium Sotheby's wyniesie 5887,50 funtów. Telewizja Channel 4 będąc jednocześnie sprzedawcą i kupcem w każdym przypadku odzyska różnicę, nawet drogą okrężną (Sotheby's zapłaci Heather jako domniemanej właścicielce obrazu, a ona z kolei odda pieniądze Channel 4).

Wszystko to oznaczało, że musimy mieć kogoś, kto kupi obraz w naszym imieniu, kogoś, na czyje konto bankowe wpłyną pieniądze z telewizji. Tym razem z pomocą nam przyszedł Peter Minns, dyrektor programowy. Jego znajoma, Eve White, była żoną podrzędnego gwiazdora muzyki pop. Kiedy ją ujrzałem, pomyślałem sobie, że pasuje idealnie. Była po trzydziestce, śliczna, błyskotliwa, pewna siebie i uśmiechała się tak promiennie, że nadawała się do reklamy pasty do zębów.

Na kilka dni przed aukcją Peter zabrał ją do Sotheby's, by pokazać jej to i owo. Ponieważ mieliśmy zamiar sfilmować przetarg z dwóch ukrytych kamer, powinna usiąść w odpowiednim miejscu, najlepiej w połowie przejścia. W tym miejscu zarówno licytator, jak i kamerzyści będą ją dobrze widzieć. Ale najpierw musieliśmy ją poprosić, by udała się do Sotheby's i poprosiła o zapisanie na aukcję. Jeśli ktoś ma zamiar wziąć udział w licytacji powyżej pewnej sumy, to najpierw dział kredytowy domu aukcyjnego będzie chciał sprawdzić jego wiarygodność finansową. Ale kwota 10 tysięcy funtów czy nawet 20 tysięcy była poniżej tego limitu. Podając nazwisko i adres przed aukcją, Eva będzie mogła uczestniczyć w licytacji i zapłacić czekiem, kartą kredytową, wekslem lub kartą Switch. Obraz może odebrać dopiero po wpłynięciu pieniędzy.

Peter przyprowadził ją potem do redakcji Clarka, gdzie wprowadziłem ją w arkana licytacji. Ci, którzy nie wiedzą o niej nic, zwykle mówią dużo głupstw. W praktyce zupełnie niemożliwą rzeczą jest, by ktoś machał ręką do znajomych, głośno wycierał sobie nos chusteczką, przecierał oczy i potem ze zdumieniem stwierdzał, że kupił bardzo drogi obraz, jak to często się twierdzi. Licytatorzy nie są głupcami, przedmiotów nie sprzedają na chybił trafił i jeśli wyłania się jakaś wątpliwość co do jej przebiegu, to zwykle prowadzący pyta takiego gościa przecierającego oczy: „Licytuje pan?" A potem go bliżej określi: „Licytujący bliżej mnie, w przejściu". Obecni na sali zwykle orientują się bardzo dobrze, co się dzieje wokół nich. Przypadki z reguły się nie zdarzają. Teraz, kiedy licytujący muszą się zapisywać do aukcji, dostają plastykowe lizaki z numerami. Domy aukcyjne wolą, by licytację rozpoczynali właśnie ci z lizakami. Zazwyczaj nie są to ludzie powszechnie znani, ale wszyscy wiedzą, że się zapisali na licytację, a jeśli przelicytują pozostałych, muszą podać swe dane osobowe.

Zgodnie z tym powiedziałem Evie, by rozpoczęła licytację od podniesienia lizaka, który otrzyma przy rejestracji. Nie powinna zachowywać się w sposób nieśmiały i musi trzymać swój numer wysoko nad głową. Po zwróceniu na siebie uwagi osoby prowadzącej licytację, będzie ona zwracała się do Evy, jeśli licytować będą inni uczestnicy z sali. Wyjaśniłem Evie, że może licytować w sposób, jaki uzna za stosowny – przez kiwnięcie głową, podniesienie palca, a nawet mrugnięcie okiem, chociaż przy jej wyglądzie tego bym nie polecał. Obraz wyceniono na 7000–10 000 funtów, a zatem licytacja rozpocznie się od około 40–50 procent tej kwoty.

– A co będzie, jeśli kwota ta zostanie przekroczona? – zapytała.

– Licytuj dalej. Musisz kupić obraz za wszelką cenę.

– A co będzie, jeśli cena podskoczy do 50 lub 100 tysięcy, lub miliona?

– Licytuj dalej. Ale nie zajdzie tak wysoko.

– Skąd możesz być tego pewien?

– Ponieważ jest to ładny obraz i nic więcej. Dobrze namalowany, ale to żadna rewelacja. Na sali będą profesjonaliści. Nie będą bez potrzeby podbijać ceny na obraz, który nie jest tego wart.

Tak naprawdę istniała tylko jedna groźba, a mianowicie, że znajdzie się ktoś, kto posiada już obraz do pary – młodą kobietę do naszej starowiny. Tak nam powiedział Kollewijn w Mediolanie. Jeśli ktoś ma taki obraz, to wówczas może przekroczyć tę kwotę, ale jeśli nawet tak, to o niewiele. Nie powiedziałem Evie o tym, ponieważ mogłoby to ją niepotrzebnie zdezorientować. Była zadziwiająco pewna siebie i skora do pomocy.

Istniał jeszcze inny problem, któremu musieliśmy zaradzić. Na samym początku, jeszcze w Mediolanie, Concha Barrios, od której kupiliśmy Nogariego, rozpoznała mnie. Przynajmniej tak powiedziała. Według wszelkiego prawdopodobieństwa wraz z Antimo d'Amodio przyjadą do Londynu na aukcję. Nie martwiło mnie zbytnio, że może rozpoznać Nogariego, może bowiem przypuszczać, iż Peter Carpenter lub ktoś inny wywiózł obraz z Włoch, i to nie jej sprawa. Kłopot polegał na tym, iż mój znajomy dealer z Londynu doradził mi, bym udał się do d'Amodia, ale ja podałem inne nazwisko. Jeśli d'Amodio natknie się na mojego znajomego i zapyta o Petera Carpentera, to ten natychmiast się we wszystkim zorientuje. Równocześnie, jeśli zauważy Nogariego w katalogu Sotheby's, to może rozpoznać w nim obraz, który wycenił dla mnie. A zatem może być tym, kto skojarzy Petera Watsona z Peterem Carpenterem i płótnem Nogariego.

Telefonowałem trzy razy do mojego znajomego przed licytacją. Pierwszy raz w dniu publikacji katalogu, drugi raz tydzień później i na dzień przed licytacją. Za każdym razem rozmawialiśmy o dziełach sztuki i licytacjach płócien starych mistrzów. Miał zatem okazję, by zapytać o Nogariego. Jeśli go zauważył, musieliśmy się o tym dowiedzieć, ponieważ mógłby plotkować na jego temat. Ale on nie poruszył tego tematu ani razu. Wzmianka o Nogarim znajdowała się na końcu katalogu i jej nie zauważył.

Dzień licytacji, 3 lipca, był szary i zachmurzony. Ostatnie upały zelżały. Turniej tenisa na Wimbledonie działał na naszą korzyść. Po południu, gdy miano wystawić nasz obraz około trzeciej, Brytyjczyk Tim Henman miał grać z Amerykaninem Toddem Martinem w ćwierćfinałach gier pojedynczych. Henman był pierwszym Brytyjczykiem, który dotarł do ćwierćfinałów od roku 1973, kiedy to Roger Taylor się w nich znalazł. Przy odrobinie szczęścia połowa Anglii zasiądzie przed telewizorami i sala aukcyjna świecić będzie pustkami, konkurencja zaś spadnie do minimum.

Eva przyjechała do Sotheby's około wpół do dwunastej. Miała na sobie jedwabną garsonkę koloru słomkowego i białą bluzkę pod spodem. Wyglądała bajecznie. Przysłuchiwała się porannej licytacji, po czym udała się na lunch do kawiarni Sotheby's na parterze. Pozwoliła sobie na kieliszek czerwonego wina dla kurażu. Na salę licytacyjną powróciła o 13.45 i zajęła miejsce w przejściu, w połowie drogi od licytatora. Aukcja miała się rozpocząć ponownie o drugiej po południu. Jeden z kamerzystów usiadł naprzeciw niej. Kamerę ukrył w torbie, którą skierował na Evę. Drugi kamerzysta chodził po sali. Kamerę ukrył w krawacie i miał filmować Evę z innego kąta widzenia, a także i licytatora, i Nogariego, jak go wystawiano pod młotek. W kieszeni miał malutki monitorek wyświetlający obraz, tak jak widziała kamera. Ale ku własnemu przerażeniu stwierdził za pięć druga, że kamera nie pracuje. Kiwnął na swego kolegę i obaj poszli do toalety. Eva wyglądała na zmartwioną, ale nic nie mogła w tej sytuacji poradzić.

W toalecie kamerzyści stwierdzili, że w kamerze obluzował się drucik i trzeba było go przylutować. Aukcja już się rozpoczęła. Wybiegli w kierunku Hanover Square, gdzie stał zaparkowany samochód ze sprzętem i z Samem w środku. W wielkim pośpiechu podłączyli malutką kolbę lutowniczą do gniazdka zapalniczki w samochodzie i przylutowali drucik, dodatkowo mocując go taśmą przylepną. Pędem powrócili na salę. Na szczęście miejsce naprzeciwko Evy było w dalszym ciągu wolne i kamerzyści zajęli pozycje. Było wpół do trzeciej.

Licytacja jak dotąd odniosła mieszany sukces. Nieco wcześniej jej główna atrakcja *Służąca z miotłą i kubłem na słonecznym podwórku* Pietera de Hoocha z kolekcji Fattorini okazała się niewypałem i „poszła" za trzy miliony funtów, co było dolnym pułapem wyceny. Z drugiej jednak strony inne cenne płótno – *Śmierć pikadora* Francisco Goyi sprzedano za 2,5 miliona, podczas gdy cena wywoławcza wynosiła 1–1,5 miliona funtów.

Przed Nogarim wystawiono różne obrazy. Był Netscher, którego widziałem w katalogu, portret bardzo brzydkiego mężczyzny pędzla Hermana Colleniusa, płótna Regnaulta i Grimou – wszystkie raczej podrzędnego rodzaju i według mnie nudne. Ale oto pozycja 140, Nogari, idzie pod młotek. Co za miła ironia losu. Licytację prowadzi nie kto inny tylko George Gordon. Rozpoczął od 3,5 tysiąca. Obraz szybko osiągnął kwotę 5,5 tysiąca. Nie wiadomo, czy wywołał jakieś zainteresowanie na sali w ogóle, czy też Gordon brał propozycje z sufitu. Tak czy owak Eva podniosła pióro. Gordon zauważył ją natychmiast i Bogu niech będą dzięki wykrzyknął: „sześć tysięcy funtów".

Ktoś siedzący za nią podwyższył licytację i Eva podniosła rękę do góry raz jeszcze.

Siedem tysięcy funtów. Pani dała więcej – zawołał Gordon.

Eva siedziała jak na szpilkach. Kogoś siedzącego za nią obraz zainteresował. Czy podbije cenę? Za ile sprzedadzą Nogariego?

– Sprzedany! – zawołał Gordon. – Czy mogę zobaczyć pani tabliczkę, proszę pani?

Eva podniosła plastykowy lizak. Udało się. Odkupiliśmy Nogariego i teraz możemy go odwieźć z powrotem do Włoch, gdzie jego należne miejsce. A potem będziemy mogli opowiedzieć naszą historię.

ROZDZIAŁ DRUGI

Trzy walizki

Wczesnym wieczorem w niedzielę, 3 marca 1991 roku, usłyszałem pukanie do drzwi mojego domu w Chelsea, w zachodniej części Londynu. Stał przed nimi James Hodges, a na jezdni samochód marki Morris Oxford, model z roku 1960 błyszczący od chromu, ze staromodnymi płetwami rekina z tyłu. Na tylnym siedzeniu znajdowało się dwóch przyjaciół Hodgesa, których znałem. Byli to George Campbell i Charles Flint.

Prowadził Hodges i pojechaliśmy wzdłuż King's Road. Było zadziwiająco ciepło jak na marzec i jeszcze widno. Znałem go dopiero od tygodnia. Spotkaliśmy się poprzedniego piątku w jego domu na Tunis Road, w Shepherd's Bush. Jedną z rzeczy, jaką zapamiętałem z tego spotkania to olbrzymia ilość kawy, jaką wypiliśmy. Zaparzył chyba trzy, jeśli nie cztery dzbanki kawy w półtorej godziny, i wydawało mi się, że była to jedyna oznaka jego nerwowości.

Miał miły wygląd, kasztanowe włosy, był nieco po trzydziestce, miał na sobie workowate spodnie ze sztruksu i wełniany sweter. Hodges nie mieszkał w zbyt luksusowej dzielnicy, lecz dom jego lśnił od czystości i był pełen dzieł sztuki – obrazów, rzeźb i gustownych mebli, ale nie był zagracony. Wszędzie fotografie Hodgesa, jego żony i córki, ale na nich wyglądał zupełnie inaczej. Nie chodzi mi w tym momencie, że wyglądał na nich młodziej, ale był zdecydowanie szczuplejszy. Hodges parzący kawę był o dobre kilkanaście kilogramów tęższy, aniżeli postać bawiąca się z córką na zdjęciach. Zdałem sobie sprawę, że jego nienasycone łakomstwo to następna oznaka nerwowości.

Im dłużej go słuchałem, tym bardziej zdawałem sobie sprawę, że ma powody, by być nerwowym. Powiedział mi na początek, że pracował dla domu aukcyjnego Sotheby's ponad dziesięć lat i że przez większą część tego czasu uczestniczył w nieetycznych i nielegalnych praktykach, oraz że posiada wielką ilość materiałów tej firmy wskazujących na to, jak oświadczył, że nagminnie dopuszczała się przestępstw. Dodał, że w Sotheby's doskonale zdają sobie sprawę z tego co posiada i że choć rozstał się z nimi w zgodzie w 1989 roku, ba, nawet otrzymał ośmiomiesięczną odprawę, to jednak potem oskarżyli go o dwie kradzieże (dzieł sztuki) z miejsca pracy, po części dlatego, jak twierdził, by się przymknął, a także dlatego, by policja mogła dokonać rewizji w jego domu w poszukiwaniu raczej kompromitujących dokumentów, a nie wartościowych przedmiotów. Policja zabrała niektóre dokumenty, ale nic poza tym. Nie znaleziono żadnych obciążających dokumentów. Zwrócił dwa antyki, które ponoć ukradł. Aresztowano go rok temu i musiał spędzić cały weekend w celi na posterunku policji w West End na ulicy Savile Row. Ale to nie zakończyło sprawy, bo czekała go wkrótce rozprawa sądowa.

Nie bardzo wiedziałem z początku jak potraktować tę historię. Pisarze i dziennikarze mają często do czynienia z rozgoryczonymi i wkurzonymi byłymi pracownikami, oskarżającymi swych byłych pracodawców. Często rozmowy z nimi to po prostu strata czasu. Przed kilku miesiącami zgłosił się do mnie były dyrektor dużego domu towarowego w centrum Londynu. Opowiedział mi o szwindlach, jakie tam miały miejsce, ale nie miał żadnych dowodów. Przypuszczałem, że opowiadanie Hodgesa miało podobny charakter. I choć uważałem firmę Sotheby's za zbyt wyniosłą i zadufaną w sobie, co w równym stopniu odnosić się mogło do jej rywala, domu aukcyjnego Christie's, to nigdy nie przyszło mi do głowy, że mogą być nieuczciwi czy skorumpowani, tym bardziej że miałem kilku przyjaciół w obydwu firmach. Jednak Hodges twierdził, iż ma całą stertę dokumentów na poparcie swych oskarżeń.

Zdziwiło mnie także podczas tego pierwszego spotkania to, że w domu był jeszcze ktoś inny, George Campbell, który najwyraźniej był gorylem, lub jak kto woli „dozorującym". Nie chodzi o to, że obecność jego mogła sprawiać wrażenie groteskowe, ponieważ całą sprawę wyjaśnił szybko sam Hodges. Miałem na myśli koszty, ponieważ goryle, nawet jeśli są to przyjaciele oddający przysługę za darmo, zawsze coś kosztują. Z drugiej strony Hodges nie pracuje już od ponad roku i nie posiada żadnych dochodów. A zatem skąd ma pieniądze? Nurtowały mnie tego rodzaju wątpliwości, ale pomyślałem sobie, że daleko z nimi nie zajadę. (Tak naprawdę dowiedziałem się później, że Campbell mieszkał w domu Hodgesa za darmo i dostawał pieniądze tylko od czasu do czasu). Zapytałem Hodgesa, dlaczego uznał, iż musi mieć ochroniarza.

Odpowiedział mi, że pewnego wieczoru wrócił do domu i zastał w nim dwóch włoskich antykwariuszy siedzących w saloniku. Wiedzieli, że odszedł z Sotheby's i chcieli się upewnić, że nie będzie nic rozpowiadał o ich interesach z jego byłą firmą. Byli przy tym dość uprzejmi, jak zaznaczył, ale nie chciał mi podać ich nazwisk. Nie miał najmniejszej wątpliwości, że wizyta ta stanowiła pewną formę ostrzeżenia. Gdy wychodzili dali mu wyraźnie do zrozumienia, że mają nadzieję, iż można na nim „polegać". Po tym wydarzeniu natychmiast wysłał żonę i córkę do krewnych w Ameryce, natomiast Campbell wprowadził się do jego domu na Tunis Road.

Ale to jeszcze nie wszystko. Razem z Campbellem udawali śmieciarzy i myszkowali w pojemnikach na śmiecie przed domami kilku dyrektorów Sotheby's w poszukiwaniu czegoś obciążającego, co mogłoby ułatwić mu obronę. Co za historia? Albo bombowa story dla mnie, albo Hodges i Campbell to para czubków żywcem wziętych z Waltera Mitty, z którymi lepiej się nie zadawać. Wszystko zależało od tego, co Hodges ma w rękawie i pod koniec pierwszego naszego spotkania powiedział, że jest gotów pokazać mi niektóre dokumenty. Umówiliśmy się na drugie spotkanie w następną sobotę.

Morris Oxford jechał ulicą King's Road. Okrążył World's End, mijając po drodze antykwariaty w pobliżu stadionu Chelsea, i dalej błonia Parson's Green, na końcu których znajdowała się piwiarnia Pod Białym Koniem. Zaparkował samochód i wysiedliśmy. Weszliśmy oddzielnym wejściem, po schodkach na pięterko do pustej salki z dwoma stolikami, kilkoma krzesłami i tarczą do rzutek. Najwidoczniej Hodges i jego znajomi znali właściciela piwiarni i zarezerwowali salkę dla nas. Zrozumiałem, że za drinki płacić mam ja i dlatego wręczyłem Campbellowi banknot dziesięciofuntowy, po czym udał się on na dół. Drugi znajomy, Charles Flint, także znikł.

Nieskładnie rozmawialiśmy z Hodgesem o tym i owym, kiedy Campbell przyniósł piwo, po czym znowu zszedł na dół, lecz wkrótce usłyszeliśmy jego i Charlesa głośno sapiących na schodkach. Wkrótce okazało się dlaczego tak sapią. Dźwigali wielką, wypchaną po brzegi, walizę. Hodges powiedział, że ma trzy walizki dokumentów, ale tego wieczoru pokazał mi zawartość tylko jednej z nich. Otworzyli ją i kilka jaskrawo czerwonych skoroszytów wypadło na stół. Zawierały setki dokumentów. Przejrzałem je pobieżnie i natychmiast zrozumiałem kilka rzeczy.

Po pierwsze: zadano sobie wiele trudu, by papiery te uporządkować. Kartki były ułożone według dat, od roku 1978 do 1989, oraz miejsca pochodzenia: od Japonii po Włochy, od Nowego Jorku po Bangkok, od Londynu po Dżajpur. Niemal wszystkie były starannie ułożone tematycznie i jak na ironię losu jedna z nich zawierała nawet adnotację Sotheby's o tym, że pobrano jasnoczerwoną teczkę...

Po drugie: dokumenty były prawdziwe, co w takich sprawach jak ta jest zawsze problemem. Ale wiedziałem od razu, że są oryginalne, a nie podrobione. Co za różnorodność dokumentów – oryginały, fotokopie, odręczne notatki. Niektóre z nich z nagłówkiem firmy Sotheby's, inne na niebieskim papierze firmowym lub luźnych żółtych karteczkach. Niektóre miały pocztowy stempel firmowy, z datą doręczenia. Były też telexy. Niektóre z dokumentów były podpisane lub parafowane przez osoby, które znałem i których podpisy rozpoznawałem. Niektóre z nich dotyczyły nawet znanych mi zdarzeń. Inne zaś nie pochodziły z Sotheby's, lecz od kogoś innego. Wiele z nich dotyczyło codziennych spraw nie mających nic wspólnego z przestępstwem. Co za fałszerz zadałby sobie tyle trudu? Jednakże wśród tej masy wiele dokumentów miało charakter zupełnie odmienny – stanowiły bowiem domniemany dowód na to, że od dawna i na wielką skalę w domu aukcyjnym Sotheby's dopuszczano się przestępstw. Pod Białym Koniem nie było jeszcze jasności co do rozmiaru tych niemoralnych, czy nawet nielegalnych praktyk w firmie, ale nie pozostawało żadnych wątpliwości co do tego, że kluczowe postacie w wyspecjalizowanych oddziałach były zamieszane w nielegalne, czy nieetyczne, działania.

Hodgesowi przyświecały trzy cele, gdy się do mnie zwrócił. Chciał, aby o całej sprawie powiedziano publicznie, ponieważ uważał, że należy o niej powiedzieć. A najlepiej o niej napisać przed rozprawą sądową w nadziei, że rozgłos czy nawet skandal wokół rozprawy doprowadzi do zrezygnowania z niej lub wpłynie na wyrok na jego korzyść. Ponadto życzył sobie udziału w honorarium za to, co napiszę i opublikuję, aczkolwiek o pieniądzach rozmawialiśmy dopiero później, kiedy zgodził się na otrzymanie większości wynagrodzenia dopiero wtedy, kiedy wszystko opublikujemy zgodnie z prawem i okaże się, iż informacje jego są prawdziwe.

Pierwszy wzgląd przyjąłem z pewnym niedowierzaniem. Był w posiadaniu tych dokumentów od wielu lat, a teraz, kiedy mu to odpowiada, nagle się z nimi zjawia. Wiedziałem, że opublikowanie tej historii przed procesem ma sens z jego punktu widzenia, ale mógłbym być oskarżony o obrazę sądu, gdyby to, co opublikuję miało przynieść uszczerbek sprawie. W każdym razie w obecnym stadium rozważania te miały charakter akademicki, ponieważ trudno będzie znaleźć potwierdzenie czegokolwiek przed rozpoczęciem procesu. Jak mi powiedział Hodges, sprawa, odraczana już dwa razy, ma się odbyć w lipcu, czyli za cztery miesiące. Nawet gdybyśmy mieli gotowy rękopis w tym czasie, co wydawało się niemożliwe, to i tak opublikowanie go byłoby sprawą trudną wziąwszy pod uwagę problemy prawne. Teoretycznie rzecz biorąc mogliśmy wydrukować go w Ameryce, unikając w ten sposób zarzutu obrazy sądu, ale pomysł nie podobał mi się, ponieważ i tak ominęlibyśmy literę prawa. Natomiast nie miałem żadnego kłopotu z żądaniem Hodgesa odnośnie zapłaty za informacje. Nie był jeszcze skazany, a być może zostanie uniewinniony. Z tego, co już zobaczyłem wynikało, że nagminnie karygodne czyny dokonywane w tym domu aukcyjnym znacznie przeważają to, czego mógł się dopuścić on sam.

Po niedzielnym spotkaniu oświadczyłem mu, że w zasadzie interesuje mnie napisanie książki w oparciu o jego materiały, pod warunkiem wszakże, że reszta materiałów będzie równie interesująca jak te, które już widziałem. Wówczas poproszę wydawcę o wyrażenie zgody, co z łatwością mogę uzyskać po obydwu stronach Atlantyku. W poniedziałek 20 marca siedziałem sobie w kuchni na Tunis Road gotów do szczegółowego przejrzenia dokumentów. Zabrało mi to dwa tygodnie. Zaczynałem o godzinie dziewiątej rano i nigdy nie kończyłem przed szóstą po południu. Hodges raczył mnie kawą przez cały dzień. Czasem robiliśmy sobie przerwę na lunch w pobliskiej włoskiej restauracji.

W miarę upływu dni stawało się coraz bardziej oczywiste, że bez względu na rolę, jaką odegrał on sam, inni wyżsi rangą pracownicy byli zamieszani w to, o czym mówił. Wiele spośród trzech czy czterech tysięcy dokumentów dawało dokładny wgląd w to, co działo się na salach aukcyjnych lub przynamniej na terenie firmy Sotheby's: ostrą rywalizację, zawyżone pensje wyższych urzędników, uboczne dochody, fałszywy blichtr nadawany komunikatom prasowym. Ale nie to stanowiło sedno sprawy. Pies pogrzebany był gdzie indziej. Personel Sotheby's nic sobie nie robił z prawa w kilku krajach, manipulując różnymi aspektami procesu licytacyjnego i wprowadzając w błąd prasę i opinię publiczną, głosząc jednocześnie wszem wobec o cnotach społecznych i moralnych. W szczególności dokumenty te wskazywały na nielegalny handel firmy zabytkami pochodzącymi z wykopalisk i przemyconymi z Włoch i Indii. Z Włoch przerzucano także płótna starych mistrzów na podstawie sfałszowanych papierów mających wskazywać, że na sprzedaż wystawiły je osoby z brytyjskimi adresami. Fałszowano indeksy rynkowe nie uwzględniając w nich miernych wyników, zwiększano rezerwę na dany przedmiot nawet po otwarciu licytacji, wykorzystywano telefony od pracowników w celu wywołania wrażenia, że istnieje rynek i popyt, podczas gdy nic takiego nie miało miejsca. Robiono czy przynajmniej rozważano możliwość zrobienia poufnego interesu z czołowymi ajatollahami irańskimi, wpłacając na ich konta szwajcarskie 10 procent od sprzedaży cennych przedmiotów z tego kraju. Podpisano tajne porozumienie z domem towarowym Seibu, handlującym dziełami sztuki z Japonii, dające jego klientom niczym nieuzasadnioną przewagę podczas licytacji w domu aukcyjnym Sotheby's.

Dokumenty wskazywały także na to, że znaczna ilość przedmiotów pochodzących z Afryki Południowej miała charakter nieoficjalny, a więc pochodziła z przemytu. Podobnie większość przedmiotów nadesłanych z Hiszpanii miała także charakter nieoficjalny. Sotheby's rozważała nawet możliwość sfałszowania dokumentacji dotyczącej pewnych przedmiotów jubilerskich, by uniknąć płacenia podatku przy ich sprzedaży. Swym klientom firma ta przekazywała różną informację o rynku od tej, jaką podawała do wiadomości publicznej.

Wydźwięk dokumentów był taki, że czegokolwiek by nie dotknąć odnośnie licytacji, wszędzie to samo: nieuczciwość, szwindle i kłamstwa. Niektóre z dokumentów wskazywały na popełnienie przestępstw na dużą skalę w odniesieniu do takich dzieł sztuki, jak wazy apulijskie czy płótna starych mistrzów włoskich.

Nieznane było ich pochodzenie, a mimo to Sotheby's przyjmowała je do sprzedaży wbrew protestom tak poważnych instytucji jak British Museum czy wydział archeologii Uniwersytetu w Cambridge, utrzymującym, że z samej definicji wazy pochodzą z nielegalnych wykopalisk i przemytu (ponieważ właściwy rejestr legalnie wykopanych waz jest w posiadaniu uczonych). Z dokumentów Hodgesa wynikało, że wazy zawsze nadchodziły od szwajcarskiego handlarza Christiana Boursauda i jego pomocnika

Serge'a Vilberta, którego powiązania z przedsiębiorcą włoskim Giacomo Medici były dobrze znane firmie Sotheby's. Wiadomo było też, że Włoch w przeszłości zajmował się przedmiotami pochodzącymi z nielegalnych wykopalisk. Dokumenty wskazywały także i na to, że na każdej aukcji wystawiano do sprzedaży setki antyków niewiadomego pochodzenia, przesyłanych z Genewy przez firmę Boursauda.

Dziesiątki dokumentów wskazywało na to, że personel firmy często sprawdzał takie obrazy we Włoszech. Szacowali później, ile mogą osiągnąć w Londynie i wystawiali je na licytację w Wielkiej Brytanii bez pozwolenia eksportowego, co oznaczało, że pochodzą z przemytu. Pewne dokumenty wskazywały na to, że przynajmniej w jednym przypadku Tim Llewellyn, szef działu starych płócien w Londynie i zastępca dyrektora firmy, udał się do Florencji, skąd kierował licytacją w Londynie.

Najbardziej uderzające było to, że Hodges posiadał plik dokumentów dokładnie opisujących pewne rażące przypadki. Na przykład, piękny, z czarnego bazaltu posążek śpiewaczki ze świątyni egipskiej, z szóstego wieku przed naszą erą, wyceniony na 150 tysięcy funtów, został wywieziony z Włoch, gdzie w 1962 roku skatalogowano go jako część kolekcji neapolitańskiej. Ponieważ nie było do niego żadnej dokumentacji, posążek wysłano z Londynu do Szwajcarii, a następnie powrócił stamtąd jako własność pasierbicy szefa biura w Genewie. Fałszywe pochodzenie miało na celu umożliwienie wystawienia go na licytację w Londynie, ale jednak później Sotheby's zdecydowała, że byłoby to zbyt ryzykowne. Nie powstrzymało to jednak firmy od sprzedaży posążku osobie prywatnej, i pobraniu za to prowizji.

Inny posąg, wyobrażający bóstwo w postaci lwa Sekhmeta, zobaczyli w antykwariacie w Genui szef biura Sotheby's we Florencji i kierowniczka działu starożytnego w Londynie. Sprowadzili pośrednika londyńskiego Robina Symesa, który zapłacił za posąg i wysłał go najpierw do Szwajcarii, potem do Londynu, a stamtąd do Nowego Jorku.

Przy innej okazji personel firmy doradził francuskiemu klientowi chcącemu sprzedać czarę ze szkła, by ją przedtem rozbił na kawałki celem wprowadzenia w błąd celników. Nie zaszkodziło jej to wiele, ponieważ można było ją potem zlepić w Londynie. I tak była o wiele więcej warta niż we Francji, gdzie muzea mogły zablokować jej wywóz.

Oprócz tych rażąco karygodnych czynów, dokumenty zawierały wiele pikantnych szczegółów pominiętych przez Hodgesa. Na przykład człowiek odpowiedzialny za nielegalny przerzut starych płócien z Włoch, Tim Llewellyn, był synem Grahama Llewellyna, dyrektora firmy. Llewellyn senior okazał się najbardziej znanym snobem w Sotheby's, kiedy dwóm amerykańskim biznesmenom nieomal udało się przejąć firmę na początku lat osiemdziesiątych, do czego kierownictwo firmy nie dopuściło, za co oskarżano je potem o snobizm i antysemityzm. I oto syn takiego snoba dopuszcza się czynów o wiele bardziej nagannych niż tych dwóch Amerykanów. I na tym nie koniec pikanterii. Tim Llewellyn miał żonę Amerykankę, której ojciec, Mason Hammond, był profesorem klasyki na Uniwersytecie Harwadzkim, a podczas drugiej wojny światowej oficerem I Wojskowego Archiwum Pomników i Dzieł Sztuki. Zadaniem tej jednostki była ochrona antyków podczas działań wojennych. A zatem Mason Hammond ryzykował życiem, by zachować dla Włoch to, czego jego zięć potajemnie i bezprawnie chciał kraj ten pozbawić.

Po kilku dniach wybrałem 592 dokumenty z trzech czy czterech tysięcy, w sumie 878 stron najważniejszych dowodów.

Oprócz tych dokumentów posiadałem także zeznanie Hodgesa. Pracował w Sotheby's od roku 1978 do 1989, większą część czasu w dziale antyków, i to, co powiedział zadziwiało, by nie użyć mocniejszego określenia. Cały ten interes był na wskroś nieuczciwy, jak twierdził, i pełen tylu przedmiotów pochodzących z nielegalnych wykopalisk i przemytu, że dwóch największych klientów firmy skłoniło go do założenia dwóch kont bankowych na fałszywe nazwisko z wkładami na opłacanie gotówką kurierów przewożących dzieła sztuki do Londynu.

Dokumenty zawierały także wydruki komputerowe danych o tym, kto co kupił i sprzedał, i na której licytacji. Na niektórych napisane było odręcznie „H.C. Banks" i „A. Yarrow", czyli nazwiska, na które wystawiono fałszywe konta.

Jeśli to, co powiedział Hodges okaże się prawdą, to historia ta woła o pomstę do nieba, ponieważ będzie to największy skandal w świecie sztuki od lat. Ale istniał jeden szkopuł, któremu trzeba zaradzić najpierw, dylemat, który należy rozwiązać, dotyczył bowiem kwestii zasadniczej. Wszystkie dokumenty pochodziły z kradzieży.

Zajmowanie się kradzieżą to zawsze paradoksalne zajęcie dla pisarza czy dziennikarza, z jednej bowiem strony uczestniczy on w przestępstwie, naturalnie z technicznego punktu widzenia. Wiele dokumentów od Hodgesa oznaczonych było jako „ściśle tajne" i stanowiły one własność domu aukcyjnego Sotheby's, i tylko jego. Z drugiej jednak strony wielu moich kolegów z „Sunday Timesa" i „Observera" znalazło się wiele razy w podobnej sytuacji w przeszłości. Niezmiennie w takich przypadkach zawsze dochodziło do przecieku informacji od kogoś z wewnątrz firmy, osoba ta bowiem była przekonana, że dokumenty w jej posiadaniu stanowią dowód na nielegalne praktyki. I prawie zawsze była ona albo pracownikiem, albo byłym pracownikiem mającym na pieńku z własną firmą. Źródło przecieków bardzo rzadko było czyste.

Prawo brytyjskie nie chroni dziennikarzy w tym stopniu, co amerykańskie, ale ja byłem przekonany, że jeśli dokumenty dowiodą, iż opinia publiczna i władze były oszukiwane i wystrychnięte na dudka, to wówczas posługiwanie się nimi uznane zostanie za mniejsze zło, jako coś koniecznego do wydobycia prawdy na światło dzienne. Faktem też było i to, że Sotheby's jest firmą notowaną na giełdzie zarówno londyńskiej, jak i nowojorskiej, a instytucje te wymagały przestrzegania odpowiedniego kodeksu postępowania, by nie utracić zaufania społecznego.

Jedną z możliwości było przekazanie dokumentów policji, ale istniały trzy powody, dla których nie należało tego robić. Po pierwsze Hodges nie wyraziłby na to zgody. Mogli go co prawda skazać pod innym zarzutem i wówczas nie byłoby w ogóle mowy o napisaniu książki. Ja, z kolei, byłem święcie przekonany, że policja metropolitalna nigdy nie traktuje kradzieży i przemytu dzieł sztuki z należytą powagą, należną tego rodzaju przestępstwom. Powoływano już jednostki ds. ochrony dzieł sztuki i zabytków dwukrotnie i dwukrotnie je rozwiązywano w ciągu ostatnich piętnastu lat. Dokumenty Hodgesa wymagały specjalistycznej wiedzy, a o nią trudno w policji. Ponadto Hodges twierdził, że już się z nią kontaktował, ale nie wykazała większego zainteresowania tym, co miał do powiedzenia.

Istniał także jeszcze inny szkopuł, o wiele bardziej poważny. Poczucie uczciwości, nie mówiąc już o kanonach dziennikarstwa, wymagało bym postawił Sotheby's zarzuty zanim opublikuję cokolwiek. I co za paradoks. Fakt posiadania aż tylu dokumentów stanowił w tym momencie przeszkodę. Wartość dokumentów przekazanych mi przez Hodgesa polegała na tym, że wskazywały na endemiczną korupcję, a nie na drobne wykroczenia czy szachrajstwa. Gdybym poszedł do Sotheby's z całym plikiem, to z pewnością by się zorientowali o szkodliwości tych papierów. A ponieważ były skradzione, dom aukcyjny wystąpiłby o sądowy nakaz za złamanie tajemnicy służbowej w nadziei, że podważy zaufanie sądu do pracownika kradnącego dokumenty (lub cokolwiek innego) swemu pracodawcy.

Ale jeśli nie przedstawimy firmie dokumentów, to nici z publikacji. Co innego własne przekonanie odnośnie autentyczności dokumentów, a zupełnie co innego przekonać o tym prawnika wydawcy, lub samego wydawcę, który w równym stopniu ponosić będzie odpowiedzialność prawną za wszelkie ewentualne błędy.

I na tym właśnie polegał nasz dylemat. Musieliśmy potwierdzić całą historię zawartą w dokumentach bez składania wizyty firmie Sotheby's i tym samym zwrócenia jej uwagi na fakt ich posiadania. Ale jak u licha można tego dokonać?

Na początek zacząłem maglować Hodgesa, zmuszając go do ciągłego powtarzania swych wynurzeń. Chciałem go na czymś przyłapać i on zdawał sobie z tego sprawę. Maglowałem go w Londynie, potem w domu jego rodziców w Suffolk, potem jeszcze w Waszyngtonie, dokąd musiałem pojechać. Tam spotkałem się z nim, ponieważ on z kolei przyjechał zobaczyć się z żoną i córką. Ani razu nie poplątał się w zeznaniach. Pamiętał doskonale chronologię zdarzeń i szczegółów. Znał zawartość dokumentów wzdłuż i w poprzek, i recytował z pamięci poszczególne strony, kiedy tylko chciał coś udowodnić. Ani razu nie przyłapałem go na czymkolwiek. Spisywał się znakomicie.

Kiedy zapoznawał mnie z pozostałą resztą dokumentów na Tunis Road, podzieliliśmy je na dwie części. Pierwszą włożyliśmy do czerwonych teczek. Były to według Hodgesa najważniejsze papiery. Pozostałe były nieuporządkowane, ponieważ nie miał czasu na zapoznanie się z nimi. Jednak przejrzałem je potem dokładnie i odkryłem cztery zestawy wskazujące na dokonanie przestępstw w zupełnie innych dziedzinach niż te, o których mówił Hodges. Na pierwszy rzut oka dokumenty te, których znaczenia Hodges nie docenił, stanowiły następny dowód na to, że są autentyczne. A może był aż tak przebiegły, że chciał, abym sam znalazł te dodatkowe dowody i w ten sposób zamierzał mnie przekonać co do ich prawdziwości? Ciągle w to nie wierzyłem, ale może jednak?

Następną metodą potwierdzenia wiarygodności dokumentów mogło być zbadanie charakteru pisma osób, które je sporządziły lub przynajmniej podpisały. Ale i to nastręczało pewne trudności, ponieważ wiele dokumentów było fotokopiami, a ekspert, do którego się zwróciłem powiedział mi, że trudno być czegokolwiek pewnym, gdy się ma do czynienia tylko z fotokopią. Ale mieliśmy około tuzina autentycznych dokumentów napisanych odręcznie przez różne osoby, od zastępcy przewodniczącego, szefa działu starych mistrzów w Mediolanie, szefa biura ds. rzeźb w Rzymie, kierownika działu książek po większość pracowników działów antyków i mebli w Londynie.

Hodges poprosił swego „anioła stróża" George'a Campbella, by napisał do trojga z nich, udając kolekcjonera, niby to proponując sprzedaż pewnych dzieł sztuki. W odpowiedzi otrzymał listy podpisane przez nich. Udając, że zbieram materiał do napisania dreszczowca, którego akcja ma się rozgrywać w domu aukcyjnym, sam napisałem do następnej trójki z prośbą o poradę w sprawach technicznych dotyczących aukcji i domów aukcyjnych. O dziwo, wszyscy trzej odpisali listownie, oczywiście odręcznie. Dziwnym zbiegiem okoliczności jeszcze inny facet z naszej listy niespodziewanie napisał do mnie z gratulacjami z okazji opublikowania przeze mnie pewnego artykułu. List ten także był napisany odręcznie. Od kilku lat pisałem o rynku dzieł sztuki dla „Observera" i w związku z tym posiadałem w swym domowym archiwum listy od niektórych ludzi z Sotheby's, a zatem i ich podpisy.

W sumie byliśmy w posiadaniu próbek podpisów dziewięciu osób spośród dwunastu znajdujących się na naszej liście. Na początku maja 1991 roku przesłałem próbki sądowemu grafologowi i w ciągu tygodnia otrzymałem wyniki. W dziewięciu przypadkach pani grafolog była w dziewięćdziesięciu procentach pewna, że charakter pisma się zgadza. Hodges nie uczestniczył w żaden sposób w wyborze dokumentów, ani w decyzji zwrócenia się do grafologa. A więc wyniki ekspertyzy były pozytywne, ale równie autentyczne były jeszcze inne dowody.

Odtworzenie procedur przedstawionych przynajmniej w niektórych dokumentach stanowiło trzecią metodę. I tym razem Hodges nie brał udziału ani w wyborze tego, co mieliśmy robić, ani w realizacji. Z tego co nam przekazał wynikało jasno, że przerzut płócien starych mistrzów odbywał się z Mediolanu (patrz rozdział 1. i 9.). Kłopot mój na tym etapie polegał na tym, że nie miałem dostępu do obrazów starych mistrzów. Zwróciłem się więc do dwóch pośredników z Londynu i jednego z Sussex o wypożyczenie obrazu wartego od 10 do 30 tysięcy funtów. Nie chciałem wyjaśniać po co mi ten obraz, ale powiedziałem im, że będzie „wyłączony z obiegu" na jakieś pół roku. Oczywiście wszyscy trzej odmówili. Wówczas zwróciłem się do dwóch handlarzy nowojorskich, którzy także odmówili.

Byłem rozgoryczony i poprosiłem o poradę dwóch innych dealerów z Londynu, których dobrze znałem, ale oni nie zajmowali się malowidłami. Pierwszy handlował przedmiotami z Dalekiego Wschodu, drugi – srebrem. O dziwo, ten od sztuki Dalekiego Wschodu zgodził się pożyczyć mi małą chińską rzeźbę w drewnie z IX w., wycenioną na 30 tysięcy funtów. Ten od srebra także się zgodził, udostępniając mi siedemnastowieczną tacę o wartości 14 tysięcy funtów. Żaden z nich nie chciał nawet wiedzieć po co mi te przedmioty. Wszystko, czego żądali, to tylko by je ubezpieczyć, na co z ochotą przystałem. Wraz z nimi udałem się do Włoch w towarzystwie mojego zaprzyjaźnionego dealera Andrew Purchesa, który miał rozległe kontakty w tym kraju, a my potrzebowaliśmy prawdziwego włoskiego kolekcjonera, który by zaniósł te rzeczy do Sotheby's i poprosił o przesłanie rzeźby i tacy do Londynu.

Jak dotąd nie wymienialiśmy nazwy Sotheby's. Ponieważ było oczywiste, że śledztwo nasze będzie trwało jeszcze przez jakiś czas i że będziemy musieli rozmawiać o nim w różnych okolicznościach, ustaliliśmy, iż będziemy używać kryptonimu Baker, by ktoś przypadkowy nie wiedział o kim mówimy. Kryptonim Baker wybraliśmy ze względu na to, że firmę Sotheby's założył w XVII w. niejaki księgarz, Samuel Baker.

Zatrzymaliśmy się w Villafalletto, w górzystym terenie na południe od Turynu. Tam Andrew skontaktował mnie z zaprzyjaźnionym kolekcjonerem, bardzo barwnym człowiekiem, ożenionym z Angielką. Firma jego dostarczała części do fiata. Wysłuchał naszej opowieści. Oczywiście musieliśmy mu powiedzieć całą prawdę, po czym oświadczył, że się zastanowi. Tymczasem potraktował nas wystawnym obiadem z włoskiej pasty, cielęciny i sporej ilości wina, po czym gospodarz nasz uciął sobie zdrową drzemkę. Andrew spojrzał na mnie i wyszeptał:

– Zdaje mi się, że to znaczy nie.

Następnego dnia znaleźliśmy się w Campione nad jeziorem Lugano, nieopodal granicy włosko-szwajcarskiej. Mieszkał tam dealer, zaprzyjaźniony z Andrew, we wspaniałym domu wraz z galerią, usytuowanym nad brzegiem jeziora. Była niedziela. Przyjechaliśmy w porze obiadowej, więc udaliśmy się do pobliskiej restauracji z pięknym tarasem. Ku memu zdumieniu małżeństwo zgodziło się nam pomóc, a więc pozostawiliśmy u nich rzeźbę i tacę. Obiecali wziąć je do Mediolanu. Wraz z Andrew powróciliśmy do Londynu.

Po powrocie doznałem szoku. Tak naprawdę był to cios podwójny. Rozpoczynał się trzeci tydzień maja i ponieważ sprawa sądowa wyznaczona była na ósmego lipca – Hodges był całkowicie pochłonięty przygotowaniami. Jednak tego tygodnia dowiedział się, że ponownie ją odroczono, już trzeci raz z rzędu, ze względu na to, że Tim Llewellyn i Roberto Fainello, jeden z szefów Sotheby's, nie mogli się stawić w sądzie. Hodges był wkurzony. Kończyły mu się pieniądze i zdawał sobie sprawę, że jego była firma gra na zwłokę, by dokumenty w jego posiadaniu straciły na aktualności. Martwiło go także i to, że zbliża się termin przedawnienia na przestępstwa, które chciał ujawnić. Nie zgadzałem się z nim, ponieważ data na dokumentach nie mogła mieć wpływu ani na siłę ich oddziaływania, ani na decyzję ławy sędziowskiej.

Jednakże jeszcze mocniejszy cios niż trzecie z kolei odroczenie sprawy w sądzie dosięgnął nas, kiedy Hodges wraz ze swym adwokatem Anthonym Burtonem spotkali się z sierżantem Quinnem z komendy policji w West End, 20 maja. Quinn był tym detektywem, który przedtem aresztował Hodgesa. Teraz oświadczył, że rozszerza zakres stawianych mu zarzutów. To Hodges założył dwa wspomniane już fałszywe konta bankowe na nazwisko H.C. Banksa i A. Yarrowa. Firma Sotheby's wpłacała pieniądze na nie rzekomo jako prowizję za wprowadzenie nowego klienta. W pewnych okolicznościach, jeśli ktoś wprowadza sprzedającego do domu aukcyjnego, wypłaca mu się za to zwyczajowe cztery procent od ceny sprzedaży. Na wydrukach wyników licytacji Hodges niekiedy dopisywał uwagi w rodzaju „400 funtów dla Yarrowa" lub „650 funtów dla Banksa". Stan kont rósł, a więc mógł on opłacać gotówką pewnych kurierów przewożących kontrabandę do Londynu, jak również konserwatorów oraz opłaty składowe. Quinn oświadczył Hodgesowi, że Sotheby's przy pomocy swych adwokatów z firmy Freshfields sprawdziła stan kont Banksa i Yarrowa i twierdzi, że zarzuty jego są bezpodstawne i że to on posiada konta na własny użytek, co znaczy, że dopuścił się malwersacji.

Postawiono mu przynajmniej osiemnaście zarzutów fałszerstw księgowych, ale na tym nie koniec. Quinn powiedział mu także, że zostanie oskarżony o fałszerstwo.

Wyglądało na to, że jest naprawdę niedobrze. Oczywistym było, że jeśli Hodges okaże się fałszerzem, to nie będzie można polegać na jego dokumentach (a więc miałem rację, kiedy zdecydowałem, że nie będę publikować przed rozprawą). Sprawa była o wiele bardziej skomplikowana. Tak naprawdę zarzut o fałszerstwo nie dotyczył któregokolwiek z dokumentów w naszym posiadaniu. W istocie postawiono mu dwa zarzuty. Pierwszy dotyczył zezwolenia, podpisanego przez kierownika działu antyków Felicity Nicholson, na założenie dwóch kont bankowych. Drugi z rzekomo podrobionych dokumentów nosił podpis Brendana Lyncha, drugiej osoby w dziale, specjalisty od orientu. Na podstawie tego zezwolenia Hodges trzymał w domu dwa zabytkowe przedmioty – czarę i hełm. A zatem oskarżano go o kradzież. W obydwu przypadkach nie było żadnych wątpliwości co do tego, czy papier, na którym wypisano obydwa dokumenty, rzeczywiście pochodził z Sotheby's i czy podpisy były autentyczne. Twierdzono natomiast, że popełniono fałszerstwo, czemu Hodges zaprzeczał, poprzez napisanie tekstu na papierze firmowym in blanco z podpisami Nicholsona lub Lyncha, tak jak gdyby pozostawili je na biurku przed udaniem się na urlop. Jeśli tak naprawdę było, to czyn ten był karygodny, ale to nie pozwalało Hodgesowi na sfałszowanie wszystkich dokumentów, jakie posiadał.

Tak czy siak dało to nam wiele do myślenia. Jeśli Hodges był na tyle zdeterminowany, by sfałszować zezwolenie, to mógł być równie zdecydowany, by zwrócić się do jakiegoś profesjonalisty o sfałszowanie pozostałych dokumentów. Ani przez chwilę w to nie wierzyłem, ale nie można pominąć faktu, iż oskarżono go o fałszerstwo, a to zmieniało całkowicie cały obraz sprawy.

Zanim pozbieraliśmy się po tym ciosie, przyszło następne uderzenie. Znajomi Andrew Purchesa z Włoch, właściciele galerii w Campione, zadzwonili, że zmienili zdanie i nie będą w stanie nam pomóc. Nie zawiozą przedmiotów, jakie wypożyczyłem, do oddziału Sotheby's w Mediolanie.

Wydawało się, że całe dochodzenie legło w gruzach. Prawnicy wydawcy amerykańskiego wpadli na pomysł, by Hodges poddał się testowi na prawdomówność. Kiedy powiedziałem mu o tym, natychmiast się zgodził. Jednak doszliśmy do wniosku, że dla własnego dobra, powinien się poddać temu testowi po procesie. Gdyby odbył się on przed sprawą i gdyby okazało się, że go nie zdał z jakichś tam powodów, i gdyby obrona się o tym dowiedziała, to sytuacja jego byłaby nie do pozazdroszczenia.

Postanowiłem od samego początku swych kontaktów z Hodgesem, że nie muszę wcale stać po jego stronie w konflikcie z Sotheby's, aczkolwiek sympatie moje należały do niego. Głównym moim celem było odsłonięcie prawdy o przestępstwach popełnianych przez ten dom aukcyjny, bez względu na rolę, jaką w całej sprawie odgrywał Hodges oraz na stopień jego winy. Niezależnie od roli, jaką w całej sprawie odegrał Hodges, i od tego co o tym napiszę, będę w dalszym ciągu mieć do czynienia z Sotheby's i dlatego chciałem postępować przyzwoicie.

Lecz trudno było pozostawać obojętnym na jego argumenty, tym bardziej że przebywaliśmy ze sobą tyle czasu. Na przykład, kiedy odroczono proces, był przekonany, że to element wybiegu mający na celu „dobranie mu się do skóry". Gdyby sprawa odbyła się na jesieni 1990 roku, lub na wiosnę 1991 roku, tak jak początkowo planowano, miałby do czynienia tylko z jednym zarzutem – o fałszerstwo. Tymczasem mówiono mu, że sprawę odracza się ze względu na to, że niektórzy świadkowie z firmy Sotheby's są nieuchwytni, lecz przez cały czas przygotowywano i wytaczano coraz to nowe zarzuty. Uczciwe to?

Nie byłem do końca przekonany co do jego wersji wydarzeń, ponieważ nie jestem wyznawcą spiskowej teorii historii. Ale z drugiej strony to nie ja staję przed sądem. W miarę upływu lata Hodges począł przekonywać mnie, że postępowanie Sotheby's wskazuje na to, że im chodzi o coś więcej niż widać gołym okiem. Powiedział mi, że czterech stałych importerów zabytkowych przedmiotów niewiadomego pochodzenia – Christian Boursaud, Serge Vilbert, George Quimper* z Paryża i niejaki Ghiya z Dżajpuru najczęściej i najwięcej korzystali z kont Banksa i Yarrowa, a mimo to nazwiska ich nie figurują w akcie oskarżenia. Na tej podstawie Sotheby's oskarża go o przywłaszczenie tylko 12 tysięcy funtów, podczas gdy on doskonale wie, będąc drobiazgowym jeśli idzie o szczegóły, że z obydwu kont wypłynęło bez mała 30 tysięcy. Ponadto powołał się na to, iż nikt z poszkodowanych nie wniósł skargi.

Słuchając Hodgesa miałem mieszane uczucia i nie bardzo wiedziałem w co wierzyć. Niektóre z jego argumentów przyjmowałem, inne nie, przyszło mi bowiem co innego do głowy. Kiedy po raz pierwszy oskarżono go o przetrzymywanie przedmiotów zabytkowych we własnym domu, oświadczył, że je wziął, ponieważ mu je dano. Twierdził, że gdy jakieś przedmioty przebywały w domu aukcyjnym przez dłuższy czas i nikt się po nie nie zgłaszał, co często miało miejsce, i po pewnym czasie nie wiadomo już było do kogo należą, wówczas w takich przypadkach czasami rozdawano je pracownikom. Nieco później powiedział, że posiada odpowiednią notę na piśmie, podpisaną przez Brendana Lyncha, zezwalającą mu na pobranie pewnych przedmiotów, których właścicieli nie znano. Potem zmienił swą wersję, oświadczając, że taca i hełm należą tak naprawdę do Serge'a Vilberta, który był jednym z pośredników szwajcarskich, przemycających dzieła sztuki i który zwrócił się do niego o pomoc.

Ta zmiana wersji była sama w sobie czymś niedobrym, ale jeszcze dwie inne rzeczy miały wpływ na mój stosunek do Hodgesa (i pośrednio na wiarygodność jego dokumentów). Po pierwsze, upłynęło kilka tygodni od oskarżenia go o kradzież hełmu i czary zanim oświadczył, że posiada na nie pisemne zezwolenia. W obydwu przypadkach znalezienie tych ważnych świstków zabrało mu kilka tygodni. Mnie powiedział, że trwało to tak długo, ponieważ panował bałagan w dokumentacji. Ale ja widziałem, jak Hodges obchodzi się z innymi dokumentami i jakim był artystą w dziedzinie organizacji i szczegółu, jak świetnie porządkował inne papiery. To, że nie mógł znaleźć zezwoleń przez tak długi czas było dla niego tak nietypowe, że osobiście uważałem, iż je podrobił.

Po drugie, sposób, w jaki zwrócił brakujące przedmioty był co najmniej dziwaczny. Powiedział, że obawia się pewnych ludzi ze świata dzieł sztuki, ale to, co zrobił było dziwne. Po przesłuchaniu przez sierżanta Quinna umieścił czarę i hełm w schowku w lewym rzędzie na dworcu Marylebone, a potem udał się do kaplicy katolickiej Brompton tuż obok muzeum Victorii i księcia Alberta w South Kensington i położył klucze na tacy na ofiary z pisemną prośbą o wręczenie ich komendzie policji w West End, gdzie urzędował Quinn. W drugiej notatce poinformował Quinna, gdzie można znaleźć czarę i hełm. Ponieważ miało to miejsce bezpośrednio po przesłuchaniu, sierżant szybko skojarzył fakty. Cóż można pomyśleć o takim zachowaniu?

Wszystko to niekoniecznie musiało mieć wpływ na mój pogląd odnośnie dokumentów, które otrzymałem od Hodgesa lub na ich zawartość. Ale oznaczało, że muszę zachować niezbędny do nich dystans. Oznaczało to także, iż w obecnym stanie niewiele można było zrobić, by posunąć śledztwo do przodu przed rozpoczęciem się rozprawy w sądzie.

Ale była także i dobra wiadomość. Ponieważ prokuratura wytoczyła nowe zarzuty odnośnie fałszowania księgowości, Hodges będzie miał więcej swobody w powoływaniu się na dokumenty. Nie bardzo mi to przypadło do gustu, ponieważ dowody przytoczone w sądzie może wykorzystać cała prasa. Ale z pewnością będzie to dobra próba wiarygodności. Jeśli sądzono by Hodgesa za fałszerstwo, wówczas prokurator rzuciłby się natychmiast na każdą fałszywkę przedłożoną sądowi.

Lato nie było dla niego zbyt łaskawe. Nie miał pieniędzy, musiał sprzedać samochód. Zrezygnował z wakacji w Waszyngtonie z żoną i córką ze względu na wymagania sądu, by nocował w domu na Tunis Road. Był na zasiłku. Raz zaryzykował i pojechał do swych rodziców w Suffolk. Tam przeżył następny szok. Pewnego sierpniowego czwartku udał się do pobliskiej wioski Cratfield po zakupy. Kupił gazetę „Independent". Wolał co prawda „Guardiana", ale tego dnia wszystkie egzemplarze już sprzedano. Wrócił do domu, zaparzył kawę, rozłożył gazetę na stole w kuchni i zaczął czytać. I oto na stronie czwartej natknął się na artykuł opisujący samobójstwo Roberto Fainello, handlarza dziełami sztuki i byłego pracownika Sotheby's, który rzucił się ze skały w miejscowości Swanage na południowym wybrzeżu Anglii. Dowiedział się, że denat pozostawił list, ale treści jego nie podano. Dziennik napomknął tylko, że Fainello, podobnie jak wielu innych dealerów, przeżywał kłopoty finansowe.

Hodges nie bardzo wiedział jak ma to rozumieć. Znał Fainello jako zagorzałego katolika, aczkolwiek uzależnionego od kokainy i niezbyt zrównoważonego psychicznie. Miał nadzieję, że Fainello będzie zeznawał na jego korzyść: że przedmioty nieznanego właściciela były istotnie mu podarowane przez firmę. Jeszcze bardziej dręczące było pytanie, czy samobójstwo Fainella miało cokolwiek wspólnego ze zbliżającym się procesem. Hodges doszedł do wniosku, że chyba nie.

Proces wyznaczono na poniedziałek, 4 listopada. Tym razem odroczono go po raz czwarty, ale tylko o tydzień, ze względu na natłok pracy. Hodges sprytnie zaproponował mi „ostatnią wieczerzę" na tydzień przedtem, tak na wszelki wypadek. Wiedział, że po rozpoczęciu sprawy nie będzie miał wiele wolnego czasu, bowiem wieczorami będzie ślęczeć nad papierami i przygotowywać się do obrony.

Udaliśmy się do greckiej restauracji w południowej części Londynu, z dala od uczęszczanych szlaków. Nie chcieliśmy, by nas ktoś zobaczył, czy to z prasy czy z branży. Widać było już wyraźnie, że nasze cele związane z procesem różniły się nieco. Hodgesowi chodziło głównie o to, by go nie skazano na więzienie i dlatego musiał dążyć do rozszerzenia postępowania dowodowego poprzez przedłożenie jak największej ilości dokumentów, stosownie do stawianych mu zarzutów. Tak doradzał mu jego adwokat. Ja, z kolei, pragnąłem jak najmniejszej ilości dokumentów na sali sądowej, by zachować je do późniejszej publikacji, aczkolwiek chciałem jednocześnie, aby niektóre z nich przedstawiono sądowi, tak by można było sprawdzić ich wiarygodność.

Delektując się hummusem, taramasalatą i popijając retsinę, zrozumiałem z rozmowy, że postawa Hodgesa względem procesu miała charakter ambiwalentny. Z jednej strony oczekiwał go, bowiem chciał zobaczyć, jak zachowają się jego byli koledzy z pracy w roli świadków. Ile kłamstw opowiedzą sądowi, by zachować pracę, własną skórę i firmę? Jednocześnie bębnił palcami po stole, bawił się nożem i widelcem, i ciągle powtarzał te same dowcipy. Wyraźnie widać było, że się denerwuje. Oczekiwał występu w sądzie, ale jednocześnie obawiał się go.

ROZDZIAŁ TRZECI

Czarne Boże Narodzenie

W roku 1991, gmach Sądu Jej Królewskiej Mości w Knightsbridge Crown Court był chyba najwredniej usytuowanym budynkiem w Wielkiej Brytanii, bowiem znajdował się tuż obok więzienia Old Bailey. Potem przeniesiono go do budynku z czerwonej cegły z imitacją fasady holenderskiej, stojącego nieopodal domu towarowego Harrodsa. Nic bardziej kontrastującego niż rzesze zamożnych klientów tego domu towarowego dla wybranych, a tłumami posępnych i podłamanych biedaków tłoczących się do drzwi sądu.

Wtorek 12 listopada był dniem wilgotnym i ponurym. Wiał silny zimny wiatr, siekąc kroplami deszczu prosto w twarz. Sala sądowa numer sześć znajdowała się na końcu krętego korytarza bez okien, z samotnie stojącą maszyną do parzenia kawy. Na wokandzie: „Jej Królewska Mość przeciw Jamesowi Hodgesowi".

Sala miała kształt przestronnego kwadratu. Ława przysięgłych zajmowała prawie całą długość jednej ze ścian. Prostopadle do niej stało podium, a na nim trzy krzesła z wysokimi oparciami, obite czerwoną skórą, dla sędziego lub sędziów. Naprzeciwko ławy przysięgłych – galeria dla publiczności z około piętnastoma miejscami siedzącymi dla gawiedzi i prasy. Na środku sali cztery rzędy stołów i krzeseł. Prokurator i obrońca siedzieli w pierwszym rzędzie, ten ostatni bliżej przysięgłych. Za nimi doradcy prawni, urzędnicy sądowi, policjanci.

Pod pozostałą ścianą sali sądowej naprzeciwko sędziego i prostopadle do ławy przysięgłych stała na podwyższeniu ława z balustradą dla oskarżonych. Obok znajdowały się drzwi dla oskarżonych, którym odmówiono kaucji i których doprowadzono do sądu z więzienia. Hodgesa do ławy oskarżonych doprowadził urzędnik sądowy. Hodges usiadł cały w pąsach.

Poprzedniego dnia był przez krótki czas w sądzie. Obydwie strony złożyły wnioski procesowe przed rozpoczęciem postępowania. Prokurator zwrócił się do sędziego z prośbą o utajnienie niektórych dokumentów ze względu na to, że zawierały tajemnicę handlową. Adwokat zaproponował wymazać z nich pewne nazwiska oraz zwracać się do niektórych osób per pan A, pani B, dr C, itd. „Firma Sotheby's to nie Marks & Spencer", powiedział. Sędzia odrzekł na to, że nie widzi żadnej różnicy pomiędzy Sotheby's a Marksem & Spencerem, ale mimo to wniosek przyjął.

Jeśli chodzi o obronę, Michael Grieve złożył skargę na to, że kancelaria adwokacka Freshfields i pośrednio Sotheby's nie udostępnili w należytym stopniu dokumentów dotyczących zarzutu fałszerstw księgowych. Wniósł o udostępnienie Hodgesowi tych akt. Sędzia także wyraził na to zgodę i przez pozostałą część dnia Hodges przekopywał się przez olbrzymią stertę papierów w biurze kancelarii na ulicy Fleet Street w poszukiwaniu materiałów mogących wskazać, dlaczego i w jakim celu wykorzystywano fałszywe konta bankowe.

Godzina 10.30. Termin rozpoczęcia rozprawy. Michael Grieve ułożył przed sobą papiery, wstał, by porozmawiać z adwokatem Anthonym Burtonem. Prokurator Paul Clark, który był nieco niższy od Grieve'a, także ułożył przed sobą papiery i teraz stał rozmawiając z kimś, kogo Hodges nie znał, najwidoczniej z jakimś radcą z kancelarii Freshfieldsa. Od czasu do czasu spoglądał w kierunku Hodgesa, tak jakby chciał go zmierzyć.

Godzina 10.35. Hodgesowi przemknęło przez myśl, że sędzia się nie stawi i że rozprawę znowu odroczą. Ale woźny sądowy zawołał „proszę wstać, sąd idzie" i sędzia Lloyd wkroczył na salę rozpraw. Był to drobnej postury jegomość, z krótką peruką na głowie, w szarej todze przepasanej szkarłatną szarfą. Wysławiał się jak typowy praktyczny Brytyjczyk, aczkolwiek tembr jego głosu kojarzył mi się z głosem ogrodnika.

Podczas odczytywania aktu oskarżenia Hodges przyglądał się przysięgłym z uwagą. Trudno było tych obcych mu ludzi zgłębić, ludzi, którzy mieli wywrzeć taki wpływ na jego dalsze życie. Niektórzy z nich mieli siwe włosy i wyglądali dobrze po sześćdziesiątce. Niektórzy byli Murzynami. Nikt z nich nie miał na sobie kosztownego ubrania. Byli w równym stopniu zainteresowani nim, co on nimi.

Pominąwszy żargon prawniczy, zarzuty postawione Hodgesowi sprowadzały się do następujących punktów: (1) kradzieży hełmu i czary, ocenionych na 50 tysięcy funtów; (2) fałszerstwa dwóch zezwoleń, rzekomo podpisanych przez Brendana Lyncha i Felicity Nicholson; (3) nielegalnego wystawienia dwunastu czeków na nazwisko H.C. Banksa, A. Yarrowa lub pani S.A. Halls (jego siostry), należących do firmy Sotheby's, na kwotę od 478 do 1920 funtów każdy i łączną sumę 11 882,08 funta.

Zarzutów tych nie odczytano podczas pierwszego dnia rozprawy. Ani nawet podczas następnych kilku dni, mimo że wydelegowałem dokumentalistę, by wszystko notował. Rozmawialiśmy o tym z Hodgesem wiele razy. Kłopot polegał na tym, że nie bardzo wiedzieliśmy, czy i w jakim stopniu prasa zainteresuje się rozprawą. Było to istotne o tyle, że stopień tego zainteresowania odzwierciedlałby rozgłos towarzyszący rozprawie.

W pewnym sensie była to rozprawa przeciw stosunkowo podrzędnemu pracownikowi domu aukcyjnego Sotheby's, którego rzekomo przyłapano na gorącym uczynku. Przynajmniej na to wyglądało, sądząc z linii obrony przyjętej przez firmę. Przedstawiając zarzuty pierwszego dnia rozprawy zgodnie z linią Sotheby's, Clark stwierdził, że można domniemywać, iż Hodges skradł czarę i hełm z własnej i nieprzymuszonej woli i że własnoręcznie podrobił zezwolenia. Ponadto nadużył zaufania firmy do tego stopnia, że odkładał sobie pieniądze na specjalnych kontach, które w tym celu założył. To na pewno mógł być „przebój", choćby tylko z tego względu, że w ciągu ostatnich dziesięciu lat o domach aukcyjnych w ogóle, a szczególnie o Sotheby's, głośno było wszędzie, ponieważ firmy doprowadziły do boomu w handlu dziełami sztuki w latach 1984–1990. A zatem wszystko, co mogło ujawnić tajne i zakulisowe działania domów aukcyjnych „szło jak gorące bułeczki".

Ale była to daleka droga od rzeczywistej znajomości kulisów procesu do tego wszystkiego, co zawierała dokumentacja Hodgesa. Ponieważ po prostu nie wiedzieliśmy, ile wiedzą inne gazety na ten temat, ile udało im się wyciągnąć ze swych źródeł w firmie lub w policji, postanowiliśmy, że będzie lepiej dla mnie nie pokazywać się na rozprawie, bowiem moja obecność w sądzie ostrzegłaby Sotheby's, i przypuszczalnie także inne gazety, że przynajmniej jeden dziennikarz uważa, iż w całej sprawie chodzi o coś więcej niż się na pierwszy rzut oka wydaje. Nie chciałem też, by się dowiedziano o moich kontaktach z Hodgesem.

Pierwszego tygodnia „Times" doniósł bez ogródek, że Hodges zaprzeczył dwudziestu dwóm zarzutom postawionym mu, natomiast „Independent", który relacjonował dokładniej i w sposób bardziej konsekwentny, zamieścił taki nagłówek: „Pracownik Sotheby's ujawnia, że opłacał przemytników dzieł sztuki". Artykuł Davida Connetta zaczynał się w ten sposób:

> Pracownik domu aukcyjnego Sotheby's zeznał na policji, że wykorzystywał lewe konta bankowe, w celu wynagradzania w gotówce ludzi zajmujących się przemytem dzieł sztuki i antyków, do czego upoważnili go szefowie firmy... Ale ławie przysięgłych sądu Jej Królewskiej Mości w Knightsbridge Crown Court w Londynie oświadczono, że to nonsens, i że James Hodges próbuje w ten sposób uniknąć odpowiedzialności za malwersacje.

Była to zarówno dobra, jak i zła wiadomość. Dobra, bo mogłem już teraz pokazać się na rozprawie. Uzgodniliśmy z Hodgesem, że nie znamy się nawzajem, sprawiając wrażenie, iż nic nas nie łączy. W sądzie będę uchodził jedynie za dziennikarza zajmującego się handlem dziełami sztuki, który dowiedział się o rozprawie dopiero z prasy. Zła, bo wszystkie poważne dzienniki interesowały się rozprawą i na pewno nie przepuszczą żadnej okazji, by się rzucić na każdy kontrargument Hodgesa czy dokument, jaki może przedstawić sądowi. Obawy moje potwierdziły się, kiedy następnego tygodnia przybyłem do sądu i na ławkach dla publiczności zastałem głównie swych kolegów po piórze i rywali z „Timesa", „Independenta", „Daily Telegrapha" i „Evening Standard". Był nawet ktoś z telewizji.

* * *

Podczas rozprawy nie było kwestii spornych co do samych faktów. Hodges przyznał się do posiadania hełmu i czary. Potwierdził także istnienie kont w banku, na które wpłacał i z których wyjmował pieniądze. Dlatego interpretacja faktów była główną kwestią sporną rozprawy, a to oznaczało, że bardzo dużo zależało od wiarygodności i postawy osób składających zeznania. Mówiąc bez ogródek, wszystko sprowadzało się do tego, czy ława przysięgłych da wiarę całej rzeszy pracowników Sotheby's zeznających przeciwko Hodgesowi, czy też uwierzy samotnemu Hodgesowi?

Zeznawały dwadzieścia trzy osoby, w tym przedstawiciele policji. Ale głównymi świadkami byli pracownicy firmy. Najważniejsze zeznania można podzielić na dwie grupy: te składane przez wyższy rangą personel firmy, który, jak twierdził Hodges, był zamieszany w przemyt dzieł sztuki, oraz te, jakie złożył najwyższy szczebel kierowniczy, który jak utrzymywał Hodges, wiedział o wielu różnych bezprawnych praktykach mających miejsce na terenie firmy. Pięciu świadków zaliczało się do pierwszej kategorii, trzech do drugiej. Hodges czuł, że to ich zeznania będą miały kluczowe znaczenie.

Jeśli chodzi o linię obrony Hodgesa, główny jego problem sprowadzał się do taktyki. Musiał odpowiedzieć na konkretne zarzuty, ale sedno obrony polegało na tym, żeby przekonać ławę przysięgłych, że poszczególne elementy tworzą o wiele większą całość. Dlatego też podczas całej rozprawy dążył do poszerzenia materiałów dowodowych, do wydobycia na światło dzienne dodatkowych szczegółów tak, aby sędziowie przysięgli mogli się przekonać o szerzącym się bezprawiu na terenie jego byłej firmy, które stało się już niemal normą. Przypominało to wojnę podjazdową, ponieważ każdego dnia, kiedy sąd kończył swe posiedzenie Hodges natychmiast pędził do kancelarii Freshfielda, gdzie przez następne dwie czy trzy godziny wertował grube teczki akt w poszukiwaniu następnych dokumentów. Było to niezmiernie męczące, ale Hodges był uparty.

Kiedy proces się rozpoczynał, nękało nas pytanie, czy sędzia dopuści do rozszerzenia części dowodowej procesu i zeznań? Gdyby sędzia Lloyd nie zezwolił Michaelowi Grieve wyjść poza ściśle określone ramy stawianych zarzutów, Hodges miałby trudny orzech do zgryzienia. Oprócz tego istniał problem z dokumentami. Bez nich zeznanie Hodgesa byłoby niewiele warte.

Amerykańscy prawnicy oświadczyli firmie Sotheby's, że Hodges musi odwalić kawał papierkowej roboty (aż po pachy, jak to określił jeden z nich), ale chyba nie bardzo wiedzieli na czym ma to polegać. Nie to było przecież najważniejszym elementem sprawy. Chodziło głównie o to, czy sędzia dopuści, by postępowanie procesowe objęło także dokumenty.

Michael Grieve, Anthony Burton i Hodges rozważali to zagadnienie na wszystkie strony i doszli do wniosku, że ponieważ zarzut o sfałszowanie rachunkowości dotyczył przedmiotów pochodzących z przemytu, a hełm i czara należały do Vilberta, o którym wiadomo było, iż zajmuje się przemytem antyków, to w takiej sytuacji należy przedstawić sądowi jak najwięcej dokumentów wskazujących na przemyt dzieł sztuki, i nic ponadto. Takie podejście nie przypadło do gustu Hodgesowi, ale Grieve przekonywał go, że jeśli nie zyska sympatii sędziego, to trudno będzie wygrać sprawę. Tym bardziej że Hodges obrał dość ryzykowną linię obrony, przyznając się do zmiany zeznań po aresztowaniu. Kiedy Quinn przesłuchiwał go po raz pierwszy, oświadczył, że otrzymał przedmioty od nieznanego właściciela. Później przedstawił listy upoważniające go do przyjęcia tych przedmiotów na poparcie swego zeznania. Obecnie, po postawieniu mu zarzutu sfałszowania listów, twierdził, że przedmioty te należały do Vilberta, który rzekomo poprosił go o ich przechowanie. Gdyby przedstawić pełną dokumentację, można by dać mu wiarę. Jeśli nie, będzie trudno cokolwiek wskórać. Tak czy owak Hodges postanowił kontynuować tę linię obrony i w związku z tym Grieve uważał, że należy przedłożyć dokumenty wskazujące na przemyt. I to wszystko. A zatem nie będzie żadnej wzmianki o Iranie, o windowaniu licytacji, o transakcji Seibu, o fałszowaniu wskaźnika rynku czy o przemycie obrazów z Włoch. Dla Hodgesa oznaczało to rezygnację przynamniej z połowy dowodów.

Po odczytaniu aktu oskarżenia Hodgesowi pozwolono opuścić ławę oskarżonych i zająć miejsce na środku sali za Michaelem Grieve'em. Burton i Grieve uznali to za dobre posunięcie, ponieważ pozwoli ono Hodgesowi na ciągłe doradzanie i krzątaninę wokół spawy, a nie tylko bezczynne siedzenie na ławie oskarżonych, ale także na zaprezentowanie się ławie przysięgłych jako człowieka czynu wyjmującego dokumenty, szeptającego coś do ucha Grieve'a i wydającego polecenia urzędnikom sądowym.

Do pierwszej prawdziwej potyczki doszło szóstego dnia rozprawy, kiedy Isabelle Hamon z paryskiego oddziału Sotheby's wystąpiła w roli świadka. Zajmowała się wysyłką przedmiotów klientów do Londynu. Na przedmioty te, jak uważał Sąd Jej Królewskiej Mości, nie obowiązywała prowizja za wprowadzenie klienta, lecz mimo to Hodges sfałszował dokumenty, tak by wykazać, że prowizję należy wypłacić Yarrowowi lub Banksowi, w zależności od potrzeby. Pani Hamon zachowywała się dziwacznie w roli świadka. Sąd wezwał tłumacza, ponieważ, jak twierdzono, jej angielski pozostawia wiele do życzenia. Hodges uważał, że to co najmniej dziwne, ponieważ miał z nią niejednokrotnie do czynienia i wiedział, iż mówi bardzo dobrze po angielsku. Musiała znać angielski doskonale, ponieważ cały czas komunikowała się z Londynem. I tak się właśnie okazało. W miarę upływu czasu zrezygnowała z tłumacza i zaczęła odpowiadać na pytania zanim tłumacz mógł je przetłumaczyć. Hodgesowi przyszło do głowy, że chyba poproszono o tłumacza po to, aby dać jej czas na zastanowienie się nad odpowiedzią na stawiane pytania. On także był cynikiem.

Do głównej konfrontacji doszło w ogniu pytań krzyżowych. Michael Grieve przedstawił notatkę Roberto Fainello do Isabelle Hamon z działu antyków z listopada 1985 roku, w której ten donosił: „Wszyscy moi najpoważniejsi klienci francuscy unikają oddziału paryskiego z oczywistych względów". Gdy ją zapytano, co Fainello miał na myśli, pani Hamon odpowiedziała, że nie wie.

Grieve naciskał dalej. – Czy owe oczywiste względy mogły oznaczać chęć uniknięcia płacenia podatku wywozowego?

– Nie wiem – odpowiedziała.

Grieve odrzekł na to, że być może względy owe dotyczyły faktu, iż muzea francuskie posiadały prawo pierwokupu dzieł sztuki po cenach zadeklarowanych w dokumentach wywozowych. I znowu pani Hamon oświadczyła, że nie wie nic.

Następnie Grieve przedstawił sądowi telex wysłany do Felicity Nicholson 25 kwietnia 1985 roku, dotyczący jakichś uzgodnień wywozowych i kończący się w ten oto sposób: „Proszę zniszczyć po przeczytaniu". Oto jego treść: „Ściśle określony wywóz z płatnością we Francji przez samego klienta dla kupca zagranicznego. Listę pozycji należy sporządzić z wyszczególnieniem cen francuskich. Klient sam zdecyduje, które z nich zadeklaruje celnikom".

Następnie Grieve zapytał: – To sposób na zmniejszenie podatku od wywozu tych przedmiotów, nieprawdaż?

Pani Hamon odpowiedziała: – Być może... chyba tak.

Grieve mówił dalej, sugerując następujący scenariusz wydarzeń:

– Klient francuski wysyła dzieło sztuki do kogoś za granicę (kupca zagranicznego) i wypełnia deklarację celną podając w niej szacunkową wartość przedmiotu. Ale chcąc zapłacić mniejszy podatek od ustawowych sześciu procent, znacznie zaniża jego wartość. Dlaczego to robi? Ponieważ nie chce zwracać na siebie uwagi muzeów francuskich. Adresat może potem wystawić te przedmioty na sprzedaż w Londynie po właściwej cenie.

Gdy zapytano ją, z jakiej przyczyny Felicity Nicholson miała zniszczyć telex, pani Hamon odpowiedziała, że już nie pamięta.

Zeznanie jej było bardzo nieprzekonywające.

Ale dopiero wystąpienie szefowej działu antyków Sotheby's,

Felicity Nicholson, w roli świadka, 21 listopada, doprowadziło do prawdziwej potyczki na sali rozpraw. Oto pojawia się była jego koleżanka z pracy – szefowa i dobra znajoma, która swego czasu odnajmowała mu nawet pokój – by zeznawać przeciw niemu. Miała na sobie szarą wełnianą kamizelkę, pod nią czarną koszulę, siwe włosy spięte do tyłu w kok. Odpowiadała na pytania pełne dwa dni. Za każdym razem, gdy tylko sędzia zarządzał przerwę wybiegała na korytarz, by zapalić gitana. Nie rozmawiała z nikim i widać było wyraźnie, że męczy ją to wszystko, tak samo jak Hodgesa.

W krzyżowym ogniu pytań przyznała, że istotnie odbywał się nielegalny handel antykami z Włoch i że jej firma podpisała konwencję Stowarzyszenia Brytyjskich Handlarzy Dzieł Sztuki, zakazującą obrotu takimi przedmiotami. Potwierdziła także, że Serge Vilbert i Christian Boursaud nadesłali pewien przedmiot, który trzeba było wycofać z aukcji w lipcu 1985 roku po nadejściu listu z ostrzeżeniem od Dietricha von Bothmera z Metropolitan Museum w Nowym Jorku, który donosił, że przedmiot ten pochodził z nielegalnych wykopalisk i że przemycono go z Włoch. Po tym miała miejsce taka oto wymiana pytań i odpowiedzi:

Grieve: – Czy w następstwie tego narodziły się u pani podejrzenia odnośnie przedmiotów, które nadsyłali Vilbert i Boursaud?

Nicholson: – No cóż, chcę powiedzieć... gdziekolwiek nie przyjadę... no powiedzmy do Szwajcarii, Niemiec lub Francji i ktoś mi coś proponuje do kupna, zawsze zakładam, że posiada do tego tytuł własności i nigdy o nic nie pytam.

Grieve: – Rozumiem, ale w tym konkretnym przypadku przedmiot ów zakwestionowano, ba, wycofano nawet z licytacji i czyż fakt ten nie wzbudził u pani żadnych podejrzeń? Zastanawiam się, czy fakt ten nie wywołał u pani podejrzeń natury ogólnej, co do przedmiotów pochodzących z tego źródła?

Nicholson: – Trudno mi na to odpowiedzieć. Ja nie... Mam na myśli, że podejrzenia to jedno, ale tak naprawdę nie chcę... nie mogę... Podejrzenia to jedno, a pewność to zupełnie co innego.

Grieve: – Zgoda, ale jeśli podejrzewałaby pani tylko, że dany przedmiot pochodzi z przemytu, ale nie była tego zupełnie pewna, lub miała mocne podstawy do podejrzeń, że tak właśnie jest, czy wówczas wystawiłaby go pani na aukcję w Sotheby's?

Nicholson: – Myślę, że jeśli naprawdę... Dopóki... Tak, myślę, że tak.

Grieve zapytał następnie, czy zgodzi się z opinią, że wolałaby „przymknąć oko na całą sprawę"?

– Tak, myślę, iż tak bym postąpiła. No cóż, być może, że nie... tak, tak... – odpowiedziała.

Grieve ciągle naciskał i bezustannie powracał do tego wątku, twierdząc, na przykład, że kiedy Felicity Nicholson miała do czynienia z Boursaudem, miała wszelkie podstawy do przypuszczeń, iż on zajmuje się przedmiotami z przemytu. W pewnym momencie Nicholson odrzekła: – Jak już nadmieniłam kilkakrotnie, nie miało żadnego znaczenia, kiedy oglądałam te przedmioty, czy mam jakieś wątpliwości, czy też nie. Chodzi bowiem o to, czy wiedziałam o tym czy nie? Obawiam się, że niewiele się nad tym zastanawiałam i nie bardzo wiem jak to wyjaśnić... Chcę natomiast powiedzieć jasno, że o aukcjach powszechnie wiadomo i zakładam, iż zainteresowane rządy z całą pewnością by się skontaktowały z nami. To nie tak, że my sprzedajemy rzeczy po cichu...

Grieve przeszedł następnie do stosunków między panną Nicholson i Hodgesem.

– Co się tyczy Hodgesa, myślę, proszę pani, że zdawaliście sobie sprawę, to znaczy, że było dla was jasne, iż niektóre antyki i niektórzy ludzie, którzy nimi handlowali, byli podejrzani w tym sensie, w jakim sugerowałem, a więc, że przedmioty te były podejrzanego pochodzenia. Nie trzeba było o tym nawet mówić głośno, ponieważ o wszystkim wszyscy wiedzieli.

Nicholson: – Pragnę raz jeszcze podkreślić, że rynek dzieł sztuki może budzić pewne wątpliwości i sądzę, że... Przepraszam, czy może pan powtórzyć pytanie?

Grieve: – Rozumiem, że zdawaliście sobie obydwoje sprawę we wzajemnych kontaktach służbowych, iż niektórzy ludzie, z którymi mieliście do czynienia, byli w pewnym sensie osobami podejrzanymi? Podejrzanymi o to, że albo sami są przemytnikami, albo posiadają przedmioty z przemytu.

Nicholson: – Możliwe.

Grieve: – Pani, w szczególności, przekazywała odpowiedzialność za wszelkie niezbędne formalności związane z wywozem dzieł sztuki Jamesowi Hodgesowi, nieprawdaż?

Nicholson: – Nie tyle jemu samemu, co administratorowi.

Grieve: – Mam na myśli jego jako administratora.

Nicholson: – Zgadza się.

Grieve: – Ale przecież zależało pani, by dopilnował wszystkiego, co niezbędne, aby doszło do wywozu?

Nicholson: – Oczywiście.

Grieve: – Czy nawet wówczas, kiedy miała pani wątpliwości lub podejrzenia, że przedmioty pochodzą z przemytu? Czy pani mnie rozumie?

Nicholson: – Tak, absolutnie tak.

Grieve poszedł za ciosem i powrócił do sprawy Francji.

– Jak się pani na przykład wydaje, czy eksporterom z tego kraju mogło zależeć na tym, by sprawić wrażenie, że przedmioty zabytkowe pochodzą z innego kraju?

Nicholson: – Tak, sądzę, że tak mogło być.

Grieve: – Dlaczego pani sądzi, że chcieli, by myślano, iż pochodzą skądś indziej?

Nicholson: – To ich sprawa. Nie mam z tym nic wspólnego. Nie sądzę, by mnie to miało dotyczyć.

Grieve: – Czy w celu sprawienia wrażenia, iż coś pochodzi nie z Francji... czy w takim przypadku dokumenty przesłane do Sotheby's nie wskazywałyby w sposób kłamliwy, że towar pochodzi skądś indziej?

Nicholson: – Nie sądzę, by do obowiązków firmy należało sprawdzanie metod handlowych swych klientów. My występujemy w ich imieniu, sprzedając ich przedmioty. Nie sądzę, że należy oczekiwać od Sotheby's, by zadawała tego rodzaju pytania.

Grieve zajął się następnie dokumentacją posążka z brązu, nadesłanego przez niejakiego Pierre'a Mettrala ze Szwajcarii, ale tak naprawdę należącego do pewnej kobiety mieszkającej w Paryżu. Najpierw Felicity Nicholson odmówiła wszelkich spekulacji, dlaczego i w jaki sposób przedmiot ten dostał się z Paryża do Szwajcarii, aczkolwiek przyznała, że go widziała we francuskiej stolicy. Jednak potem powiedziała: – Przypuszczam, że istniał jakiś powód, dla którego osoba ta wysłała ten przedmiot do Szwajcarii i podejrzewam, że prawdopodobnie powodem tym było to, co pan nadmienił (nielegalny przerzut celem uniknięcia płacenia cła). Ale jak już powiedziałam, to naprawdę jej sprawa.

Przyznała także, że „być może" Vilbert lub Boursaud zajmowali się tego rodzaju transportem.

Przesłuchanie rozpoczęło się po myśli Hodgesa. Grieve'owi udało się wydębić od Felicity Nicholson przyznanie faktu, że obraz wyłaniający się z dokumentów różnił się znacznie od rzeczywistości, do czego Hodges przez cały czas zmierzał. Lecz pod koniec pierwszego dnia zeznań coś zaczęło się psuć, panna Nicholson stanowczo bowiem stwierdziła, że w żadnym przypadku nie wolno mu było zajmować się kontami bankowymi klientów, czy płacić kurierom gotówką. Owszem, zlecała Hodgesowi różne drobne sprawy administracyjne do załatwienia, którymi nie chciała się sama zajmować, ale wynagrodzenie kurierów do nich nie należało, ponieważ prawie nigdy nie miało ono miejsca, a już na pewno nie gotówką.

Następny dzień zeznań Felicity Nicholson – Grieve rozpoczął od pytań o bazaltową rzeźbę egipską, którą zobaczyła po raz pierwszy w Chelsea w 1985 roku. Na żądanie Sotheby's używano inicjałów zamiast pełnych nazwisk. Niejaki pan Fantechi figurował więc jako pan F, a pan Jatta jako pan J. Nicholson oświadczyła, że gdy zobaczyła rzeźbę po raz pierwszy nie wiedziała skąd ona pochodzi, niemniej jednak przyznała, że wysłano ją ponownie do Szwajcarii i ponownie stamtąd przywieziono na „jakieś nazwisko".

Pani Nicholson zakończyła składanie zeznań po południu następnego dnia. Trudno było coś od razu powiedzieć na ich temat. Co prawda przyznała, że przemyt powszechnie stosowano w handlu antykami i że przymykała na to oczy. Oświadczyła także, iż nie uważa, by do jej firmy należało ocenianie moralności klientów lub sposobów dokonywania przez nich transakcji. Jak mogła to przyjąć ława przysięgłych? Sędziowie przysięgli mogli obejrzeć tylko kilka dokumentów. Nie mieli czasu na to, by dokładnie przestudiować szczegóły dotyczące bazaltowej rzeźby i porównać je z tym, co zeznała Nicholson pod przysięgą. W tym sensie zeznanie jej nie było zadowalające, pomimo że kilka rzeczy potwierdziła. Ponadto stanowczo zaprzeczyła, jakoby Hodges był upoważniony do wynagradzania kurierów gotówką lub do korzystania z kont bankowych Banksa i Yarrowa. Czy to, że potwierdzała fakt istnienia pewnych wykroczeń (w przypadku posążka) podważał czy też uwierzytelniał jej zeznanie, iż nie wiedziała nic o istnieniu dwóch kont bankowych? Trudno było powiedzieć.

Po pani Nicholson zeznawał Oliver Forge, jej zatępca w dziale antyków. Grieve rozpoczął od przedstawienia mu kilku pokwitowań odbioru pewnych przedmiotów, należących, jak to przyznał Forge, do Włochów i Francuzów. Były wypełnione nie do końca i zawierały nazwiska angielskie lub brzmiące po angielsku. Forge tłumaczył się roztargnieniem i zaprzeczył, jakoby przyświecał mu jakiś niegodziwy cel. Potem doszło do wymiany zdań.

Pierwsze pytanie dotyczyło rozbitej czary, którą nadesłano z Francji. Forge przyznał, że widział ją przedtem w tym kraju i że zasugerował, by ją stłuc. Przyznał, kiedy Grieve pokazał mu pokwitowanie, że istotnie zmieniono nazwisko na świadectwie własności z francuskiego na angielsko-brzmiące i że pozostawiono wolne miejsce na adres i nie wypełnioną rubrykę dotyczącą dokumentów celnych i wywozowych. Grieve zarzucił mu, że czara została rozbita, by łatwiej ją przewieźć przez francuską granicę. Forge odrzekł na to, że „to niedorzeczny zarzut", że jedynie sugerował posiadaczowi czary George'sowi Quimperowi, by ją rozbić i ponownie skleić, przez co uzyska wyższą cenę. Jednak przyznał, że rozbicia tego rodzaju przedmiotu mogła dokonać tylko osoba o odpowiednich kwalifikacjach i najlepiej było to uczynić w Londynie. Jednak na pytanie Grieve'a, dlaczego rozbito ją w Paryżu, Forge odpowiedział, że nie wie...

– Skąd możemy wiedzieć, że nie dokonał tego właśnie ekspert w Paryżu? – odparował Grieve.

Forge przyznał także, że właściciel czary poprosił go o niepodawanie jego nazwiska jako osoby sprzedającej i zastąpienie go innym. Zapytany, czy nie widział w tym nic „szczególnego", Forge odpowiedział, że nie.

Podobnie jak poprzednie, tak i to zeznanie nie zadowalało. Forge nie był w stanie wyjaśnić, dlaczego nie wypełniono wymaganych rubryk oraz dlaczego czarę rozbito w Paryżu „skoro Londyn byłby lepszym miejscem" na dokonanie tego. Grieve nie zareagował. Zamiast tego podniósł sprawę E. Cardona, który dostarczył firmie inkrustowaną zapinkę w dwóch częściach. Hodges przedstawił odpowiedni dokument, świadczący o tym, że w imieniu Sotheby's odebrał je niejaki KW zajmujący się pierwszą linią sprzedaży. Dokument zawierał adres E. Cardona w Rzymie. Następny dokument wskazywał na to, że spinkę o tym samym numerze katalogowym odebrał Oliver Forge i że obecny adres pana Cordona to 66 Kensington Gardens Square w Londynie.

Grieve: – Czy normalna procedura nie wymaga, by na oryginalnym pokwitowaniu znalazły się wszystkie dane szczegółowe?

Forge: – Tak, jak najbardziej.

Grieve: – Czy wiadomo panu, dlaczego musiał pan przyjechać, by wypełnić jeszcze jedno?

Forge: – Nie, nie wiem.

Grieve: – Przypomnę niektóre okoliczności, co pozwoli panu odzyskać pamięć. Jestem przekonany, że James Hodges zwrócił panu uwagę na ten najważniejszy formularz, na którym widnieje adres we Włoszech i na którym nie odnotowano odprawy celnej oraz faktu przekroczenia granicy (co oznacza, że gdyby przedmiot przybył z Włoch, to Forge musiałby dołączyć do kwitu celnego włoskie zezwolenie na wywóz i brytyjski dokument wwozowy). Powiedziano nam, że nie mógł się pan tym zająć, ponieważ przesyłka nadeszła z Włoch. Natomiast pan oświadczył, że nie będzie żadnych z tym kłopotów, ponieważ może pan po prostu wypełnić rubryki drugiego druku, z adresem Kensington Gardens Square 66, nie zawierającym żadnych danych wwozowych mogących wskazywać na fakt przekroczenia granicy. Obydwa te fakty połączone ze sobą w normalnych warunkach wskazywałyby, że rzeczony przedmiot nie pochodzi z importu, czyż nie?

Forge: – Tak.

Grieve: – A zatem sadzę, że wszystko wskazuje na świadome podrobienie przez pana pokwitowania w taki sposób, by pokazać, że przedmioty nie pochodzą z importu, a nadawca mieszka w Zjednoczonym Królestwie. Stało się to jasne, gdy pan Hodges zwrócił panu uwagę na główny druk i powiedział, że nie powinien się pan zajmować tym przedmiotem.

Forge: – Mogło tak być.

Grieve: – Czy zgadza się pan ze mną, że mógł pan rozmyślnie wypełnić formularz, podając adres z Kensington i zakreślając rubryki zaświadczenia celnego i świadectwa przekroczenia granicy tak, by osiągnąć cel, który wymieniłem, a mianowicie, by stworzyć fałszywe pozory...

Forge: – Chcę powiedzieć, że nie całkiem tak... Mam na myśli... nie sądzę, bym... Chcę powiedzieć, że tak zrobiłem, tzn. wypełniłem formularz, ale nie z tych powodów.

Grieve: – No więc z jakich powodów? Czy moje zarzuty pod pana adresem są jasne dla pana?

Forge: – Tak, wydaje się, że tak.

Sędzia Lloyd: – Nie może być żadnych wątpliwości, ponieważ zarzuca się panu, że świadomie sfałszował pan drugi dokument.

Forge: – Tak, rozumiem.

Grieve: – Nie chodzi o to, że Hodges zwrócił panu uwagę na ten fakt. Problem polega na tym, czy świadomie dokonał pan fałszerstwa czy nie. To się właśnie panu zarzuca.

Forge: – No cóż, w tym sensie wydaje mi się, że tak.

Grieve: – Wydaje się, to nie najlepsze określenie. Czy dokonał pan fałszerstwa, czy nie? To zasadnicze pytanie. Czy w sposób świadomy dokonał pan fałszerstwa czegoś, co mogło kogoś wprowadzić w błąd?

Forge: – Hm... Tak, wygląda na to, że tak.

Grieve zamilkł na chwilę w tym momencie, tak, by sędziowie przysięgli mogli w pełni zdać sobie sprawę z tego, co usłyszeli. Zeznanie Forge'a było ważne nie tylko ze względu na to, co ujawniało, ale także i dlatego, że trzeba było je od niego wyciągać, co wskazywało dobitnie, że miał coś do ukrycia. Ważne było także i to, że to właśnie Hodges zwrócił mu uwagę na kopię pokwitowania odbioru, zawierającą adres włoski. Wszystko razem wzięte potwierdzało argumenty Hodgesa, iż był tylko jednym z członków zwartej grupy wspólnie fałszującej dokumentację, i nie jedynym zgniłym jabłkiem w koszu.

Mimo to Forge twardo trzymał się tej samej linii obrony, co Felicity Nicholson, kiedy doszło do kwestii kont bankowych Banksa i Yarrowa. Oświadczył, że nic o nich nie wiedział, nigdy nie słyszał o tych nazwiskach i nigdy nie upoważniał Hodgesa do zakładania czy korzystania z jakichkolwiek kont bankowych, a już na pewno nie do płacenia kurierom w jakikolwiek skryty czy nielegalny sposób.

Kiedy Forge opuszczał miejsce dla świadków po południu drugiego dnia rozprawy, trudno było powiedzieć, jakie wnioski wyciągnęli z jego zeznania sędziowie przysięgli. Ogólne wrażenie było podobne do tego, jakie sprawiały odpowiedzi Felicity Nicholson na stawiane jej pytania. Przyjąwszy, że Forge przyznał się do popełnienia pewnych przestępstw, sędziowie przysięgli mogli z podejrzeniem potraktować całe jego zeznanie. Albo mogli sobie pomyśleć, że ponieważ przyznał się do występków i uczciwie to wyznał, to należy także mu dać wiarę, kiedy zaprzeczał, że upoważnił Hodgesa do otworzenia i korzystania z kont.

Na salę wkroczył Brendan Lynch, szef działu antyków orientalnych. Robota, jaką Grieve odwalił podczas tego przesłuchania była prawdziwym majstersztykiem. Grieve wcielił się niemal w rolę Rumpola z Bailey, jednego z adwokatów telewizyjnych seriali. To prawda, że na samym początku Lynch wpadł w sidła zastawione przez Grieve'a. Adwokat zapytał na początek, czy Lynch wiedział o tym, że jeden z hinduskich handlarzy, pan Ghiya, pozostawił Hodgesowi do przechowania pewne przedmioty w jego domu w zachodniej części Londynu. Lynch przyznał, że wiedział o tym, po czym Grieve wręczył jemu oraz sędziom przysięgłym notatkę świadczącą o tym, iż Lynch wyjechał tego dnia do Indii w poszukiwaniu przedmiotów, które można by posłać do Londynu i wystawić na sprzedaż. Oczywiście należało je przedtem wywieźć nielegalnie z Indii.

Następnie zapytano Lyncha o przedmioty, jakie oglądał podczas tej podróży. Twierdził, że „wycenił" je na jakieś 120 tysięcy funtów, i w tym momencie nie docenił Grieve'a po raz drugi, ponieważ adwokat przedstawił dokument stwierdzający, że suma 120 tysięcy funtów stanowiła kwotę rezerwową. Lynch przyznał teraz, że wszystkie przedmioty miały być wystawione na sprzedaż w Londynie. Była to jego druga już bajeczka.

Grieve'owi na to *dictum* kozik sam otworzył się w kieszeni. Korzystając z informacji Hodgesa zapytał Lyncha, czy to prawda, że musiał się ukryć w szafie w domu pana Ghiyi, by uniknąć w ten sposób spotkania z policjantami, gdy ci przyszli do hinduskiego dealera podczas bytności Lyncha w jego domu. Hodges dowiedział się o tym od niego samego, ponieważ Lynch żartował o tym po powrocie do Anglii. Wpadając w kolejne pułapki poparte materiałami obciążającymi Lynch ryzykowałby wiele, gdyby czemukolwiek zaprzeczył, ponieważ Grieve mógł natychmiast przedstawić następny dokument. Jak się później okazało, Grieve nie miał nic, ale Lynch o tym nie wiedział. Ostatecznie zaprzeczył, że się ukrył w szafie, ale przyznał, że przeszedł do innego pokoju, aby uniknąć spotkania z policją. Oczywiście była to obosieczna odpowiedź, bowiem choć zaprzeczył, że się ukrył w szafie, to jednak przyznać musiał, iż do Ghiyi przyszła policja podczas pobytu Lyncha w jego domu. Po co? Grieve nie naciskał dalej, pozwalając sędziom przysięgłym wyciągnąć własne wnioski.

Na tym etapie Hodges, Burton i Grieve byli bardzo zadowoleni. Każdy z „poważnych" świadków – Nicholson, Forge i Lynch – przyznał się do tego czy innego wykroczenia, podczas gdy pozostali, np. Isabelle Hamon, wypadli słabiutko, okazując się w pewnych momentach albo arogantami, albo krętaczami, a więc dokładnie takimi, o jakich Hodgesowi chodziło, czyli ludźmi, od których aż się roi w domu aukcyjnym Sotheby's.

Jeden z sędziów przysięgłych poprosił o zwolnienie ze względu na ważne sprawy osobiste. Wyrażając na to zgodę Wysoki Sąd zauważył, że rozprawa, którą wyznaczono początkowo na dziesięć dni do dwóch tygodni, trwa już trzy i pół tygodnia, a to o wiele za długo. Następnego przedpołudnia ława przysięgłych wręczyła sędziemu głównemu notę na piśmie, której ten co prawda nie odczytał głośno, ale z której treścią zapoznał obrońcę i prokuratora. Michael Grieve powiedział nam, że treść jej brzmiała mniej więcej tak: „Los oskarżonego wisi na szali, a zatem przewód sądowy nie może być ograniczony czasem, ponieważ sprawiedliwości musi stać się zadość". Grieve poczuł się wielce pokrzepiony.

Teraz przyszedł czas na ciężką artylerię w osobach Joego Ocha, byłego doradcy prawnego Sotheby's, Petera Dangerfielda z działu obsługi klienta i, na końcu, Tima Llewellyna, którego ojciec, Graham Llewellyn, w owym czasie był dyrektorem domu aukcyjnego. Gdyby się okazało, że zeznania ich będą równie nieprzekonywające co ich poprzedników, to Hodges i Grieve będą mieli szansę przekonać ławę przysięgłych do swych argumentów.

Joe Och zeznawał jako pierwszy. Podpis jego widniał na wielu czekach, jakie wpłynęły na fałszywe konta. Hodges twierdził, że Och o wszystkim wiedział. Natomiast sam Och tłumaczył się, że podpisywał rutynowo mnóstwo czeków z racji funkcji wykonywanej w firmie i że często gęsto nie wiedział, na jaką sumę opiewały i na kogo były wystawiane, ale miał zaufanie do swych współpracowników, że nie popełnią żadnych nadużyć.

Hodges przykładał dużą wagę przed rozprawą do nagrania na taśmie rozmowy między nim, Ochem, Felicity Nicholson i D'Estee Bond z biura prasowego, dotyczącej przemytu waz apulijskich. Grieve nie zgadzał się z nim. Po pierwsze dlatego, że jakość nagrania była zbyt kiepska, by ją przesłuchać na sali sądowej. Oprócz tego obawiał się, że przesłuchanie taśmy może wywrzeć nieodpowiedni wpływ na ławę przysięgłych i sędziego. Jak powiedział, jednym z głównych błędów Sądu Jej Królewskiej Mości i firmy Sotheby's było powołanie tak dużej liczby świadków. Otóż, jeśli Hodges był tak malutkim pionkiem w machinie Sotheby's, to dlaczego wytaczano przeciw niemu tak ciężkie armaty. Po co im aż dwudziestu trzech świadków? Grieve był przekonany, że rozprawa jako żywo przypomina pojedynek Dawida z Goliatem, a zatem Hodges musi zyskać sympatię sądu, ponieważ wszystko wskazuje na to, że Sotheby's ma naprawdę wiele do ukrycia. Przedstawienie taśmy stwarzało ryzyko zaprzepaszczenia tego atutu. Mogło bowiem stworzyć wrażenie, że Hodges jest przebiegłym sprycia-rzem, wykorzystującym „pluskwy" przeciw swym kolegom, czyli, że jest taką samą kanalią, jak i oni.

Wielką niewiadomą była także reakcja sędziego. Jak dotąd był on bardzo wyrozumiały w stosunku do Grieve'a, dopuszczając do przewodu praktycznie nieograniczoną ilość dowodów. W pewnym momencie zapytał nawet Grieve'a, czy aby dokumenty dowodowe, na jakie ciągle się ten powoływał, nie zostały „zwędzone" firmie Sotheby's. Grieve odpowiedział bez zająknięcia: „owszem, wysoki sądzie", na co sędzia chrząknął znacząco i rzekł „wstydziłby się pan", ale nie wykluczył ich z przewodu i nie zakazał ich dalszego wykorzystywania. Tak więc Grieve był przekonany, że przedłożenie taśmy sądowi mogłoby być ryzykowne i dlatego zrezygnował z niej.

Sytuację Ocha pogarszał fakt, że gubił się w ogniu krzyżowych pytań. Miał gardłowy głos, połykał końcówki wyrazów i mówił bardzo szybko długimi, skomplikowanymi zdaniami. Na stosunkowo proste pytanie kluczył i mówił nie na temat. Od czasu do czasu stenograf sądowy musiał go prosić, by mówił wolniej. Często zasłaniał się brakiem pamięci. W rezultacie, nie wiedzieć czemu, Grieve nie był w stanie wiele z nim wskórać, co zmartwiło nieco Hodgesa. Klapa na całej linii.

Peter Dangerfield różnił się pod każdym względem. Miał okrągłą, świeżą twarz, ciemne włosy, był nieco otyły, ale kiedyś znany był z elegancji. Uniżony, mówił pełnym i modulowanym głosem, sprawiając nienaturalne wrażenie. Dangerfield zajmował się w Sotheby's pewnymi dziwnymi, częstokroć upiornymi sprawami. Na przykład, jeden z dokumentów Hodgesa dotyczył działu dokumentacji i został sporządzony przez Dangerfielda. W zasadzie dział ten to nic innego jak tylko archiwum zdjęć dzieł sztuki z Wielkiej Brytanii i Europy, które pewnego dnia można odsprzedać, wycinków prasowych z rubryk zgonów, kopii testamentów, wykazów posiadłości do sprzedania, rejestru postaci ze sławnych portretów oraz wzorców nagłówków, sposobów zwracania się, rozpoczynania i kończenia korespondencji.

Na sali sądowej Dangerfielda zapytano o wymianę notatek służbowych między nim i Timem Llewellynem na temat opodatkowania. W jednej z nich Dangerfield napisał:

> Wgląd do naszych akt przez zagraniczne urzędy podatkowe i celne ma miejsce wówczas, kiedy zwracają się one do naszych władz z prośbą o informację, zgodnie z coraz większą ilością wzajemnych uzgodnień. Urzędy te zwracają się także bezpośrednio do nas i wziąwszy pod uwagę fakt, że posiadamy przedstawicielstwa w tych krajach, staramy się odpowiadać w sposób rzetelny, aczkolwiek niezbyt wyczerpujący. Firma nasza dysponuje całą masą informacji i ich usystematyzowanie stwarza możliwość

uporządkowania pewnych spraw oraz powiązania zatartych śladów w sposób kompleksowy. Łatwiej jest nam odpowiadać bezpośrednio niż udostępniać dane innym. Takie sprawy jak dokumentacja importowa czy w mniejszym stopniu akta naszej firmy należą do najsłabszych ogniw łańcucha. Moglibyśmy się zastanowić nad celowością wprowadzenia kryptonimów lub kodów w odniesieniu do naszych klientów. Określenie signor X oznaczałoby w takim przypadku brak teczki z aktami, natomiast termin „truskawka" potwierdzenie istnienia teczki.

Michael Grieve zapytał więc, czy dokument ten mógł oznaczać, że on, Peter Dangerfield, i dom aukcyjny Sotheby's pomagali swym klientom w unikaniu płacenia podatków. W odpowiedzi Dangerfield wybuchnął potokiem słów, twierdząc, że termin „zacieranie śladów" pochodzi z informatyki. Grieve zapytał więc, czy naprawdę znany mu jest żargon komputerowy, na przykład taki termin jak „oprzyrządowanie". Określił jego twierdzenie jako „kompletną bzdurę", na co ława przysięgłych wybuchła śmiechem.

W rezultacie straty zadane przez Ocha zostały odrobione przy Dangerfieldzie. Po tym przyszła kolej na Llewellyna, który składał zeznanie tylko przez kwadrans. Ani razu nie spojrzał w kierunku Michaela Grieve'a, zachowywał się tak jakby mówił do kogoś w oddali. Spoglądał prosto na Hodgesa, tak jakby chciał powiedzieć „oto winowajca wszystkich kłopotów". Jednak zeznanie jego miało charakter bardziej prostolinijny. Gdy go zapytano o tę samą notę oświadczył, że dotyczyła kwestii zachowania tajemnicy, ponieważ klienci nie życzyli sobie, by ich dane personalne znajdowały się w komputerze, do którego dostęp uzyskać mogły osoby niepowołane. Obawiał się też, jak to określił, że firma może utracić „kontakt osobisty". Hodges posiadał całą teczkę na Llewellyna i jego konszachty we Włoszech, kiedy to na początku lat osiemdziesiątych kierował on działem starych mistrzów, lecz Michael Grieve uznał, że na obecnym etapie, czyli czwartego tygodnia rozprawy, kiedy sędziego poczęły niepokoić koszty sądowe, nie mówiąc już o zbliżających się świętach Bożego Narodzenia, taktycznie nierozsądne byłoby przedłużanie przesłuchania poza kwestię wzmiankowanej noty. I zamiast zakończyć pytania efektowną puentą, którą sędziowie by zapamiętali, pozwolił na to, że argumenty Hodgesa przeciw oskarżeniu spaliły na panewce.

Teraz przyszła kolej na obronę. Anthony Burton rozważał możliwość powołania kilku biegłych, by wykazać, że wersję nielegalnego handlu dziełami sztuki podaną przez Hodgesa mogą potwierdzić eksperci, ale ponieważ Felicity Nicholson, Oliver Forge i Brendan Lynch powiedzieli już tak wiele, Burton uznał, że nie musi tego robić. A więc los całej rozprawy Hodgesa zależał tylko i wyłącznie od tego, co on sam zezna.

W trakcie pięciodniowego przesłuchania nie było żadnych niespodzianek. Grieve pozwolił Hodgesowi na przedstawienie, bez żadnych ingerencji, własnej wersji zdarzeń, znanej skądinąd już wszystkim na sali. Hodges opowiedział więc sądowi, w jaki sposób korzystano z kont bankowych, jak fałszowano dokumentację, jak doszło do transakcji z egipską rzeźbą i w jaki sposób działali Vilbert i Boursaud. Grieve chciał przez to udowodnić, na ile oczywiście pozwalały zarzuty stawiane jego klientowi, że Hodges był niczym innym jak tylko niewielkim trybikiem o wiele większej machiny, co zresztą utrzymywał od samego początku. Jedynym dramatycznym momentem była wypowiedź Hodgesa o groźbach pod adresem jego córki. Poczerwieniał wówczas na twarzy i wydawało się, że lada chwila wybuchnie płaczem. Grieve powiedział potem, że wcale nie udawał.

Prokurator Paul Clark skoncentrował się, co specjalnie nikogo nie zdziwiło, na fakcie zmiany zeznań przez Hodgesa. Podał w wątpliwość, na przykład nową wersję, według której Hodges twierdził, że polecenie otworzenia kont napisano odręcznie w jednym egzemplarzu, którego ani Felicity Nicholson ani Oliver Forge nigdy na własne oczy nie widzieli. Clark powoli wyrecytował zarzuty stawiane Hodgesowi, chcąc w ten sposób podkreślić, jak wiele mu zarzuca. Powtórzył je dokładnie w swej mowie końcowej. Chciał w ten sposób podkreślić, „że nie ma dymu bez ognia". Nadmienił, że Hodges zrealizował kilka czeków na własne potrzeby, a nie po to, by płacić cokolwiek osobom trzecim.

Grieve wygłosił krótką mowę. Rozprawa trwała już wystarczająco długo i nie chciał się narażać ani ławie przysięgłych, ani sędziemu. Podkreślił tylko fakt przyznania się do popełnienia przestępstw przez trzech byłych kolegów Hodgesa z działu antyków oraz, jak to było na rękę prokuraturze, że nie udało się odnaleźć kwitów księgowych działu antyków wraz z pokwitowaniem „honorariów kurierskich", które według Hodgesa były kontrasygnowane przez panią Nicholson i pana Forge'a. Pragnął w ten sposób wykorzystać argumenty Clarka przeciw niemu samemu. Co się zaś tyczy praktyk stosowanych przez Sotheby's, Grieve przyznał prokuratorowi rację w jednym, a mianowicie, że „naprawdę nie ma dymu bez ognia".

Sędzia Lloyd rozpoczął podsumowanie rozprawy w piątek rano, 13 grudnia, i kontynuował je do wtorku, 17 grudnia. Trwała ona już piąty tydzień. Był całkowicie bezstronny w stosunku do przedstawionych mu dowodów, traktując obydwie strony w ten sam sposób, jeśli chodzi o czas i uwagę, jaką im poświęcał. Powiedział jednak w pewnym momencie, że „Felicity Nicholson nie była chyba najlepszym świadkiem dla oskarżenia".

Dwóm zdarzeniom, do jakich doszło w tym czasie, warto poświęcić nieco więcej uwagi. Pierwsze – miało miejsce w piątek po południu, kiedy sędzia wygłosił stosowny wykład na temat rynku dzieł sztuki i oświadczył, że płaci się obecnie olbrzymie sumy pieniędzy za coś, co kiedyś uważano za „rupiecie". Płaci się teraz 20, ba, nawet 30 tysięcy funtów za przedmioty, które dwadzieścia lat temu traktowano jak „skorupy kuchenne". W poniedziałek rano ława przysięgłych wręczyła mu następne pismo. I tym razem nie odczytano go na sali, lecz tylko jego treść udostępniono stronom procesowym. Jak powiedział Michael Grieve, pismo brzmiało mniej więcej tak:

> Członkowie ławy wywodzą się z szerokich kręgów dziedzictwa kulturowego i są z tego dumni. Dlatego pragną przypomnieć Wysokiemu Sądowi, że istniały już wielkie kultury i cywilizacje, kiedy Brytania była tylko dziką wyspą na morzu. A zatem używanie określenia „skorupy kuchenne" jest wysoce niestosowne.

Trzeba mu przyznać, że nie obruszył się i złożył przeprosiny.

Drugie zdarzenie miało miejsce wtedy, gdy sędzia w swym podsumowaniu poruszył kwestię stanowiska Hodgesa w firmie. Istniało niebezpieczeństwo, że może oświadczyć w pewnym momencie, iż „to, co Hodges mówi o swej byłej firmie może być nawet i prawdą w szerokim ujęciu sprawy, ale sam przyznał się do popełnienia przestępstw i rozprawa toczy się przeciw niemu i nikomu więcej". Byłoby to wezwanie do wydania werdyktu skazującego.

Co prawda, sędzia tego nie powiedział wyraźnie. Zamiast tego oświadczył w poniedziałek po południu, że jeśli ława przysięgłych uzna działania Hodgesa za część szerszego planu, jeśli uzna, że to, co on robił, robili i inni pracownicy firmy i że o wszystkim wiedzieli przełożeni, to wówczas nie działał on w sposób nieuczciwy. Słowa te wypowiedział w kontekście ciągle powracających pytań o to, czy Felicity Nicholson i Joe Och wiedzieli o kontach bankowych Banksa i Yarrowa oraz w jakim celu je założono i czy Hodges był upoważniony do korzystania z nich. „Jest rzeczą oczywistą, że jeżeli wiedzieli o wszystkim i oskarżony korzystał z kont bankowych za ich wiedzą... musicie wówczas postawić sobie pytanie: czy naprawdę działał w sposób naganny, nawet jeśli czerpał z tego pokątne korzyści, co sam zresztą przyznał, w sytuacji, gdy postępował zgodnie z poleceniami przełożonych. A co do tego nie ma żadnych wątpliwości. To po prostu niemożliwe, by mogło być inaczej. To kluczowa kwestia, jaką musicie rozstrzygnąć, sędziowie przysięgli".

I to było to, o co Hodgesowi głównie chodziło.

Z drugiej jednak strony pod koniec swego podsumowania sędzia szczegółowo omówił kwestię kont bankowych, zwracając uwagę sędziów przysięgłych na to, że w każdym przypadku, kiedy realizowano czek, pieniędzmi dysponował Hodges. Innymi słowy, że nie szły one do kieszeni kurierów. Był to element obciążający pomimo wyjaśnień oskarżonego, że pieniądze te przeznaczył na przykład na założenie alarmu we własnym domu, by móc przechowywać cenne przedmioty, takie jak od Ghiyi.

Sędzia zakończył swe wystąpienie dopiero o jedenastej przed południem 17 grudnia, po czym poprosił ławę przysięgłych, by się udała na obrady.

Sędziowie zastanawiali się nad werdyktem cały dzień. Noc spędzili w hotelu. Hodges przybył do sądu nazajutrz o dziesiątej rano, kiedy właśnie przywieziono ich do sądu i poprowadzono prosto do pokoju dla przysięgłych. Jeden czy dwóch z nich spojrzało w kierunku Hodgesa, ale trudno było cokolwiek zgadnąć z wyrazu ich twarzy.

Minęło południe, potem pora obiadowa... potem wpół do czwartej... i wydawało się już, że jurorzy spędzą drugą noc w hotelu. Ale za dziesięć piąta z głośnika rozległ się głos: „Uprasza się strony biorące udział w sprawie Jamesa Hodgesa o natychmiastowe stawienie się na sali rozpraw nr sześć".

Hodges wraz z matką i Michaelem Grieve'em pospieszyli do sali. Końcowe wystąpienie sędziego oznaczało, że Hodges musi ponownie zająć miejsce na ławie oskarżonych, co też uczynił. Na podłodze obok krzesła, na którym usiadł, położył niewielką torbę z książkami, radiem ze słuchawkami, pastą do zębów i dwoma kartonami papierosów w środku. Anthony Burton doradził mu wziąć ze sobą papierosy, pomimo że nie palił, ponieważ w więzieniu można je wymienić na inne potrzebne rzeczy. Brzmiało to ponuro, ale Hodges był realistą i zdawał sobie sprawę, że mogą się przydać, więc kupił dwa kartony silk cut.

Po raz pierwszy obok niego pojawił się jeszcze ktoś inny. Był to policjant, który usiadł po jego lewej stronie.

– Proszę wstać! Sąd idzie!

Na salę rozpraw wkroczył sędzia, a za nim ława przysięgłych. Sędzia Lloyd zapytał przewodniczącego ławy, czy jurorzy uzgodnili werdykt. Przewodniczący odpowiedział, że tak.

Sędzia spojrzał w kierunku Hodgesa i podniósł głowę.

– Oskarżony, proszę wstać.

Hodges wstał. Protokolant odczytał po kolei wszystkie dwadzieścia dwa zarzuty. Pierwszy dotyczył kradzieży hełmu. Spojrzał w kierunku przewodniczącego.

– Czy ława przysięgłych uzgodniła werdykt? Proszę odpowiedzieć tak lub nie.

– Tak.

– Jak brzmi? Proszę odpowiedzieć: winny lub niewinny.

Przewodniczący zawahał się przez chwilę. Był to jegomość o miłym wyglądzie, siwy, o okrągłej twarzy. Hodges pomyślał sobie, że jest Polakiem. Zawahał się przez chwilę i niepewnym głosem rzekł: – Winny.

Hodges poczerwieniał na twarzy.

Zarzut drugi dotyczył drugiej kradzieży, kradzieży czary.

– Co pan powie na ten temat?

– Winny.

Hodges uchwycił się barierki i spuścił oczy. Sprawdzały się jego najgorsze obawy. Linia obrony obliczona na rozszerzenie materiałów dowodowych i mająca wykazać, że nieuczciwość w firmie Sotheby's miała charakter zwyczajowy i powszechny spaliła na panewce, bowiem sędziowie przysięgli nie nabrali do niej przekonania.

Zarzut trzeci dotyczył fałszerstwa. Oskarżano Hodgesa o to, że sfałszował zezwolenie Brendana Lyncha na przechowywanie czary i hełmu we własnym domu.

– Co na ten temat?

– Winny.

Hodges pomyślał, że teraz prasa rzuci się na niego.

Czwarte przestępstwo, jakie mu zarzucano, to jeszcze jedno

fałszerstwo, tym razem zezwolenia Felicity Nicholson na korzystanie z kont bankowych.

– Co w tym przedmiocie?

– Niewinny.

Co? Orzeczenie to poruszyło wszystkich. Jak to możliwe, by sędziowie przysięgli mogli wydać różny werdykt odnośnie niemal identycznego zarzutu?

Przecież to nie mieści się w głowie. Hodges spojrzał na Grieve'a. Adwokat siedział tyłem do oskarżonego, ale odwrócił się do niego, tak że widać było jego twarz. Uniósł brwi. On także był wyraźnie zaskoczony.

Zarzut piąty aktu oskarżenia dotyczył fałszerstw księgowych.

– Co w tym przedmiocie?

– Niewinny.

Na sali zapanowała kompletna cisza, wszyscy bowiem zrozumieli teraz, dlaczego sędziom zabrało tyle czasu uzgodnienie werdyktu. Rozważali każdy zarzut z osobna pod względem merytorycznym, nie chcąc pochopnie orzekać o winie lub jej braku odnośnie wszystkich zarzutów tylko dlatego, że znalazły się w akcie oskarżenia.

Punkt szósty aktu oskarżenia dotyczył następnego fałszerstwa, a mianowicie, że oskarżony „zlecił wypłatę" wstępnej prowizji H.C. Banksowi.

– Jaki jest werdykt w tej sprawie?

– Niewinny.

W siódmym punkcie zarzucano Hodgesowi wpłatę 540 funtów czekiem na konto H.C. Banksa.

– Jaka decyzja odnośnie tego punktu.

– Niewinny.

Zarzut ósmy był pierwszym dotyczącym A. Yarrowa. Hodgesowi zarzucano w nim sfałszowanie dokumentu upoważniającego do wypłaty prowizji.

– Co w tej sprawie?

– Niewinny.

Punkt dziewiąty dotyczył czeku na kwotę 478 funtów, wystawionego na nazwisko A. Yarrowa, który Hodges rzekomo miał podstępnie wyłudzić od swej firmy.

– Jaka decyzja?

– Niewinny.

Na sali powstał gwar. Początkowa klęska Hodgesa poczęła

się obracać w ciąg orzeczeń o jego niewinności w przedmiocie zarzutów stawianych mu o fałszerstwo księgowe.

I tak się w istocie stało. Hodges został uniewinniony z osiemnastu zarzutów na dwadzieścia jeden, ponieważ dwudziesty drugi został odrzucony przez sędziego głównego. Uznano go zatem winnym kradzieży, fałszerstwa i sfałszowania ksiąg. Jednak ten jedyny uznany zarzut fałszerstwa był najbardziej interesujący ze wszystkich. Dotyczył czeku na sumę 920 funtów, którym jak stwierdził Sąd Jej Królewskiej Mości, Hodges chciał zawłaszczyć w sposób nielegalny i którego tak naprawdę nigdy nie podjął. W praktyce oznaczało to, że Hodges nie pobrał pieniędzy, w następstwie czego Sotheby's nie poniosła żadnych strat.

Na pierwszy rzut oka wydawało się, że przysięgli wydali całą serię pokrętnych i sprzecznych ze sobą orzeczeń. Obydwa zarzuty o fałszerstwo były niemal identyczne. Jeśli uznano Hodgesa winnym jednego z nich, to musiał być winnym i drugiego. I na odwrót. Jeśli uznano by go niewinnym sfałszowania ksiąg, to musiał być niewinny w pozostałych punktach oskarżenia.

Na początku Hodges nie połapał się w tym wszystkim, ale sposób rozumowania ławy przysięgłych pojął natychmiast stary wyga Michael Grieve. Obydwa przedmioty, o których kradzież oskarżano Hodgesa zostały zwrócone. Jedyny zarzut o fałszowanie księgowości uznany przez ławę odnosił się do niepodjętego czeku. Innymi słowy, ława uznała Hodgesa winnym popełnienia czynów, które nie spowodowały żadnych strat firmie Sotheby's (i w tym kontekście zarzut fałszerstwa nie miał żadnego znaczenia). Dla Grieve'a oznaczało to, że sędziowie przysięgli dają do zrozumienia, że linia obrony obrana przez Hodgesa w pewnym sensie zwyciężyła. Uniewinniając go z pewnych zarzutów, dali także do zrozumienia, że choć uznają czyny jego za nieuczciwe, to jednak niegodziwości tych dopuścił się w ramach moralnie zgniłego systemu. Musieli uznać go winnym czegoś, ponieważ bez ogródek przyznał się do przetrzymywania czary i hełmu w domu. Ale fakt, iż nie spowodowało to żadnych szkód, oznaczał, że nie są przekonani o celowości skazania go na więzienie.

Oczywiście, są to tylko domysły. W Wielkiej Brytanii nie wolno pytać jurorów jak uzgodnili werdykt, nawet po rozprawie. Ale domysły nasze potwierdziło to, co Michaelowi Grieve udało się podsłuchać podczas odczytywania wyroku.

Po orzeczeniu ławy, wszyscy skierowali swe spojrzenia na sędziego Lloyda. Michael Grieve wstał, by wygłosić mowę obrończą. Przypomniał wysokiemu sądowi, że to pierwsze wykroczenie oskarżonego, że nie pociągnęło ono za sobą żadnych szkód materialnych i że Hodges cieszył się nienaganną opinią, po czym usiadł na swoje miejsce.

Podczas całej rozprawy sędzia był bezstronny w stosunku do oskarżenia i obrony, dopuszczając do przewodu wszystkie dokumenty, jakie obrona chciała przedłożyć. Był także bezstronny w podsumowaniu, posuwając się nawet do stwierdzenia, że przełożeni Hodgesa wiedzieli o jego działaniach, a zatem to co robił nie było nieuczciwe. Wydaje się, że członkowie ławy przysięgłych wzięli sobie to stwierdzenie do serca, kiedy głosowali za uniewinnieniem Hodgesa z zarzutów fałszowania ksiąg. Na pewno uwzględnili możliwość, że przełożeni Hodgesa zdawali sobie sprawę z tego, co on robił i dlatego uznali go niewinnym wszystkich zarzutów z wyjątkiem jednego, tego właśnie, który nie pociągał żadnych strat dla jego byłej firmy.

Nie wszystko dotarło do Hodgesa od razu, ale w lot zrozumiał to Grieve i dlatego czuł przez skórę, że sędzia wyda wyrok w zawieszeniu. Wszystkie te orzeczenia o braku winy w poszczególnych punktach oskarżenia oznaczały, że Hodges nie pójdzie do więzienia. A więc kiedy sędzia oświadczył, że skazuje go na dziewięć miesięcy, Michael Grieve był przekonany wraz z sędziami przysięgłymi, którzy nawet dokończyli zdanie szeptem „w zawieszeniu", że wykonanie wyroku będzie zawieszone.

Ale ku zdumieniu Grieve'a i ławy tak się nie stało. Sędzia był nieugięty i wyraził przekonanie, że kradzież hełmu i czary oraz fakt uznania oskarżonego winnym sprzeniewierzenia księgowego, mimo że nie spowodowało ono żadnych strat materialnych, oznaczało, iż Hodges nadużył zaufania swej firmy i powinien za to być ukarany.

Pogrążony w rozpaczy na początku odczytywania werdyktu ławy przysięgłych, potem pokrzepiony ich dalszymi orzeczeniami, Hodges poczuł teraz, że naprawdę tonie. Przysięgli spoglądali na niego z litością, a nawet z żalem. Dziennikarze będą mieli o czym pisać jutro. Nawet nie miał odwagi spojrzeć na matkę. Był już tak blisko od zdemaskowania przekrętów swej firmy, a tu klapa na całej linii. O godz. 17.15 wziął torbę i wyprowadzono go z sali.

ROZDZIAŁ CZWARTY

Czarny piątek

W dniu, w którym Hodges obudził się w więzieniu po raz pierwszy, w domu aukcyjnym Sotheby's odbywało się właśnie przyjęcie z okazji Bożego Narodzenia. Mównicę w sali aukcyjnej na Bond Street przesunięto pod ścianę, a na jej miejscu ustawiono podest dla orkiestry. Kiedy jego „puszkowano" w Brixton, jego byli koledzy z pracy sączyli winko, tańczyli i plotkowali o wyroku.

Nie zdając sobie sprawy z mych powiązań z Hodgesem, firma Sotheby's zaprosiła mnie do siebie. W biurach firmy powitali mnie Tim Llewellyn, John Watson z Belfastu, który zastąpił Joe Ocha na stanowisku radcy prawnego, oraz Fiona Ford, kompetentna skądinąd rzeczniczka prasowa firmy. Lubiłem i podziwiałem Fionę i zastanawiałem się, czy wiedziała o zakulisowych interesach Sotheby's. Przesłanie Tima Llewellyna było proste i jasne w wymowie. Oczywistym było, że rozmawiał przedtem w ten sam sposób z innymi dziennikarzami.

– To nie Sotheby's stanęła przed sądem – rzekł do mnie. – Hodges to jedyne zgniłe jabłko w naszym koszu. Wytoczył cały szereg zarzutów na sali sądowej, na które nie ma dowodów i które odparliśmy z łatwością.

Przyznał, że pewne „trefne rzeczy" tułają się po antykwariatach, ale trudno udowodnić, że pochodzą z przemytu, szczególnie wtedy, kiedy zaprzeczają temu ich posiadacze (a któżby przyznał się do tego?). Llewellyn oświadczył, że Sotheby's nie dopuszcza się łamania prawa i nie handluje przemyconymi przedmiotami, natomiast przestrzega przepisów prawnych, aczkolwiek zaznaczył, iż nie zawsze „przystają one do rzeczywistości".

Oznajmił, że całkowity zakaz handlu tego rodzaju przedmiotami doprowadziłby do powstania szarej strefy, po czym dodał:

– My jesteśmy po to, aby zarabiać pieniądze. Nie można spodziewać się ode mnie moralizatorstwa. Nie możemy stać na straży rynku jak policja. Można tylko postawić pytanie, czy gdybyśmy wycofali się z interesu, to rozwiązałoby te wszystkie problemy? Moja odpowiedź brzmi – nie.

Llewellyn przyznał, że wyrok sądowy był „dziwny" i że zdziwiła go ilość dokumentów w posiadaniu Hodgesa.

– Ale można zadać sobie pytanie, po co je przechowywał? – dodał.

Przyznał także, że niektóre pytania zadane mu w sądzie były zaskakujące, ale nie sądzi, by firma na tym ucierpiała.

– Jesteśmy znaną i powszechnie szanowaną firmą. Problemy te nie są obce nikomu z naszej branży – mówił.

Llewellyn kilkakrotnie powracał do jednego i tego samego, a mianowicie, że Sotheby's nie jest policją.

– Mamy prawo do zachowania anonimowości naszych klientów. Unikamy łamania prawa w tych krajach, gdzie prowadzimy interesy. Klienci nasi chcą pozostać nieznanymi z wielu względów i nie chcemy i nie możemy zachowywać się jak żandarmi w stosunku do nich.

Mówił jeszcze długo na ten temat, ale cały sens sprowadzał się do tego właśnie. Zanotowałem sobie wyrażenie o „zgniłym jabłku". Może się potem przydać.

Uznałem, że nie należy odwiedzać Hodgesa od razu, ponieważ mógł chcieć się najpierw spotkać z rodziną. Ponadto były święta Bożego Narodzenia, czas refleksji i zadumy, i na pewno potrzeba mu trochę czasu na dostosowanie się do nowego otoczenia. Byłem z nim w kontakcie poprzez jego rodziców, od których dowiedziałem się, że po kilku ponurych dniach spędzonych w więzieniu Brixton, przeniesiono go do więzienia Ford Open, nieopodal miejscowości Arundel w Sussex. To dobra wiadomość.

Tymczasem dużo nad tym wszystkim myślałem. I może zabrzmi to nieładnie, ale miałem powody do zadowolenia, ponieważ z mojego punktu widzenia rozprawa miała wiele dobrych stron. Sotheby's nalegała na to, by nie wymieniano nikogo z nazwiska, a jeśli już, to tylko z inicjałów, a więc prasie było trudno domyślić się o co chodzi. Rozprawa trwała tak długo, że niewielu reporterów dotrwało nawet do dnia, w którym Oliver Forge złożył obciążające siebie zeznanie, w którym przyznał się do fałszowania dokumentów. Czasami dziennikarzy w ogóle nie było na sali. Oznaczało to, że sprawą Hodgesa zainteresowały się tylko gazety i wyglądało na to, że nikt inny na Fleet Street nie miał najmniejszego pojęcia, o co prokuratorowi chodzi, i teraz, kiedy rozprawa dobiegła końca, wszystko powróciło do normy.

Ale było coś o wiele ważniejszego. Rozprawa trwała cztery tygodnie, podczas których Hodgesowi postawiono dwa zarzuty o fałszerstwo. Na podstawie jednego z nich został skazany. W ciągu czterech tygodni przez sąd przewinęło się dziesiątki dokumentów świadczących o przemycie dzieł sztuki, unikaniu płacenia podatków i wielu jeszcze innych sprawach. Sąd wezwał jako świadków wielu członków kierownictwa firmy. Ani razu nie zakwestionowano autentyczności dokumentów. Jeśli dokumenty te byłyby fałszywe lub nawet tylko „poprawione" w jakikolwiek sposób, wówczas podczas swych zeznań i odpowiedzi na krzyżowe pytania Michaela Grieve'a – Felicity Nicholson, Oliver Forge lub Brendan Lynch z całą pewnością by je zakwestionowali. Ale nigdy tego nie uczynili. Na początku 1992 roku zastanawiałem się nad tą rozprawą. Teraz nabrałem już pewności, że dokumenty w naszym posiadaniu są autentyczne. Z tego, co się działo w sądzie i co tam powiedziano wnoszę, że obraz zdarzeń, jaki tam przedstawiono był najzupełniej zgodny z rzeczywistością. I wówczas po raz pierwszy zaświtało mi w głowie, w jaki sposób można i należy przedstawić całą tę historię szerokiemu ogółowi społeczeństwa.

Postanowiłem, że zanim cokolwiek zrobię, muszę się zobaczyć z Hodgesem. Pewnego wtorku pod koniec stycznia wybrałem się samochodem na południe kraju, mijając po drodze lasy brzozowe Surrey i faliste wzgórza Sussex. Pola i lasy tonęły w rześkim słońcu, tak jakby nastała już wiosna, ale kałuże w cieniu drzew były ciągle skute lodem.

Jeśli chodzi o zakłady karne, to więzienie Ford było podobne do wielu innych w Anglii. Trafiają tam zwykle osoby skazane za mniejsze przestępstwa lub więźniowie kończący odsiadywać ostatnie lata dłuższych wyroków. Więzienie to o łagodnym rygorze otoczone jest płotem, a nie murem. Listy przychodzące do więźniów nie podlegają cenzurze, zaś oni sami mogą przebywać nawet przez kilka godzin w pobliskich miasteczkach. Zostało tak urządzone, by przygotowywać skazanych do powrotu na wolność i normalnego życia.

Ale tak czy owak jest to mimo wszystko zakład karny i kiedy się witaliśmy przeżyłem szok, chociaż nie chciałem tego pokazać. Hodges miał na sobie więzienną koszulę i spodnie niebieskiego koloru, i jak mi później powiedział przebywał wśród ludzi, którzy mieli na sumieniu zabójstwo lub ciężkie kalectwo swych ofiar. Musiał nauczyć się więziennej „grypsery", a więc takich słów jak kfel, czy klawisz.

Nauczył się doceniać uroki niedziel i świąt, jedynych dni, kiedy podawano więźniom świeże owoce. Poznał wartość nowej waluty wymienialnej, w postaci papierosów, oraz przekupstwo i „sodomę i gomorę" szerzącą się „za kratami". W pierwszych tygodniach pobytu w więzieniu Ford jeden z więźniów popadł w poważne długi, które spłacił w sposób niewyobrażalny dla Hodgesa. Otóż przemycił on w jakiś przedziwny sposób własną żonę na teren więzienia, by ta „zrobiła laskę" tym współwięźniom, którym winien był papierosy. Przy innej okazji jeden z więźniów podszedł do niego i zaproponował mu kupno płócien Rembrandta i Moneta skradzionych cztery lata temu z galerii na Bond Street. Niektóre rzeczy, jakie się tam działy, przybierały przezabawne formy. Przez płot ciągle przerzucano przedmioty zakazane. Pewnego razu strażnik obchodził ogrodzenie i w tym właśnie momencie ktoś rzucił zawiniątko przez parkan. Paczuszka poszybowała dokładnie w kierunku strażnika, który z niezmąconym spokojem schwytał ją w locie. W tym momencie papier pękł i na twarz strażnika trysnął sos z kurczęcia z chińskiej restauracji.

Tego popołudnia siedzieliśmy z Hodgesem w sali odwiedzin, popijając herbatę i przegryzając ją czekoladą. Fałszerze, malwersanci i oszuści wszelkiej maści siedzieli w wielkiej komitywie obok bandytów i morderców. Małe dzieci nieprzyjaźnie spoglądały na strażników, tak jakby wrogość odziedziczyły po swych ojcach. Wyuzdane blondynki bez żadnego skrępowania obejmowały swych chłopów. Dopiero później dowiedziałem się, że to najlepszy sposób przemycania „trawki". Otóż żona czy kochanka przychodzi na widzenie i ma w ustach kilka gramów konopi indyjskich w plastykowej paczuszce, którą przekazuje podczas pocałunku.

Byłem niespokojny, czy pobyt w więzieniu nie zmieni postawy Hodgesa odnośnie mojej książki. Czy upokarzające towarzystwo tylu twardzieli i tylu cynicznych i ohydnych morderców nie sprawi, że będzie chciał o wszystkim zapomnieć? Mówiąc bez ogródek, los jego w niczym mnie nie dotyczył. Ponadto, nie do końca byłem przekonany, że nie ma tego, na co zasłużył. Miałem wszystkie dokumenty w ręku i mogłem postępować wedle własnej woli. Ale pomimo to czułem, że lepiej działać za jego zgodą niż wbrew niej, bowiem być może jego współpraca z nami będzie potrzebna w pewnych momentach.

Obawy moje okazały się płonne. Hodges nie stracił werwy. Nie było żadnej mowy o zrezygnowaniu z napisania książki. Wprost przeciwnie.

– Rozprawa w sądzie to tylko pierwsza runda rozgrywki – rzekł. – Musisz napisać o wszystkim, absolutnie o wszystkim – dodał z naciskiem.

* * *

Pomysł, na jaki wpadłem w Boże Narodzenie 1991 roku, składał się z dwóch elementów.

Z jednej strony, zależało mi bardzo na napisaniu książki na podstawie dokumentów Hodgesa. Zawierałaby szczegóły rozprawy, z podkreśleniem, że żaden z dokumentów nie został podany w wątpliwość, oraz doświadczenia więzienne Hodgesa, z dodaniem elementu osobistego. Ale dokumenty te należało dokładanie zbadać, jeśli miałbym je wykorzystać w książce, ponieważ tylko część z nich została przedstawiona sądowi. Mnie one wydawały się autentyczne, ale czy to wystarczy wydawcy? W każdym razie lato 1992 roku spędziłem na pisaniu nowej wersji scenariusza zdarzeń.

Z drugiej strony inna linia rozumowania, którą także założyłem, dotyczyła spraw, o których na sali sądowej mówiono kilka razy, a wszystkie poruszane kwestie znajdowały potwierdzenie w dokumentach. A może warto skoncentrować się na tych właśnie sprawach i pisać tylko o nich, a nie o wszystkim naraz? Mógłbym wówczas udawać przed Sotheby's, że informacje moje pochodzą z sali sądowej, a nie z dokumentów. Gdyby mi się udało przekonać ich o tym, mógłbym wówczas sprawdzić autentyczność dokumentów i uniknąć w ten sposób wszelkiego ryzyka. Należało sprawdzić wiele rzeczy, ale przecież mogę podnieść wrzawę bez podawania od razu wszystkiego.

Ale podejście takie, jeśli okaże się właściwe, umożliwi zrobienie programu telewizyjnego, a nie napisanie książki. Na razie nie powiedziałem nic mojemu wydawcy na ten temat, ponieważ nie było sensu proponować mu czegokolwiek, co istniało tylko w teorii.

Od lat przyjaźniłem się z pewnym człowiekiem, który nazywał się Bernard Clark. Był dziennikarzem telewizyjnym, od czasu do czasu piszącym także dla jednego z działów „Sunday Timesa", którym ja kiedyś kierowałem. Ja z kolei od czasu do czasu występowałem w jego programach telewizyjnych. Wysoki, o ciemnych zwichrzonych włosach, z gęstymi jak wiecheć wąsami, Bernard przypominał miłośnika coca-coli. Był swobodny w obejściu, co często mogło mylić, ponieważ uwadze jego nic nie mogło umknąć.

Wiedział o moim projekcie dotyczącym Sotheby's od samego początku i popierał go całkowicie. Bernard zgadzał się z moim sposobem rozumowania, by zacząć od rozprawy sądowej, ale sam także zasugerował kilka spraw. W myśl prawa prasowego producenci programów telewizyjnych mają obowiązek umożliwić osobom, którym się cokolwiek zarzuca, udzielenie odpowiedzi na zarzuty przed nadaniem programu. Jeżeli jednak istniała jakakolwiek możliwość, że sąd może ewentualnie zakazać rozpowszechniania programu, a w tym przypadku możliwość taka istniała naprawdę, wówczas żadna stacja, nawet BBC czy Independent TV, nie da pieniędzy na nakręcenie programu po to tylko, aby potem z niego zrezygnować na kilka dni przed nadaniem, na skutek protestu domu aukcyjnego Sotheby's w sądzie. Dlatego Bernard był przekonany, że zanim zwrócimy się do jakiejkolwiek stacji telewizyjnej z propozycją nakręcenia naszego programu, musimy sami wszystko dokładnie sprawdzić.

Zamierzaliśmy dokonać tego w dwóch etapach. Najpierw chciałem przeprowadzić wywiad z Felicity Nicholson, kierowniczką działu antyków, na zupełnie inny temat, nie związany z rozprawą, i nawiązać w pewnym momencie do procesu sądowego. W ten sposób miałbym okazję zobaczyć, jak zareaguje na pytania i jednocześnie nawiązując do procesu starać się ją przekonać, że informacje moje pochodzą z sądu. Spotkanie przybrało zupełnie nieoczekiwany przebieg. Umówiłem się z nią pod pretekstem, że chcę jej zadać kilka pytań o rynek dzieł sztuki na świecie, w tym i o przemyt (chciałem zachować choć pozory uczciwości). Kiedy przybyłem na spotkanie okazało się, że towarzyszy jej prawnik, niby po to, jak mi powiedziano, by służyć pomocą w pewnych kwestiach dotyczących międzynarodowego handlu antykami. Nie wierzyłem, by był to powód prawdziwy, ale nic nie mogłem poradzić.

Zadałem na początek kilka pytań natury ogólnej o rozmiar handlu dziełami sztuki na świecie, o ilość i wartość przedmiotów wystawianych na sprzedaż, o wzrost obrotów, o to, co najlepiej idzie, co teraz bardziej w modzie – antyki greckie, rzymskie, prekolumbijskie, z Dalekiego Wschodu itd. Szybko jednak przeszedłem do tego, co mnie najbardziej interesowało. Felicity Nicholson stosownie nadmieniła, że jej firma od roku 1984 jest sygnatariuszem konwencji Brytyjskiego Stowarzyszenia Handlu Dziełami Sztuki i z tego powodu nie zajmuje się przedmiotami, co do których istnieje podejrzenie, że pochodzą z nielegalnych wykopalisk lub przemytu. Jeśli tak, oświadczyłem, to pragnę porozmawiać o dwóch przypadkach, jakie miały miejsce w roku 1985, wskazujących na to, że Sotheby's była zamieszana w przemyt dzieł sztuki. W pierwszym z nich chodziło o posążek z bazaltu ze świątyni Singer Penhutbit, w drugim – o rzeźbę bogini-lwicy Sekhmet.

Wywołało to istną burzę. Felicity Nicholson głośno zaprzeczyła, ale w sposób niezbyt przekonywający. Dobitnie podkreśliłem, że dokumenty, jakie posiadam, wskazują na coś zupełnie przeciwnego, na co odrzekła, że nie ma zamiaru kontynuować tej rozmowy, powołała się na tajemnicę służbową i wymieniła znaczące spojrzenia z prawnikiem, po czym ten powiedział:

– Hm, chyba musi pani zdążyć na następne spotkanie!

– Tak, chyba tak – odpowiedziała Nicholson – odbywa się w głównej galerii.

Zaskoczyło mnie to, ponieważ byłem przedstawicielem ogólnokrajowego dziennika i chciałem porozmawiać o poważnych sprawach dotyczących międzynarodowego handlu dziełami sztuki przed napisaniem artykułu na ten właśnie temat. I zabawne, by na omówienie takich spraw miało wystarczyć dwadzieścia minut. Nie było sensu naciskać dalej. Zjechaliśmy razem windą. Odprawiono mnie z kwitkiem, więc nie udałem się prosto do domu, lecz poszedłem ulicą Bond Street do hotelu Westbury znajdującego się o mniej więcej dwieście metrów, co zabrało mi dwie minuty. Stamtąd zadzwoniłem do Sotheby's, prosząc do telefonu Felicity Nicholson. Po kilku sekundach podniosła słuchawkę.

Bernarda rozbawiły te bzdury. Schował taśmę do szafy. Postanowiliśmy nie podejmować żadnych działań przez następne kilka tygodni. Z perspektywy czasu wydaje się, że nie spieszyliśmy się zbytnio, ale wówczas obawialiśmy się, że jeśli Sotheby's podejrzewa mnie o bliskie kontakty z Hodgesem, to może wystąpić do sądu o zwrot dokumentów na podstawie zarzutu o wiarołomstwo.

Innym czynnikiem, jaki braliśmy pod uwagę była możliwość warunkowego zwolnienia Hodgesa po pięciu miesiącach za dobre zachowanie, co oznaczało, że może wyjść z więzienia w maju. Byliśmy pewni, że firma Sotheby's będzie chciała znać jego ruchy i miejsce pobytu, a my z kolei chcieliśmy zobaczyć, jak się firma zachowa po wyjściu Hodgesa na wolność. Czy da sobie spokój i machnie na wszystko ręką, czy też wystąpi do sądu? Jeśli skontaktujemy się z Hodgesem po wyjściu z więzienia, sprawimy wrażenie, że nie spotykaliśmy się z nim wcześniej. Czekanie stwarzało szansę na przekonanie firmy, że związki z Hodgesem nastąpiły po rozprawie, a nie na długo przedtem. Mieliśmy zamiar zwrócić się do domu aukcyjnego raz jeszcze na jesieni.

Ale tak się nie stało, ponieważ do tego czasu napisałem i przedstawiłem nową wersję rękopisu. Wydawnictwo Random House z Nowego Jorku wynajęło znanego adwokata specjalizującego się w sprawach o zniesławienie i znanego z liberalnych przekonań, by przejrzał to, co napisałem. Wraz ze swymi współpracownikami przestudiował dokładnie rękopis w ciągu dwóch pracowitych letnich tygodni. W swym sprawozdaniu napisał do wydawnictwa, że uważa dokumenty za prawdziwe, całą historię za ważną i stwierdził, że należy ją opublikować. Ale przestrzegł jednocześnie przed kilkoma niebezpieczeństwami natury prawnej, które w dalszym ciągu istniały.

I właśnie w tym czasie strzeliliśmy sobie gola do własnej bramki. Hodges wyszedł z więzienia na początku maja i spędził kilka tygodni u rodziców w Suffolk, po czym pojechał do Ameryki, by zobaczyć się z żoną i córką, które przebywały pod Waszyngtonem, gdzie chciał rozpocząć życie na nowo. Ponieważ był niedaleko, a podczas procesu potwierdzono wiarygodność tylko pięciu teczek dokumentów z dwudziestu dwóch, na które powoływałem się w rękopisie, wydawnictwo amerykańskie zaprosiło go do Nowego Jorku na test z wykrywaczem kłamstw.

W obecnych czasach testy takie wzbudzają wiele kontrowersji, ale mimo to wiele amerykańskich zakładów ubezpieczeń społecznych korzysta z nich w sprawach sądowych. Wybraliśmy jedną z najbardziej renomowanych firm przeprowadzającą badania. Testy tego rodzaju są o wiele mniej wiarygodne i przydatne niż by można było przypuszczać i istnieje realna możliwość popełnienia błędów, co prowadzi często do fałszywych wyników. W praktyce pytania są tak formułowane, że odpowiadający musi udzielić odpowiedzi jednym słowem i można zadać mu tylko cztery pytania dziennie. Po każdym pytaniu delikwentowi robi się godzinną lub nawet dłuższą przerwę na odpoczynek, by mógł dojść do siebie.

Testy takie zabierają sporo czasu. Powinniśmy z Martinem Garbusem i jego pomocnikiem Kyranem Cassidy przygotować odpowiednie pytania i w tym celu musieliśmy zapoznać się z obowiązującą procedurą. Następnie technicy obsługujący przyrząd musieli je tak przeredagować, by móc ocenić prawdomówność Hodgesa. My z kolei je potem akceptowaliśmy. Na końcu pozostała już tylko kwestia uzgodnienia terminu przeprowadzenia próby na Manhattanie, odpowiadającego wszystkim: Hodgesowi, który właśnie podjął nową pracę, technikom i mnie mieszkającemu w Anglii. Przygotowania trwały do wiosny 1993 roku.

W końcu spotkaliśmy się w marcu na 57. ulicy, nieopodal Sixth Avenue, w budynku mieszczącym aż sześć firm zajmujących się wykrywaniem kłamstw oraz „Dziennik Badań Wariograficznych", Akademię Dyplomowanych Wariografów, Instytut Wariograficzny Stanu Nowy Jork, a także biura orkiestry Counta Basiego. Uzgodniliśmy następujące pytania:

Czy wręczył pan choć jeden podrobiony dokument Peterowi? (Odpowiedź: Nie.)

Czy jest to podrobione zlecenie na dwa przedmioty rzymskie? (Nie.)

Czy jest to podrobione upoważnienie do kont bankowych? (Nie.)

Czy, o ile panu wiadomo, George Campbell sfałszował choćby jeden dokument firmy Sotheby's? (Nie.)

Czy Felicity Nicholson naprawdę wiedziała, że otworzył pan te „trefne" konta w banku? (Tak.)

Czy prowadził pan rejestr kont? (Tak.)

Czy w roku 1989 rzeczywiście zniszczył pan rejestr tych szalbierczych kont? (Tak.)

Czy istnieje cokolwiek istotnego w tej sprawie, o czym nie poinformował pan Petera? (Nie.)

W sobotę późnym wieczorem nadeszła zła wiadomość. Hodges nie zdał testu, ponieważ, jak orzekli specjaliści, kłamliwie odpowiadał na każde pytanie.

Orzeczenie to wprowadziło w zupełne zakłopotanie Martina Garbusa i wydawnictwo Random House. Gdyby Hodges zdał test pomyślnie, moglibyśmy potem, podczas ewentualnej rozprawy, powołać się na jego wyniki, jak na wierzytelny dowód odpowiedzialnej publikacji książki. Ale tak jak sprawy wyglądały obecnie, gdybym napisał książkę i później by się okazało, że nie uwzględniliśmy niepowodzenia Hodgesa z przyrządem do wykrywania kłamstw, to sytuacja nasza byłaby nie do pozazdroszczenia.

Nie przejmowałem się tym zbytnio tak jak Garbus czy Random House. Tak naprawdę to winiłem częściowo samego siebie za ostateczny wynik, bo patrząc wstecz zdałem sobie sprawę, że jedno z pytań musiało pociągać za sobą kłamliwą odpowiedź i kiedy Hodges już raz skłamał, fakt ten miał wpływ na pozostałe odpowiedzi. Pytanie to brzmiało: „Czy wręczył pan choć jeden podrobiony dokument Peterowi?" A przecież wśród dokumentów były zlecenia. Wszystko to, co wydarzyło się do tej pory, nie zmieniło w niczym mojej opinii. W dalszym ciągu w głębi duszy wierzyłem, że Hodges sfałszował zlecenia, mimo iż został uznany niewinnym zarzutu fałszerstwa i mimo jego własnym usilnym zaprzeczeniom. Gdyby się okazało, że mam rację, stałoby się jasne, co się zdarzyło podczas testu na wykrywaczu kłamstw. Jeśli mam rację, to jego odpowiedź na pierwsze pytanie była nieprawdziwa i wywarła wpływ na pozostałe.

Martin Garbus i ludzie z wydawnictwa słuchali mojego wywodu i potakiwali. Pomyśleli sobie pewnie, że może i mam rację, ale cóż z tego. Musiałem się porządnie wysilać, by ich przekonać o celowości publikacji książki. Trzeba jednak przyznać, że brytyjscy wydawcy, tacy jak Bloomsbury, nie przejmowali się wykrywaczami kłamstw w tym stopniu co Random House. Podobnie jak ja, traktowali je z przymrużeniem oka. Wykrywacze te bowiem nigdy nie przyjęły się w Anglii. Bloomsbury zaproponował inne rozwiązanie problemów dotyczących dokumentów.

Podczas następnych miesięcy spędziłem mniej więcej tyle samo czasu z prawnikiem firmy Davidem Hooperem z kancelarii Biddle & Co., co z Garbusem w Nowym Jorku, i doszliśmy do wniosku, że rękopis jest „bez pudła" na tyle, na ile to możliwe. Wydawca brytyjski zdecydował się na dodatkowe posunięcie. Wynajął adwokata George'a Carmana, posiadacza tytułu doradcy dworu i jednego z najbardziej znanych brytyjskich specjalistów od spraw o zniesławienie, by przejrzał rękopis. Robiło to wrażenie, bowiem Carman znany jest powszechnie z błyskotliwości prawniczej. Szkopuł polegał jednak na tym, że był bardzo zajęty. Potrzebny nam był na tydzień. Przynajmniej na cztery dni do przeczytania rękopisu wraz z asystentem oraz na jeden dzień na rozmowy w cztery oczy. Ale nie mógł nas „zapisać" przez najbliższe sześć miesięcy, czyli aż do listopada. No cóż, mówi się trudno, ale posunięcie wydawcy brytyjskiego miało sens. Czas ten spędziłem na udoskonalaniu rękopisu, ale cóż innego mogłem robić. Hodges radził sobie jakoś na nowej posadzie w agencji pośrednictwa pracy na przedmieściach Waszyngtonu. Byliśmy w kontakcie, aczkolwiek niezbyt częstym.

W piątek 23 listopada 1993 roku redaktorzy z Bloomsbury i ja spotkaliśmy się z Carmanem w Towarzystwie Prawniczym w Middle Temple. Jest to niewielkiego wzrostu elegancki i przystojny pan, z przyjemnie brzmiącym tembrem głosu. O dziwo palił jednego papierosa za drugim. Tego dnia dał pokaz swego kunsztu. Zadawał mi pytania przez cały ranek, po czym zrobiliśmy sobie przerwę na krótki lunch złożony z kanapek. Potem rozmawialiśmy już tylko we dwóch. Mówił bez przerwy aż do za kwadrans piąta, milknąc tylko wtedy, gdy zapalał następnego papierosa. Nie zawahał się ani razu, ani się nie powtarzał. Powiedział, że uważa całą historię za prawdziwą i ważką, że dokumenty sprawiają wrażenie autentycznych i że należy o tym napisać. Ale jest jeden szkopuł, najważniejszy, który może nam sprawić dużo problemów. Podkreślił, że według niego największy kłopot nie w tym, czy dokumenty są prawdziwe, lecz w tym, czy są kompletne. Tego nie byliśmy pewni, ponieważ nie wiedzieliśmy, czy posiadamy pełną dokumentację. Powołując się na swe olbrzymie doświadczenie podał kilka przykładów dokumentacji, która wskazywała na coś bardzo niedobrego, ale kiedy ją uzupełniono o brakujące elementy wyłaniał się z niej zupełnie odmienny obraz sprawy. Świadczy to, jak podkreślił, o konieczności uzyskania niezależnego potwierdzenia.

Zdawaliśmy sobie sprawę z tego przez cały czas, dlatego przedtem czekaliśmy na rozprawę. Gdyby którykolwiek z dokumentów w posiadaniu Hodgesa był fałszywy, firma Sotheby's natychmiast by to wykorzystała. I podobnie, gdyby posiadała jakieś inne papiery, to z całą pewnością nie zawahałaby się ani przez chwilę, by je przedstawić i by rzucić odmienne światło na zarzuty Hodgesa oraz na to, co przedłożył. W tym sensie Carman nie powiedział nam nic nowego. Ale tego piątkowego popołudnia mówił tak przekonywająco i z takim znawstwem, że pomimo stwierdzenia, iż należy bezwzględnie o całej historii napisać, udało mu się jednak zmusić redaktorów wydawnictwa Bloomsbury do myślenia tak intensywnego, jak nigdy przedtem. Ale w sumie okazał się to czarny piątek, bowiem do Bożego Narodzenia ostygli oni zupełnie w zapale, podobnie jak uprzednio faceci z Random House.

Na krótko przed świętami spotkałem się z Bernardem na drinku, by go zorientować w sytuacji. Powiedziałem mu, że publikację książki zawieszono, przynajmniej na razie. A więc chyba nadszedł czas na powrót do telewizji. Od lata 1992 roku nie posunęliśmy się ani o krok naprzód. Niepotrzebnie straciliśmy półtora roku.

Bernard był przeświadczony o konieczności zorientowania się, jaka będzie reakcja Sotheby's, kiedy firma dowie się, że mamy pewne dokumenty. Zwłoka w tym względzie działała jednak na naszą korzyść. Upłynęły już miesiące od chwili, kiedy spotkałem się z jej przedstawicielami w spawie Hodgesa. Pewnie pomyśleli sobie, że specjalnie nie interesuje mnie ta sprawa. Dlatego postanowiliśmy, że styczeń 1994 roku, gdy nie ma żadnych aukcji, będzie najlepszym okresem na zwrócenie się do nich z pierwszą partią dokumentów.

Tak więc pod koniec miesiąca wraz z Bernardem uczyniliśmy pierwszy krok. Ponieważ dom aukcyjny zarządzany jest z Nowego Jorku, wysłałem fotokopie dokumentów na adres Diany Phillips, rzeczniczki prasowej firmy na Manhattanie. Dotyczyły one nielegalnych wykopalisk apulijskich waz, sfałszowania pochodzenia bazaltowej rzeźby oraz przemytu bogini Sekhmet z Genui przez Londyn do Nowego Jorku. Dołączyłem do nich własną interpretację zdjęć. Zgodnie z zaleceniem Carmana chciałem dać możliwość firmie Sotheby's zajęcia oficjalnego stanowiska. Napisałem w piśmie towarzyszącym, że jeżeli dokumenty są niekompletne albo jeżeli stwarzają fałszywy obraz rzeczywistości, lub zostały w jakikolwiek sposób zmienione czy sfałszowane, wówczas nie wykorzystam ich w mojej publikacji, pod warunkiem wszakże, że Sotheby's będzie w stanie wskazać, na ile i w jaki sposób zmieniają stan faktyczny.

Postanowiłem czekać na reakcję firmy. Oryginały dokumentów schowałem w zabezpieczonym schowku, ale zabezpieczenie to chroniło tylko od włamania czy pożaru. Gdyby Sotheby's wystąpiła na drogę sądową i sprawę wygrała, musiałbym zwrócić sądowi oryginały wraz ze wszystkimi kopiami. Nie było na to żadnej rady.

Diana Phillips zadzwoniła po kilku dniach. Powiedziała, że chce zorganizować konferencję telefoniczną z udziałem moim, jej, Dede Brooks – dyrektorem wykonawczym Sotheby's na cały świat, i adwokatki firmy Marjorie Stone. Rozmowa miała miejsce w połowie lutego. Powiedziano wiele rzeczy podczas niej i później, ale ponieważ rozmawialiśmy prywatnie nie mogłem pisać o niczym, natomiast oficjalnie Sotheby's oświadczyłaby tylko: „bez komentarza".

Z jednej strony fakt ten zniechęcał, ale z drugiej był wielce znaczący. Dałem Sotheby's szansę zaprzeczenia mojej wersji w całości lub w części. Nie skorzystali z niej. Ważne było również to, że jej przedstawiciele w ogóle nie zdradzali żadnej ochoty do zwrócenia się do sądu. Odczekaliśmy jeszcze miesiąc i uznaliśmy, że nic nam nie grozi. Jeśli dom aukcyjny chciałby podjąć jakieś kroki, to dawno by już to zrobił. A zatem nadszedł czas na telewizję.

BBC była pierwszą stacją, do jakiej się zwróciliśmy. Miesiąc upłynął zanim Steve Hewlett, szef programu *Inside Story*, udzielił odpowiedzi. Oświadczył, że jest zainteresowany i może nam dać godzinę we wrześniu. Jednak ze względu na to, że sprawa była bardzo delikatnej natury pod względem prawnym, chciał byśmy wyrazili zgodę na udostępnienie dokumentów prawnikom BBC. Odmówiliśmy obydwaj z Bernardem. Po tym wszystkim ostatnią rzeczą, jakiej byśmy sobie życzyli, to dopuścić do tego, by dokumenty, które przez długi czas skrzętnie ukrywaliśmy, krążyły sobie swobodnie po tak olbrzymiej firmie, jak BBC. Ponadto wiedziałem o tym, że kanał BBC Bristol kręci ośmiogodzinny serial o domu akcyjnym Sotheby's. Ludzie robiący tego rodzaju programy nie mieli dostępu do żywotnie ważnych materiałów, takich jak nasze, i gdyby znikły w BBC, to nigdy byśmy się nie dowiedzieli kto je zwędził i gdzie. Z tego powodu BBC odpadała.

Lato minęło na tego rodzaju przepychankach i dopiero we wrześniu 1994 roku zwróciliśmy się do Channel 4. Tam potraktowano nas o wiele bardziej rzeczowo. Bernarda znali jako autora programu, natomiast mnie jako dziennikarza i pisarza. Przyjęli naszą ocenę merytoryczną bez wahania. David Lloyd, autor serialu dochodzeniowo-śledczego Dispatches (depesze) był zdecydowany (okazało się później, że to odważny redaktor z dużą wyobraźnią). Odbyliśmy przynajmniej trzy spotkania, zastanawiając się nad tym, jak i gdzie szukać potwierdzenia prawdziwości dokumentów oraz nad prawnymi aspektami przedsięwzięcia, jak też i nad tym, czy w ostatecznym rachunku jesteśmy w stanie nakręcić program, który można będzie bez przygód wyemitować.

ROZDZIAŁ PIĄTY

Wazy apulijskie

A więc doszliśmy do sedna sprawy. Po czterech latach byliśmy w stanie zaprezentować pierwszą część naszej historii, mając nadzieję na więcej w terminie późniejszym. Do pierwszego programu wybraliśmy pięć teczek dokumentów. Dwie z nich dotyczyły przemytu przedmiotów, które wymieniono podczas rozprawy Hodgesa, następne dwie – dzieł sztuki, o których nie mówiono w sądzie, natomiast teczka piąta, to już całkiem inna sprawa.

Rozumowaliśmy w następujący sposób: należy zacząć od spraw podniesionych w sądzie, ponieważ, co bardzo istotne, nikt od Sotheby's nie podał w wątpliwość autentyczności dokumentów. Z całą pewnością by to zrobili, gdyby były fałszywe. Niemniej ważne było także i to, że posiadane przez nas dokumenty zdawały się potwierdzać fakty, o których mówiono w sądzie. I tym razem nikt z firmy nie kwestionował tego. Gdyby ludzie od Sotheby's byli przekonani, że skupiamy się wyłącznie na kwestiach podniesionych w sądzie, nie mieliby wówczas powodu do wystąpienia do sądu z żądaniem zwrotu dokumentów. Musieliśmy pójść dalej. W pewnym momencie będziemy chcieli opublikować wszystkie dokumenty i musimy nabrać pewności, że pozostałe papiery są także autentyczne. A więc musieliśmy ujawnić niektóre z tych, o których nie było mowy w Sądzie Jej Królewskiej Mości.

Oczywiście Hodges nie decydował, jakie to będą dokumenty. Był to istotny element, od którego należało zacząć. Nie wiedział także nic o naszych dalszych zamierzeniach. Co się tyczy spraw nie poruszanych w sądzie, wybraliśmy dwa zestawy akt pochodzących z działu antyków, ponieważ były wyraziste i szczegółowe i w pewnym fragmencie wyraźnie opisywały mechanizmy przemytu dzieł sztuki. Do tego dołączyliśmy jeszcze jeden dokument pochodzący spoza tego działu, ponieważ w pewnym momencie chcieliśmy wyjść poza ramy nakreślone przez Hodgesa. Dodatkowym powodem, dla którego dołożyliśmy ten dokument było to, że obraz, jakiego dotyczył dobrze prezentował się na ekranie, natomiast treść ujawniała niezwykle bulwersujące praktyki.

Wazy apulijskie to najlepszy punkt wyjścia naszego dochodzenia i zarazem najbardziej jaskrawy przypadek czynu karygodnego. W tym miejscu należy kilka rzeczy wyjaśnić, by lepiej zrozumieć, dlaczego są tak ważne i dlaczego Hodges zwrócił się właśnie do mnie.

W związku z tym trzeba się cofnąć do roku 1985, a ściśle mówiąc do środy 27 listopada. Tego dnia Hodges właśnie wrócił z obiadu i kiedy zdejmował płaszcz zadzwonił telefon. Ktoś poprosił Felicity Nicholson. Hodges nie był pewien czy jest ona w biurze, ale kiedy przełączył rozmowę, natychmiast podniosła słuchawkę. Nie podsłuchiwał, ale rozmowa zainteresowała go. Dzwonił dziennikarz z „Observera", autor niniejszej książki.

Nie znałem Hodgesa, ale miałem już wówczas pewne podejrzenia co do mechanizmów działania działu antyków domu aukcyjnego Sotheby's. Interesowały mnie w szczególności pewne wazy apulijskie, które Sotheby's wystawiła na sprzedaż 9 grudnia tegoż roku. Zainteresowanie moje wzbudziło spotkanie, jakie kilka dni przedtem odbyłem z Brianem Cookiem, kustoszem oddziału antyków greckich i rzymskich w British Museum w Londynie. Był to szczupły pan, schludny, poruszający się w sposób dostojny i opanowany, dobierający starannie słów i nie robiący niczego pochopnie. Tak naprawdę był wielkiej miary uczonym. Spotkanie miało miejsce w jego gabinecie zapełnionym pudłami z aktami. Okna wychodziły na główne wejście do muzeum. Od czasu do czasu spotykaliśmy się, by porozmawiać o sprawach muzealnych lub o najnowszych kierunkach w archeologii, gdy chciałem zdobyć materiał do artykułów dla „Observera".

Tego dnia na jego biurku leżał katalog obiektów wystawionych przez Sotheby's na najbliższą licytację. Podał mi go i powiedział spokojnie: – Tu, oto jest temat dla pana. Sotheby's wystawia całą kupę antyków z przemytu.

Wyjaśnił o co mu chodzi i skąd nabrał takiego właśnie przekonania. Wśród wystawianych przedmiotów znajdowało się dwanaście waz apulijskich. Większość ludzi zna je z muzeum: zwykle tło na nich czarne, a na nim wyraźnie zarysowane brązowoczerwone postacie. Apulia to region w południowej części Włoch ze stolicą w Foggi. W czasach starożytnych była częścią Magna Graecia (Wielkiej Grecji). Cook wyjaśnił, że aby zrozumieć sedno sprawy, trzeba pamiętać o tym, że wazy te należą do ściśle zamkniętego rozdziału historii w tym sensie, iż każde legalne znalezisko, a uczeni wiedzą o około sześciu tysiącach takich miejsc, zarejestrowano w trzytomowym katalogu, sporządzonym przez profesora Dale'a Trendalla i uzupełnionym do roku 1983 przez profesora Cambitoglou. Od roku 1983 do mojego spotkania z Cookiem każda legalnie odkopana waza zostałaby odnotowana w profesjonalnej prasie. Cook znał wszystkie dzienniki i periodyki swej branży i o wazach Sotheby's nie było w nich żadnej wzmianki, w katalogu Trendalla/Cambitoglou również. A więc *ex definicione* wazy te pochodziły z nielegalnych wykopalisk i z przemytu z Włoch.

– Jedna czy dwie mogły ujść uwadze Trendala czy Cambitoglou – powiedział Cook – ale nie taka ilość, jaka pojawiała się na aukcjach. Niektóre z nich były bardzo cenne, dodał, a szczególnie jedna, warta jakieś 60 tysięcy funtów według katalogu, którą z całą pewnością chciałoby nabyć British Museum. Ale instytucja ta uważała, że nabycie wazy jest sprawą nieetyczną i nie chciała nawet przystąpić do licytacji. Zamiast tego rada zarządzająca wystąpiła o wstrzymanie tego rodzaju aukcji i po pewnym namyśle upoważniła Cooka do rozmowy ze mną.

Gdy wychodziłem z muzeum Cook towarzyszył mi aż do sali mieszczącej wazy apulijskie, stanowiące własność muzeum, gdzie wyjaśnił mi ich wartość. Jako przedmioty dekoracyjne ukazywały one sceny z życia codziennego świata starożytnego. A więc oprócz piękna, były zarazem bezcennym świadectwem historycznym. Sceny rodzajowe, jakie przedstawiały, ściśle się łączyły z miejscem pochodzenia. A więc nielegalne wykopaliska oraz nielegalny wywóz za granicę oznacza niepowetowaną stratę dla nauki. Nielegalny handel tymi przedmiotami to coś więcej niż pogwałcenie prawa włoskiego, to cios zadany nauce.

„Observer" opublikował artykuł redakcyjny na pierwszej stronie i rozkładówkę w środku w numerze z 1 grudnia. Inne gazety i stacje telewizyjne podchwyciły temat nie tylko w Anglii, ale także we Włoszech, Francji, Grecji i Stanach Zjednoczonych. Mało tego, specjalny przedstawiciel rządu włoskiego Luigi d'Urso przybył do Londynu z żądaniem wycofania waz z aukcji, natomiast profesor Felice Lo Porto, dyrektor wydziału antycznego rejonu Apulii, doniósł, że obszerny grobowiec pochodzący z IV w. p.n.e.

i znajdujący się w pobliżu Arpi został ograbiony. Oświadczył także, że jest przeświadczony o tym, że wazy znajdujące się w posiadaniu firmy Sotheby's pochodzą właśnie z tego grobowca. Inne muzea brytyjskie, takie jak Szkockie Muzeum Królewskie w Edynburgu, przyłączyły się do apelu British Museum, by dom aukcyjny Sotheby's wycofał wazy z aukcji, zaś lord Jenkins of Putney, były minister sztuki, złożył interpelację w parlamencie.

Dom aukcyjny oświadczył, że nie ma żadnych dowodów na to, iż wazy, jakie wystawił na sprzedaż, pochodzą z kradzieży czy przemytu. Felicity Nicholson powiedziała mi podczas rozmowy przed napisaniem artykułu:

– Nie sądzę, by ktokolwiek wiedział skąd pochodzą. Zakładamy, że nasi klienci posiadają tytuł własności na to, co wystawiają na sprzedaż.

Nazwała Cooka zrzędą, który wcale nie musi wyrażać opinii całego środowiska.

Pomimo protestów licytacja się odbyła i wazy zostały sprzedane. Kolekcjonerzy nie byliby sobą, gdyby cynizm nie zwyciężył nad uczciwością. Szum wokół waz zwiększył tylko zainteresowanie nimi. Po kilku dniach bezowocnego pobytu doktor d'Urso wyjechał z Londynu i cała wrzawa ucichła. I znowu pojawiły się liczne wazy apulijskie niewiadomego pochodzenia na licznych aukcjach. Często o nich rozmawialiśmy z Brianem Cookiem.

O jednej rzeczy nie wiedzieliśmy ani my, ani firma Sotheby's, a mianowicie o tym, że James Hodges bacznie śledził wszystko, co się działo w tym czasie, będąc w dogodnej pozycji administratora działu starożytności. Bawiło go, ale jednocześnie szokowało to, co się działo wewnątrz jego firmy, ponieważ prawda była taka, że ja dotknąłem tylko czubka góry lodowej.

Hodges wiedział w owym czasie, o czym ja nie miałem pojęcia, kiedy pisałem swój artykuł, że wazy apulijskie, które Cook uważał za nielegalnie wywiezione z Włoch, zostały wysłane przez pracownika Sotheby's Christiana Boursauda, dealera szwajcarskiego z Genewy, właściciela galerii Hydra. Niektóre z nich przesłał sam Boursaud, jeszcze inne jego galeria, zaś pozostałe jego pracownik lub partner Serge Vilbert. Jednocześnie Hodges zdawał sobie sprawę z tego, że Boursaud jest jednym z najpoważniejszych klientów Sotheby's i wstawia na każdą aukcję antyki włoskie niewiadomego pochodzenia.

Ale to jeszcze nie wszystko. Felicity Nicholson powiedziała do mnie:

– Nie sądzę, by ktoś wiedział skąd wazy pochodzą. Zakładamy, że klienci posiadają tytuły własności na to, co wystawiają na sprzedaż.

Ale Hodges widział dokumentację rzucającą cień na jej prawdomówność, bowiem niespełna cztery miesiące wcześniej otrzymał list od Dietricha von Bothmera, szefa wydziału sztuki greckiej i rzymskiej Metropolitan Museum of Art w Nowym Jorku. Oto fragment listu, datowanego 3 lipca 1985 roku:

> Właśnie otrzymaliśmy katalog „Artemis" (kryptonim aukcji w domu aukcyjnym Sotheby's z 17 lipca 1985 roku) i poczucie przyzwoitości nakazuje mi donieść panom, że zdjęcie pozycji 540 (czarnej attyckiej amfory o dekoracji figuralnej) znajduje się we włoskim magazynie „Epoca", zaś podpis pod nim wskazuje na to, że została ona wykopana i sklejona przez włoskiego *tombarolo* (złodzieja cmentarnego) w Tarquinii (w pasie nadmorskim na północ od Civatavecchia, niedaleko Rzymu) i sprzedana handlarzowi za 4 miliony lirów. Jeśli władze włoskie natkną się na katalog waszej firmy i dojdą do podobnego wniosku, wówczas zarówno panowie, jak i klienci waszej firmy, mogą mieć poważne kłopoty.

W następstwie listu von Bothmera pozycja nr 540 została wycofana z aukcji. Hodges miał dostęp do dokumentów swego działu. Pewnego dnia natknął się na wydruk komputerowy konta nr 046753 na nazwisko Vilbert i adres Boursauda, PO Box 41, 57 Avenue Bois de la Chapelle, 1213 Onex, Geneva. Treść jego wskazywała na to, że firma Christiana Boursauda wysłała na aukcję 104 przedmioty niewiadomego pochodzenia, a wśród nich właśnie przedmiot 540. Innymi słowy, Felicity Nicholson miała wszelkie powody do podejrzeń w stosunku do przedmiotów nadsyłanych przez Christiana Boursauda, ale mimo to zignorowała fakty podważające jego uczciwość.

A więc Hodges miał wszelkie podstawy do cynizmu. Wrzawa prasowa przycichła, policja nie dokonała rewizji (czego, jak powiedział, poważnie się obawiano) i aukcja odbyła się bez przeszkód. Zwrócił wówczas uwagę na Boursauda i na wszystko, co jego dotyczyło, i od tej chwili robił fotokopie dokumentów swej firmy i osób z nią współpracujących. Później porównał je z danymi tzw. katalogu licytatora, zawierającego szczegółowe dane o właścicielach przedmiotów wystawionych na licytację i dopuszczalnych przedziałach cenowych. Hodges odkrył rzecz zupełnie oczywistą: pokwitowania Christiana Boursauda ściśle odpowiadały wielu przedmiotom opisanym w tym katalogu. Na przykład, jedną z pozycji w nocie wysyłkowej Boursaud opisał tak: *I amphore attique á figures noires avec son couvercle, VIeme Siécle avant J.C.*, rezerwa cenowa 120 000 funtów. Natomiast pozycję 132 tak opisano w katalogu z grudnia 1985 roku: „Attycka amphora (sic) czarnofigurowa, pędzla Bucciego pochodząca z końca VI w. p.n.e., dolna cena 110 000 funtów". Albo pozycja nr 310: „Zestaw różnej porcelany Italo-Korynckiej z Aryballoi", wycenionej na 600–800 funtów, i pozycje nr 43 i 44 na liście wysyłkowej Boursauda: *„Aribalos Italo-Corinthien Terre Cuite"*, o łącznej dolnej cenie w wysokości 500 funtów, itd., itp. W sumie Hodges stwierdził, że w okresie od grudnia 1983 do grudnia 1986 roku Boursaud i Vilbert wystawili na sześciu licytacjach 248 przedmiotów o łącznej wartości przynajmniej 640 880 funtów. Różne dokumenty świadczyły o tym, że w latach 1986, 1987 i 1988 Boursaud sprzedał inne jeszcze przedmioty na łączną kwotę ćwierć miliona funtów. Był to zatem handel na wielką skalę.

O tym wszystkim traktowała pierwsza partia materiałów przekazanych mi przez Hodgesa. Ale był jeszcze inny szczegół, który dopiero później okazał się bardzo ważny. 13 marca 1986 roku Boursaud wysłał wiadomość listem poleconym o tymczasowym zamknięciu swej galerii. Jako powód takiej decyzji podał względy zdrowotne i poprosił pannę Nicholson, by wstrzymała sprzedaż antyków na jego nazwisko. Na pozór wszystko wyglądało normalnie, ale było coś, z czego Hodges nie zdał sobie sprawy w pierwszej chwili. Lecz po pewnym czasie uwagę jego zwrócił fakt, iż panna Nicholson dość długo nie odpowiadała na list, ale kiedy odpisała użyła takich sformułowań:

> Drogi Christianie!
>
> Dziękuję za list i przykro mi słyszeć, że nie czujesz się najlepiej. Co się tyczy przedmiotów w naszym posiadaniu, rozumiem, że działałeś w imieniu właściciela tychże i my oczywiście zaczekamy na wiadomość od niego odnośnie rozdysponowania pozostałych rzeczy zleconych nam do sprzedaży.

Hodges przeczytał kopię listu z akt swej firmy z wielkim zainteresowaniem. Oto znalazł potwierdzenie tego, co od dawna podejrzewał – Boursaud nie był mocodawcą czy szefem włoskiego rynku dzieł sztuki. Czytając między wierszami i przysłuchując się rozmowom Felicity Nicholson i Olivera Forge'a, doszedł do przekonania, że rzeczywistym właścicielem i siłą sprawczą transakcji był Włoch, Giacomo Medici, zaś prawdziwym powodem wycofania się Boursauda z interesu nie był wcale zły stan jego zdrowia, ale rozgłos w prasie, jaki wywołał artykuł w „Observerze" w 1985 roku.

Hodges nie natknął się już potem ani na Boursauda, ani na jakąkolwiek wiadomość o nim, wyjąwszy raz jeden z przełomu lat 1988 i 1989, kiedy to usłyszał od kogoś, kto nosił nazwisko Vilbert, że ten reprezentuje Boursauda. Niemniej jednak po wymianie listów z wiosny 1986, procedura sprzedaży uległa znacznym zmianom w domu aukcyjnym Sotheby's. Po pierwsze, już na następnej aukcji z 14 lipca 1986 r. nie było żadnych przedmiotów od Boursauda. Ten rozdział był definitywnie zamknięty. Niewykluczone, że Boursaud nie chciał zwracać na siebie uwagi Briana Cooka, „Observera" czy policji włoskiej. W każdym razie nie wziął udziału w tej aukcji.

W październiku Hodges zauważył pewne zmiany. Listy przewozowe poczęły nadchodzić od zupełnie innej firmy z siedzibą w Genewie i jedna rzecz zwróciła szczególnie jego uwagę. Otóż listy te przypominały swą formą i treścią te, które przedtem nadsyłał Boursaud. W obydwu przypadkach cenę wypisywano w ten sam sposób i do tego na tej samej maszynie do pisania. Na przykład, kwotę dwa tysiące funtów nie pisano jak to się zwykle podaje 2000,00, ale 2'000'00. Być może to przypadek, ale przypadek ten zwrócił jego uwagę. Były też i inne podobieństwa.

Pozycja nr 314 z aukcji z grudnia 1986 roku dotyczyła „Rzymskiego kapitelu z marmuru, ozdobionego podwójnym rzędem liści palmowych z wolutą po obydwu stronach, o wymiarach 33 na 35 cm", wycenionego na 2000 do 3000 funtów i przesłanego przez nową firmę – Editions Services. I proszę, proszę, o dziwo Hodges widział ten kapitel już przedtem. Sięgnął po katalog z grudnia 1985 roku znajdujący się na półce. Zwykle pierwsze pozycje w katalogach rezerwuje się dla starego szkła, po nich następują wyroby z Bliskiego Wschodu, Grecji, antyki etruskie i rzymskie. Dotarł do pozycji 101. Następna pozycja to rzymska głowa muzy z marmuru. Pozycje od 102 do 106 to kapitele z pilastrami, wolutą i ozdobami z liści. Zamurowało go. Przecież to ten sam przedmiot, to pozycja nr 314 z licytacji w 1986 roku. A przecież przed rokiem przysłał ją nie kto inny, jak tylko właśnie Boursaud.

Zestaw przedmiotów wystawianych przez Editions Services na sprzedaż był dokładnie taki sam jak Christiana Boursauda. Mało tego, na następnej licytacji, jaka się odbyła w lipcu 1987 r., marmurowy kapitel z pilastrami wystawiony już w grudniu 1985 r. przez Boursauda znowu się pojawił, tym razem jako własność firmy Editions Services. Nie mogło być już żadnych wątpliwości. Oto Christian Boursaud pojawił się ponownie po krótkiej przerwie jako Editions Services. Dla Hodgesa i dla mnie, kiedy pokazał mi te dokumenty, stało się jasne, że człowiek stojący za tym wszystkim, niejaki Giacomo Medici, był kuty na cztery nogi. Po wrzawie wywołanej przez „Observera" Medici postanowił rozwiązać firmę Boursauda, przeczekać spokojnie rok i następnie pojawić się pod nowym szyldem, kierując interesem z oddali.

O tym, że Editions Services zyskiwała na znaczeniu i zaufaniu, świadczy najlepiej fakt, iż z 360 pozycji wystawionych do licytacji w grudniu 1987 r. aż 101 pochodziło od Editions Services. I znowu pochodzenie przedmiotów było nieznane i znowu przesyłka zawierała dwanaście waz apulijskich. Na aukcji z maja 1988 roku znalazło się 76 pozycji niewiadomego pochodzenia, nadesłanych przez firmę Editions Services. I tym razem były wśród nich wazy apulijskie, dokładnie piętnaście. Na licytacji z grudnia 1988 r. wystawiono 401 przedmiotów, 46 pochodziło od firmy Editions Services i były także niewiadomego pochodzenia, a wśród nich były również wazy apulijskie, dokładnie sześć.

Takie właśnie dokumenty przekazał nam Hodges i trzeba przyznać, że robiły wrażenie. Jednak z logicznego i prawnego punktu widzenia miały jedną wadę. Otóż Hodges ma prawo wierzyć, że we wszystkim macza ręce Medici. Felicity Nicholson może nawet przyznać w sądzie, że to właśnie on stoi za Editions Services, dowody Cooka dotyczące waz apulijskich mogą się nawet i trzymać kupy, ale w żadnym przypadku nie sposób odnaleźć śladów pochodzenia przedmiotów, o których mowa, poza Szwajcarią. Bez takiego powiązania nie sposób przyszpilić Sotheby's, dlatego dla telewizji musimy udowodnić, że antyki pochodzą właśnie z Włoch.

Bernard po naradzie z Davidem Lloydem wyznaczył Petera Minnsa, przystojnego, długoletniego dziennikarza BBC o przyjemnym brzmieniu głosu, specjalistę od filmów dokumentalnych o zabytkach, na szefa naszego programu. Obydwaj pracowali kiedyś dla Sama Bagnalla jako dokumentaliści i mieli o nim jak najlepszą opinię. I tak Minns dołączył do naszego zespołu. Peter i Sam zaczęli od lektury rękopisu i podobnie jak ja doszli do wniosku, że musimy udowodnić, iż przedmioty nadesłano z Włoch. Peter i Sam znali dokumentalistkę w Rzymie, niejaką Cecilię Todeschini, która posiadała dobre kontakty z karabinierami i zgodziła się dla nas powęszyć i poszperać.

Wiedzieliśmy doskonale na czym się skoncentrować: na pozycji 540 – wazie attyckiej, o której mowa w liście Dietricha von Bothmera do Nicholson. Wiadomo nam było, że wysłał ją Serge Vilbert, zastępca Boursauda, oraz i to, że wykopano ją we Włoszech. Magazyn „Epoca" zamieścił nawet zdjęcie człowieka, który oświadczył, że ją znalazł. Nazwisko jego brzmiało Luigi Perticerari i był mieszkańcem Tarquinii.

Sam udał się do Rzymu na rekonesans. Używaliśmy w dalszym ciągu kryptonimu, Baker, ze względów bezpieczeństwa i termin ten przylgnął do naszego programu dla telewizji Channel 4. Z Włoch nadeszła tymczasem dobra wiadomość od Cecilii i Sama, którym udało się odnaleźć Perticerariego. Był niewielkiego wzrostu, gadatliwy i niezmiernie dumny z grabienia grobowców, jak i z tego, że „odbębnił dwanaście lat w pudle" za te przestępstwa. Całym zespołem udaliśmy się do Włoch w lipcu 1995 roku. Nakręciliśmy z nim wywiad. Ochoczo zademonstrował przed kamerą jak swym *spilo*, czyli długim kolcem, kłuje w ziemię w poszukiwaniu sarkofagów.

Pokazał nam kilka fotografii przedmiotów „odkrytych" przez siebie i miał nawet jeden czy dwa obiekty, które składał „do kupy".

Pamiętał przedmiot z katalogu pod numerem 540. Sprzedał go pewnemu człowiekowi, który kiedyś przyjeżdżał do niego na skuterze, a teraz jeździ dużym samochodem i mieszka w dużym domu wartym miliony. Zapytany kim ten człowiek jest, odpowiedział, że nie odpowie na to pytanie przed kamerą. Wyłączyliśmy więc kamerę, zostawiając magnetofon włączony. Wyznał wówczas, że sprzedał ten przedmiot facetowi o nazwisku Giacomo Medici.

Nawiązaliśmy stosunki z jednostką karabinieri zajmującą się ochroną dzieł sztuki. Gdy powiedzieliśmy im co odkryliśmy, nie odrzekli nic, ale widać było wyraźnie, że nazwisko Medici mówiło im wiele. Posiadał dwa adresy, jeden w Rzymie, w pobliżu murów watykańskich, drugi w kurorcie morskim nieopodal Santa Marinella. W lipcu 1995 r. spędziliśmy dwa dni w ukryciu pod Watykanem, bezskutecznie. Mediciego nie było także w Santa Marinella, ale była tam jego żona, której zostawiliśmy wiadomość, że chcemy z nim porozmawiać.

Pojechaliśmy na południe Włoch. Chcieliśmy pokazać w naszym programie telewizyjnym na czym polega grabież grobowców, jakie powoduje skutki i uzmysłowić naszym widzom szkody i spustoszenia kryjące się za aukcjami londyńskimi. Cecilia pomyszkowała trochę w Foggi i okolicach. Poznała archeologa, dr Marinę Mazzei, która powiedziała jej, że może pokazać nam złupiony grobowiec, a nawet zrabowane przedmioty. Pierwszego dnia, kiedy kręciliśmy ujęcia w miejscowym muzeum, panował niemiłosierny upał. Przechowywano w nim nie tylko wspaniałe wazy apulijskie, ale także inne zabytkowe przedmioty odebrane złodziejom i zabezpieczone jako dowody rzeczowe. Przygnębiała ich ogromna ilość.

Drugi dzień filmowania okazał się naprawdę ekscytujący. Wyjechaliśmy z Foggi, aby obejrzeć złupiony grobowiec, z nietkniętymi „kośćmi". Kiedy zjechaliśmy z autostrady na polną drogę, natknęliśmy się na duże bloki skalne. Widok ten poruszył Marinę Mazzei, która wyjaśniła Cecilii, że głazy takie układają zwykle w poprzek drogi *tombaroli*, aby nie dać się zaskoczyć karabinierom, miejscowym wieśniakom czy archeologom. I rzeczywiście, zanim skończyła mówić, zobaczyliśmy samochód w odległości kilkuset metrów z otworzonym bagażnikiem, a obok trzech mężczyzn pochylonych nad jamą w ziemi. Wyjęliśmy kamerę i nastawiliśmy odpowiednią ostrość. Odległość nie miała znaczenia, ale kiedy nas ujrzeli wsiedli do samochodu i szybko odjechali.

Kiedy podjechaliśmy do grobowca znanego pod nazwą Medusa, osłoniętego konstrukcją z falistej blachy, ujrzeliśmy ogrom grabieży i zniszczenia. Był to duży grobowiec. Do głównej komory prowadziła ścieżka. Od niej odchodziły komory boczne, oddzielone od siebie ozdobnymi łukami. Ślady po ozdobach były wyraźne i w jednej z komór bocznych widniała niewielka dziura. Dr Mazzei wyjaśniła nam, że przez nią złodzieje dostali się do grobowca. Ale naszą uwagę przykuły ślady po dużej koparce, której użyto do odkopania grobowca po odnalezieniu go za pomocą *spilo*. Dr Mazzei opowiedziała przed kamerą, co zwykle w takim grobowcu można znaleźć: jakiego rodzaju wazy, jakich rozmiarów i ile. Grobowiec miał wielkość przynajmniej kortu tenisowego i to, co ujrzeliśmy, tąpnęło nami.

Kiedy chowaliśmy kamerę i sprzęt do furgonetki, Peter Minns wykrzyknał: – Patrzcie! – i pokazał palcem. W odległości pięciuset metrów widać było następną grupę rabusiów. Stał tam samochód z otwartym bagażnikiem, widać było trzech mężczyzn, dwóch z nich znikało i wyłaniało się z jamy w ziemi. Natychmiast włączyliśmy kamerę. Po dziesięciu minutach zorientowali się, że są obserwowani i szybko odjechali. Dało nam to wiele do myślenia o skali procederu, bowiem w ciągu jednego dnia widzieliśmy dwa gangi w działaniu i sfilmowaliśmy przerażające skutki ich działalności.

Powróciliśmy do hotelu w Foggi około siódmej, zmęczeni i brudni po spędzeniu znacznej części dnia pod ziemią. Gdy brałem klucz do pokoju z recepcji, telefonistka podeszła do mnie i powiedziała: „telefon do pana". Zdziwiłem się, ponieważ wydawało mi się, że nikt nie wie, gdzie jestem. W lobby podniosłem słuchawkę i omal nie padłem z wrażenia, gdy usłyszałem: – Mówi Giacomo Medici.

Dałem ręką znak Cecilii, by podeszła bliżej. Medici powiedział, że dzwonił do naszego hotelu w Rzymie, gdzie mu powiedziano, iż przebywamy w Foggi. Jak zaznaczył, dzwoni z lotniska mediolańskiego i będzie w Rzymie za dwa dni. Ostrzegł nas, byśmy go nie szkalowali i nie oskarżali niesłusznie, ponieważ w przeciwnym razie pozwie nas do sądu o milionowe odszkodowanie. Ponieważ nigdy nie podaliśmy powodu, dla którego chcieliśmy z nim rozmawiać, wynurzenia jego brzmiały niezmiernie interesująco. Podał numer swego telefonu komórkowego, informując nas, że wkrótce będzie w Londynie, gdzie się może z nami spotkać, ale przedtem powinniśmy zadzwonić pod wskazany przez niego numer, w następną sobotę, kiedy będzie już w domu, i uzgodnić termin spotkania, po czym się wyłączył.

Zbliżała się pora na kolację. Usiedliśmy przy stoliku i właśnie mieliśmy zamiar coś zamówić, gdy telefon zadzwonił ponownie. Tym razem do Cecilii. Pędem przybiegła z powrotem do restauracji i zadyszana powiedziała, że dzwoniła właśnie miejscowa policja. Kiedy czyniła przygotowania do wyprawy do Foggi zeszłego tygodnia, karabinieri powiedzieli jej, że w najbliższym czasie mają zamiar dokonać „nalotu" na *tombaroli*. Nie przywiązywała wówczas żadnej wagi do tego, co usłyszała, ale teraz po rozmowie z Medici pomyślała sobie, że jeśli natychmiast udamy się do pewnego małego miasteczka, odległego o około czterdzieści minut jazdy na północ od Foggi, będziemy mogli nakręcić sensacyjny materiał filmowy.

Ku zdumieniu osłupiałych kelnerów natychmiast wybiegliśmy pędem z restauracji, wskoczyliśmy do furgonetki i szybko odjechaliśmy na północ. Słońce zachodziło majestatycznie, oblewając czerwoną poświatą rozległą równinę. Nastawał zmrok, kiedy dotarliśmy do miasteczka. Zbliżała się dziesiąta godzina wieczorem. Na posterunku przesiedliśmy się do nieoznakowanych samochodów policyjnych. Seanowi Babbittowi dostała się nie lada gratka, ponieważ pozwolono mu jechać w głównej grupie karabinierów, mających od kilku tygodni na podsłuchu pewien gang *tombaroli*.

Poprowadzono go wzdłuż ogrodu biegnącego prostopadle do pola. To, co ujrzał na skraju ogrodu zatkało mu dech w piersiach. Otóż w samym środku rozległego pola pracowała olbrzymia koparka, usuwając wielkim czerpakiem ziemię znad płyty grobowca. Kamera telewizyjna widzi lepiej w ciemności niż oko ludzkie i kiedy potem oglądaliśmy film Seana byliśmy zdruzgotani, bowiem ujrzeliśmy na własne oczy cały ogrom barbarzyństwa, plądrowania i bezczeszczenia grobowców przez włoskich *tombaroli*. Zdaliśmy sobie w pełni sprawę, jak haniebny i o pomstę do nieba wołający jest cały ten proceder nielegalnego handlu antykami, mający swój finał na aukcjach w Londynie czy Nowym Jorku.

Tej nocy policja otoczyła i aresztowała czterech rabusiów, zanim cokolwiek byli w stanie zrobić. Kolacja przepadła, ale to drobiazg.

Oczywiście w sobotę signor Medici był nieuchwytny, kiedy zadzwoniliśmy na jego komórkę. Nie odpowiadał nawet przez kilka następnych tygodni. Wysłaliśmy listy na obydwa adresy z prośbą o wywiad. Bez odpowiedzi.

W niedzielę przyjechaliśmy do Genewy, gdzie odszukaliśmy jego stary adres – 57 Avenue Bois de la Chapelle, Onex. Pod numerem 41 na skrzynce pocztowej widniało inne nazwisko, co specjalnie nas nie zdziwiło, ponieważ Hodges nie słyszał o nim już od pewnego czasu. Ale kiedy mieliśmy już odejść zauważyłem znane mi nazwisko na sąsiedniej skrzynce. Należała do Serge'a Vilberta.

Vilberta nie zastaliśmy w domu, więc postanowiliśmy zaczekać. Czekaliśmy dwie godziny, ale się nie pojawił, więc poszliśmy na obiad. Kiedy zadzwoniliśmy do drzwi po południu, odpowiedziała najpierw jego żona, a potem on sam. Był szczupły, po trzydziestce, i miał jasne włosy. Niechętnie odpowiadał na pytania, ale gdy go przycisnąłem przyznał, że od kilku lat pracuje dla Christiana Boursauda, zajmując się wysyłką staroci do domu aukcyjnego Sotheby's w Londynie. Jak oświadczył, jest tylko pracownikiem, ale na najważniejsze pytanie odpowiedział jasno i wyraźnie:

– Giacomo Medici miał do czynienia z Boursaudem i dostarczał do Szwajcarii różnego rodzaju rzeźby, posągi, wazy i stare przedmioty.

I tak uzyskaliśmy pełny obraz całego procederu. Medici skupował przedmioty od hien cmentarnych, wykopujących przedmioty antyczne z ziemi włoskiej. Następnie przewoził je do Szwajcarii, skąd Boursaud wysyłał je do Londynu, „piorąc" je po drodze. A zatem Medici był istotnie główną sprężyną tego niecnego procederu, zaś Boursaud – no i oczywiście Vilbert – tylko pośrednikami. Udaliśmy się na kontynent z takim właśnie przekonaniem i udało się nam je potwierdzić. Ale było coś jeszcze. Obraz przemytu dzieł sztuki, jaki nakreślił Hodges zgadzał się zupełnie z tym, co nam się udało odkryć. Nasze własne dochodzenie potwierdziło prawdziwość zarówno dokumentów, jak i ich interpretacji przez Hodgesa.

ROZDZIAŁ SZÓSTY

Śpiewaczka świątynna

Giacomo Medici nie był jedyną osobą poszukiwaną przez nas we Włoszech latem 1995 roku. Był jeszcze ktoś inny, kto odegrał nie mniej ważną rolę w przemycie dzieł sztuki, aczkolwiek nieco innego rodzaju. By wyjaśnić wszystko do końca, musimy powrócić do jesieni 1985 roku.

Mniej więcej w tym samym czasie, kiedy wybuchła afera wokół waz apulijskich, Felicity Nicholson i jej zespół poddani zostali jeszcze innej próbie. Hodges dowiedział się o tym, kiedy go wezwano do gabinetu Nicholson pewnego październikowego poranka tego roku. Miała zwyczaj palić tylko po południu, ale tego poranka paliła papierosy jeden za drugim, co znaczyło, że jest podniecona. Powiedziała Hodgesowi, że tego ranka obejrzała w domu pewnego Włocha mieszkającego w bocznej i cichej ulicy w Chelsea wspaniały posąg, z czarnego bazaltu, pięknie polerowany, wyobrażający śpiewaczkę świątynną z VII wieku p.n.e., tj. z okresu rządów faraona Psammetichusa. Dodała, że posąg miał duże znaczenie naukowe. Kilka miesięcy przedtem przysłano jej jego zdjęcia i wyceniła go na 60 do 80 tysięcy funtów, ale teraz, po obejrzeniu posągu na własne oczy, doszła do wniosku, że wart jest dwa razy tyle. Nie była to, co prawda, kwota, jaką osiągają stare płótna lub impresjoniści, ale jak na antyk było to wystarczająco dużo. Posąg mógł stanowić główną atrakcję zbliżającej się aukcji grudniowej.

Z posągiem wiążą się jednak pewne problemy. Po pierwsze, został przemycony z Rzymu do Londynu, a więc nie ma na niego żadnych dokumentów wwozowych. Ale ten fakt nie stanowił żadnej przeszkody dla Nicholson, ponieważ postanowiła wywieźć statuę do Szwajcarii i wwieźć ją ponownie stamtąd do Anglii. Władze szwajcarskie zezwalają na wolny handel dziełami sztuki i na niczym nieskrępowany wwóz i wywóz z kraju, tak więc, kiedy posąg znajdzie się już w Genewie, gdzie Sotheby's ma oddział, można go będzie potem przewieźć do Londynu w sposób zupełnie legalny. Zadaniem Hodgesa było przygotować odpowiednią skrzynię i zorganizować wywóz do Genewy. Miał też zadzwonić i powiadomić niejakiego Fantechi z Chelsea o całym przedsięwzięciu.

Sam wywóz nie nastręczał specjalnych problemów, aczkolwiek powstały pewne kłopoty uniemożliwiające wystawienie posągu na aukcji z grudnia 1985 roku. Natomiast na następnej aukcji, w lipcu 1986 r., z całą pewnością będzie stanowił największą atrakcję. Po dotarciu do Genewy posąg odesłano z powrotem, ale już z odpowiednimi papierami wskazującymi na to, że stanowi własność niejakiej panny Domitilli Steiner, zamieszkałej w Szwajcarii. Żaden z celników lub urzędników skarbowych sprawdzający je nie wpadnie na to, że pannę Steiner łączy cokolwiek z firmą Sotheby's. Natomiast Hodges dowiedział się o tym fakcie 20 stycznia po otrzymaniu następującego pisma od Nicholson:

> James, proszę dopilnować, by odnotowano datę sprzedaży posągu, który nadejdzie za pośrednictwem oddziału genewskiego. Dokumenty wystawiono na nazwisko Steiner, która jest jedną z pasierbic Raynera.

Hodges wiedział kim jest Rayner. Znał go ze słyszenia. Był to jeden z szefów firmy, absolwent Eton, szef oddziału szwajcarskiego, zapalony kibic bobslejowy i organizator niezmiernie popularnej giełdy jubilerskiej w St Moritz, odbywającej się każdego roku drugiego tygodnia lutego, w samym środku sezonu narciarskiego. Będąc znanym i doskonałym jubilerem, Rayner pracował w firmie Chaumet w Rzymie i należał do europejskiej śmietanki towarzyskiej. Brat jego był powszechnie znanym bankierem w londyńskim city. Zasłynie później ze sprzedaży klejnotów księżnej Windsoru za 50 milionów dolarów.

Tymczasem powstał następny szkopuł, o którym Hodges dowiedział się z notatki, którą nam także przekazał. Notatkę tę z datą 24 marca Felicity Nicholson przesłała do Joego Ocha, doradcy prawnego firmy. Oto jej treść:

> Obejrzałam posąg najpierw w Londynie i zgodziłam się na sprzedaż po niezmiernie trudnych negocjacjach. Nazwisko prawdziwego właściciela zachowano w ścisłej tajemnicy i nie znam go do tej pory. Musieliśmy posąg ponownie wwieźć do kraju, ponieważ nie posiadał dokumentu wwozowego i nie

można było go uzyskać od pośredników (prawie na pewno statua pochodzi z Włoch). Posąg został wywieziony z kraju (nie przez nas) i następnie przywieziony z powrotem z Genewy, gdzie go uprzednio zgłoszono na nazwisko pasierbicy Raynera (wciągniętej do sprawy, ponieważ zna przyjaciela właściciela, który, jak mi się wydaje, mieszka w Rzymie). O przedmiocie były dwie publikacje... ale jego posiadacz oświadczył, że jeżeli o nich wspomnimy, to wycofa się z aukcji. To najlepsza pozycja aukcji i chyba najlepsza od dłuższego już czasu, wyceniona na 100–150 tysięcy funtów. Co o tym sądzisz? Proszę potraktować całą sprawę za niezmiernie pilną!

Następne pismo, będące czymś w rodzaju *aide-memoire*, pochodziło z 27 marca. Nie nosiło żadnego podpisu i fragment jego brzmiał tak:

...1. Joe Och wyraził opinię, że należy zorganizować sprzedaż. Nie wiemy, kiedy opuścił Włochy, itd. FN rozmawiała z nim przez telefon. Jeśli o nas chodzi, to przywieziono go legalnie.

Jednak z jedną sprawą Sotheby's nie mogła sobie poradzić: z posągiem związane były niewygodne „publikacje". Innymi słowy, statua była na tyle niezmiernie ważnym i ciekawym przedmiotem, że pisano o nim już w trzech naukowych pismach. Pierwsza publikacja opatrzona zdjęciem ukazała się w biuletynie francuskiego instytutu archeologii orientalnej w roku 1960, druga – we włoskim dzienniku „Oriens Antiquus" w 1970 r., zaś trzecia – w periodyku instytutu francuskiego w Kairze w 1975 roku. Nie były to, co prawda, wielkonakładowe pisma, ale jednak. Każdy potencjalny kupiec przedmiotu zabytkowego tej miary wie, jak się poruszać w „terenie" i z łatwością może dotrzeć do publikacji naukowych tego rodzaju (na przykład dwa z tych czasopism znajdują się w British Museum i wystarczy godzina, by je odnaleźć).

W tym tkwił cały paradoks. W normalnych okolicznościach takie naukowe periodyki mogą być wielce pomocne dla Sotheby's i sprzedających, stanowią bowiem niezależne potwierdzenie znaczenia i autentyczności (co bardzo ważne), ale w tym konkretnym przypadku stanowiły olbrzymie zagrożenie, o czym obydwie strony doskonale wiedziały. Oprócz podkreślenia wagi posągu i omówienia znaczenia hieroglifów na jego odwrocie, artykuły w tych czasopismach ujawniały, że do roku 1960 przedmiot ten znajdował się we Włoszech, stanowiąc część kolekcji hrabiego Andrei Beaumonta Bonelli z Neapolu. Od tego czasu prawodawstwo włoskie nie uległo istotnym zmianom, a więc nie było żadnego sposobu, by legalnie wywieźć statuę z kraju.

Następny dokument w tej sprawie był jeszcze bardziej wymowny. Nie nosił żadnego podpisu i miał także charakter noty ogólnej, podsumowującej sposób rozumowania firmy.

> 1. Jeżeli posąg sprzedamy muzeum, nie będzie możliwości uniknięcia publikacji na jego temat. Muzeum nie dokona zakupu przy istniejących ograniczeniach. Jednym z pierwszych pytań, jakie postawi to, na pewno, czy była publikacja na jego temat?
>
> 2. To samo dotyczy kupca indywidualnego czy handlarza. Nie ma sposobu na to, by kupujący przedmiot tej wagi i znaczenia nie dowiedział się, prędzej czy później, o jego pochodzeniu. Istnieje także możliwość, że w pewnym momencie któryś z nich może wystawić go na sprzedaż w naszej firmie czy w domu aukcyjnym Christie's, i wtedy pochodzenie jego i fakt istnienia publikacji prasowych na jego temat staną się powszechnie znane.
>
> 3. Co się tyczy obecnego właściciela, można oświadczyć, że sprzedał go pod koniec lat siedemdziesiątych (czyli po ukazaniu się ostatniej publikacji w r. 1975) i że nie stanowi już jego własności, zaś firma nasza może oświadczyć, że posąg należy do kogoś zamieszkałego w Szwajcarii i na tym koniec...

Punkt trzeci posiada kluczowe znaczenie. Oto ktoś z działu antyków Sotheby's namawia swych szefów do popełnienia fałszerstw, by sprawić wrażenie, iż działania firmy mają charakter legalny i wprowadzić w błąd innych w celu doprowadzenia do aukcji. Pismo było zredagowane w sposób wyniosły i arogancki, i miało charakter na wskroś oszukańczy.

Następną notę wystosowano dwa dni później. Nie nosiła żadnej daty ani podpisu, ale jej styl, format i czcionki były podobne. Skierowana była do Joego: „Możemy tego dokonać? Nie mów nic o kolekcji Andrei Baubeaumonta (*sic*) Bonelli, czy o artykułach, ale powiedz..." i dalej wymieniono trzy czasopisma z artykułami o posągu. A więc wyglądało na to, że sugerowano pewien kompromis. Adnotacja ukazałaby się w katalogu Sotheby's. A więc, gdyby potem powstały jakieś problemy, Sotheby's mogłaby się powołać na to, że nie ukrywała miejsca pochodzenia posągu. Jednocześnie gdyby wymieniono z nazwy wzmiankowane czasopisma, a nie tytuły artykułów, być może nikt by nie zajrzał do nich i niczego nie skojarzył.

Pomimo tej ekwilibrystyki i zastosowania wszystkich możliwych chwytów, mających na celu wystawienie posągu do licytacji, zdecydowano w końcu, że wzmianek prasowych nie można pominąć w katalogu i że istnieje zbyt duże ryzyko odkrycia faktu pochodzenia posągu śpiewaczki świątynnej z Włoch. W końcu po wielu wahaniach statuę wycofano z aukcji letniej, co nie oznaczało jednakże, że sprawę zamknięto.

Hodges przekazał mi także kopię listu od Nicholasa Raynera ze Szwajcarii do pani Christine Burrus, zamieszkałej w Genewie, noszącego datę 9 kwietnia 1986 r. Rayner został zamieszany w sprawę, ponieważ według Felicity Nicholson on i właściciel posągu posiadali wspólnego znajomego. Znajomym owym mogła być madame Burrus, ponieważ fragment listu stwierdzał co następuje:

> Droga Christine,
>
> Nasza specjalistka od antyków Felicity Nicholson poinformowała mnie, że moglibyśmy narazić się na ostrą krytykę, gdybyśmy nie dopuścili do publikacji artykułu (*sic*) o tym przedmiocie. Moglibyśmy zostać oskarżeni o świadome ukrywanie jego pochodzenia... Znając stanowisko właściciela w tej sprawie zwróciłem się do panny Nicholson o wycofywanie (*sic*) go z katalogu.

Pomimo błędów gramatycznych, list został starannie zredagowany i choć posąg został wycofany z katalogu nie oznaczało to, że postawa moralna firmy uległa jakiejkolwiek zmianie. Sotheby's postanowiła teraz sprzedać antyk osobie prywatnej. Dwa tygodnie potem, 24 kwietnia, Felicity Nicholson znowu napisała do Joego Ocha, donosząc mu, że zwrócono się do niej z prośbą o sprzedanie przedmiotu osobie prywatnej pomimo trzech adnotacji naukowych o nim i radząc się go, czy ewentualnemu kupcowi należy udostępnić „pozostałe informacje". O dziwo, w dalszym ciągu „szła na łatwiznę".

Sześć miesięcy po tym fakcie, doszło do transakcji 22 października. Posąg został sprzedany handlarzowi Heidi Betzowi za 175 tysięcy funtów w pomieszczeniach firmy Sotheby's. Hodges był obecny przy sprzedaży i, co jeszcze bardziej interesujące, był także obecny właściciel posągu, niejaki Guilio Jatta, który podpisał stosowne papiery i podał adres: Via L. Respighi 16, w Rzymie, co tłumaczyło dlaczego śpiewaczkę przesłano z Włoch w tak tajemniczych okolicznościach.

Sprawę tę poruszono pobieżnie podczas procesu Hodgesa, kiedy Fantechiego wymieniano jako pana F., natomiast Guilio Jattę jako pana J. Mówiono wówczas także o peregrynacjach posągu z Londynu do Szwajcarii i z powrotem, czemu nie zaprzeczył żaden świadek domu aukcyjnego Sotheby's. Tak więc jeszcze jeden komplet dokumentów okazał się być prawdziwy.

W lipcu 1995 roku istniały pewne możliwości, z których mogliśmy skorzystać, by posunąć sprawę do przodu i udowodnić wszystko to, o czym mówiły dokumenty. Jedną z takich możliwości byłaby rozmowa z Fantechim w Londynie. Ponieważ nie odpowiadał na nasze listy z prośbą o wywiad, więc postanowiliśmy złożyć mu wizytę w jego domu na Moore Street w Chelsea. Sam otworzył drzwi, ale kiedy się zorientował kim jestem i że jest filmowany, natychmiast się odwrócił i nie chciał rozmawiać, po czym szybko zamknął mi drzwi przed nosem.

Tydzień potem postanowiliśmy się skontaktować z panem Jattą w Rzymie. Nie mieszkał już na via L. Respighi, ale dozorca poinformował nas, że Jatta przeprowadził się do śródmieścia. Znaleźliśmy jego nazwisko w książce telefonicznej oraz adres na via Gaetano Scipio w modnej dzielnicy w północno-wschodniej części miasta. Odwiedziliśmy go w domu, z czego był bardzo niezadowolony. Zaprzeczył jakoby sprzedał cokolwiek Sotheby's i zabronił nam odwiedzania go czy niepokojenia w przyszłości.

Ale było jeszcze coś, co odkryliśmy o Guilio Jatcie w Rzymie. Cecilia Todeschini udała się do ratusza miejskiego na via del Plebiscito i wydobyła świadectwo urodzenia pana Jatty, według którego panieńskie nazwisko jego matki brzmiało Anna Beaumont. W tym miejscu należy przypomnieć, że *Śpiewaczka świątynna* znajdowała się kiedyś w kolekcji hrabiego Andrea de Beaumonta Bonelli z Neapolu.

I to jeszcze nie wszystko w tej konkretnej sprawie, bowiem trzeba pamiętać, że na początku wstępnych przygotowań do naszego dochodzenia, tj. w pierwszych miesiącach 1994 roku, odwiedziłem Felicity Nicholson, by z nią porozmawiać o międzynarodowym handlu dziełami sztuki. Obecny był prawnik podczas tej rozmowy. Rozmowa została przerwana nagle, gdy panna Nicholson rzekła, że musi udać się na następne spotkanie, ale zdążyłem jeszcze zapytać ją o posąg śpiewaczki. Odmówiła co prawda odpowiedzi powołując się na tajemnicę handlową, ale udało mi się jeszcze ją zapytać, czy Sotheby's sprzedała posąg osobie prywatnej.

– Nie, nie sprzedaliśmy – odpowiedziała.

– Ale czy sprzedaży nie dokonano w biurze firmy Sotheby's?

– Tak, owszem. Ale nie mieliśmy z tym nic wspólnego.

– Czy pobraliście prowizję?

– Nie, absolutnie nie.

Pomimo to Hodges wręczył nam dokument potwierdzający, że Sotheby's pobrała wstępną prowizję w wysokości 2,4 procenta od sprzedaży, czyli 4200 funtów.

ROZDZIAŁ SIÓDMY

Bogini-lwica

Podróż do Włoch i Szwajcarii w lipcu 1995 roku okazała się nader owocna. Giacomo Medici, Serge Vilbert i Guilio Jatta byli ludźmi z krwi i kości, a nie tylko nazwiskami z dokumentów. Przemyt waz apulijskich i *Śpiewaczki świątynnej* wypłynął na rozprawie Hodgesa i nikt nie kwestionował autentyczności dokumentów. Nasza interpretacja była zgodna z interpretacją sądu, i co do tego nie było żadnych zastrzeżeń. Informacje, jakie nam przekazał Hodges okazały się prawdziwe, a nam z kolei udało się stworzyć przekonywający obraz nielegalnego handlu antykami we Włoszech, ukazujący ponurą rzeczywistość kryjącą się za napuszonymi aukcjami londyńskimi. Ale istniał jeszcze inny powód naszej wyprawy do Rzymu.

W przypadku posągu Sekhmet, bogini-lwicy, wkraczaliśmy na zupełnie nowy teren. Tych dokumentów nie przedstawiono sądowi i w tym sensie nikt ich nie sprawdzał. Wysłaliśmy, co prawda, niektóre z dokumentów do Sotheby's, dołączając nasze uwagi, ale firma odpowiedziała po prostu „Bez komentarza". Żadnej reakcji, żadnego zaprzeczenia, po prostu nic. W takiej sytuacji postanowiliśmy działać.

Najważniejszym dokumentem w tej sprawie była notatka napisana przez Marcusa Linella, którego znałem i ceniłem. Był szatynem, o szczerym wyrazie twarzy, przywiązującym dużą wagę do szczegółów. Był zawsze uprzejmy i skory do pomocy. Na początku lat osiemdziesiątych mówiło się o nim nawet jako o przyszłym dyrektorze firmy, ale pod koniec dekady gwiazda jego przybladła nieco. Mimo to w dalszym ciągu zasiadał w radzie nadzorczej oddziału europejskiego i znany był z najbardziej błyskotliwych transakcji swej firmy. To właśnie on zorganizował biuro podróży Sotheby's. Był także autorem kontrowersyjnego programu inwestowania w dzieła sztuki przez Fundusz Emerytalny Kolei Brytyjskich i to jemu właśnie udało się przekonać londyńskiego Lloydsa do przyjmowania dzieł sztuki jako zastaw polis ubezpieczeniowych. Był też organizatorem aukcji szczególnego rodzaju, między innymi takich jak sprzedaż elżbietańskiego domu Littlecote w Hampshire wraz ze słynną kolekcją zbroi.

Dokument Linella nosił datę 18 października 1985 roku, czyli napisany został kilka dni po spotkaniu Felicity Nicholson z Fantechim w Chelsea. Zaadresowany był do Juliana Thompsona, Tima Llewellyna i Toma Tidy, stanowiących skądinąd ciekawy triumwirat. Thompson był specjalistą sztuki orientalnej i zarazem wicedyrektorem na Europę, członkiem zarządu głównego oraz członkiem rady nadzorczej holdingu Sotheby's, czyli centrali firmy z siedzibą w Nowym Jorku. Tim Llewellyn był synem Grahama Llewellyna. Był ekspertem od starych płócien i dyrektorem zarządzającym centralą w Londynie. Tidy zajmował się finansami na Europę, będąc zarazem członkiem zarządu. Innymi słowy, cała trójka to naprawdę wyżsi rangą urzędnicy firmy.

Notatka miała następujący nagłówek: „Posąg Sekhmet, własność Xoilan Trading Inc., (Robin Symes)". Wymienienie Xoilan i Robina Symesa uderzyło Hodgesa. Symes był londyńskim pośrednikiem współpracującym ściśle z Felicity Nicholson. Swego czasu wynajął nawet pracownię w ogrodzie panny Nicholson dla swych gości – kolegów po fachu, którzy go odwiedzali w interesach. Xoilan, o czym Hodges wiedział dobrze, miała biura pod tym samym adresem, co Editions Services, i nadsyłała podobne przedmioty.

Treść notatki Linella brzmiała:

> Omówiliśmy pokrótce problem, jaki się wyłonił w związku z prywatną sprzedażą przez nas zorganizowaną. Sytuacja jest tego rodzaju, że rok temu Felicity Nicholson zobaczyła bardzo ładny posąg z kamienia w antykwariacie włoskim. Antykwariusz jest nam dobrze znany i jest naszym stałym dostawcą. Felicity pojechała do niego wraz z Michaelem Thomsonem Gloverem i wyceniła statuę na 80–100 tysięcy funtów.
>
> Z dyskusji, jaka się potem wywiązała, wynikało, że antykwariusz nie życzył sobie formalności związanych z wywozem i upierał się przy sprzedaży osobie prywatnej. Felicity zwróciła się do Robina Symesa z pytaniem, czy interesuje go kupno posągu, nie obiecując wcale, że sprzedaż nastąpi w drodze

przetargu... Uzgodniono, że Felicity złoży ofertę o wartości 40 tysięcy funtów. Właściciel przyjął tę kwotę, wypłaty dokonano, natomiast firma nasza pobrała prowizję w wysokości (puste miejsce)... My, ze swej strony, zorganizowaliśmy transport posągu do Rzymu i w rok później dowiedzieliśmy się, że posąg znajduje się w Londynie...

Linell używał ostrożnych sformułowań, ale mimo to widać było wyraźnie, co zaszło, tym bardziej że na następnej stronie notatka zawierała wyszczególnienie kosztów związanych z wywozem posągu Sekhmet z Włoch:

	funtów
Cena wraz z naszą prowizją	48 800
Koszt przewozu do Rzymu	2 850
Koszt przewozu do Genewy	10 700
Koszt przewozu do Londynu	633
Przewóz do Nowego Jorku	616
Z Nowego Jorku do Sotheby's	100
Razem	63 699

Kilka rzeczy rzucało się od razu w oczy. Po pierwsze – to, że choć handlarz z Genui niechętny był wysyłce posągu za granicę, Felicity Nicholson nie miała żadnych skrupułów tego rodzaju. Po drugie – to, że Sotheby's zainkasowała 8800 funtów prowizji od ceny 40 tysięcy funtów, co stanowiło 22 procent, z czego przypuszczalnie 10 procent otrzymał sprzedawca, czyli handlarz włoski, i 10 procent Symes, plus po procencie na ubezpieczenie dla każdej ze stron. Po trzecie, chyba najbardziej uderzającym faktem był koszt przewozu. Koszt transportu z Genui do Rzymu był niewspółmiernie wysoki w porównaniu z następnym punktem ze względu na konieczność zamówienia specjalnej skrzyni na posąg Sekhmet. Ale podczas gdy koszt transportu posągu na odległość około tysiąca kilometrów od Genewy do Londynu wyniósł 633 funty i tylko 616 funtów za prawie sześć tysięcy kilometrów dzielących Londyn od Nowego Jorku, to kwota 10 700 funtów zapłaconych za przetransportowanie Sekhmet na trasie z Rzymu do Genewy mówiła sama za siebie.

Taki bowiem był koszt przerzutu posągu przez granicę włosko-szwajcarską.

Mając dokument w ręku, chcieliśmy uzyskać potwierdzenie faktów w nim zawartych. Najpierw spróbowaliśmy się skontaktować z Robinem Symesem w jego galerii mieszczącej się na ulicy Jermyn w Londynie. Nie zadał sobie nawet trudu, by odpowiedzieć na nasz list, pomimo że kopię notatki wysłaliśmy mu pocztą poleconą. Udaliśmy się więc do jego domu na Seymour Walk w południowo-zachodniej części Londynu. I chociaż gosposia zaprosiła mnie do wewnątrz, usłyszałem przez domofon, że nie życzy sobie ze mną rozmawiać. Mimochodem przyznał jednak, iż otrzymał list polecony, po czym kazał mi się wynosić, ponieważ ma zamiar właśnie pojechać na lotnisko.

Postanowiliśmy poczekać na zewnątrz. Wkrótce podjechał czerwony bentley i pan Symes wyłonił się z drzwi wejściowych. Podszedłem do niego i powiedziałem, że chcę porozmawiać z nim o posągu Sekhmet. Kazał mi odejść i bez słowa wsiadł do limuzyny, która szybko odjechała.

W lipcu 1995 r. zwróciliśmy się do firmy Cointra, posiadającej biura nieopodal lotniska Leonarda da Vinci i będącej jednym z największych towarzystw przewozowych w Rzymie, zajmującym się transportem dzieł sztuki na całym świecie, z pytaniem o koszt wysyłki posągu o podobnych wymiarach i wadze co statua Sekhmet. Odpowiedziano nam, że o ile posiadamy odpowiednie dokumenty wywozowe, ponieważ w przeciwnym razie nie podejmą się zlecenia, pobiorą maksymalną stawkę ekspresową wynoszącą w przeliczeniu 1500 funtów, plus 300 funtów za ubezpieczenie i 100 funtów za skrzynię, czyli razem 1900 funtów w porównaniu z 10 700, jakie podano w wykazie.

W pewnym sensie notatka Linella była chyba najbardziej rewelacyjna ze wszystkich, ale na tym jeszcze nie koniec. Fakty w niej zawarte potwierdzało pięć innych dokumentów, jednoznacznie wskazujących na udział w aferze florenckiego przedstawicielstwa Sotheby's.

Pierwszy z nich to odręcznie skreślone uwagi na zdjęciu bogini: „FN rozmawiała z MTG. R&C są zainteresowani, ale ponieważ będą w NJ przez pewien czas pójdziemy na całość i postaramy się sami. Gdyby nie można (*sic*), to i tak będą zainteresowani. FN wymieniła cenę 80 tysięcy funtów, gdy go zobaczyła". Należy wyjaśnić w tym miejscu, że FN to Felicity Nicholson, MTG to były szef oddziału florenckiego Michael Thomson Glover, obecnie kierownik salonu sprzedaży Sotheby's w Billingshurst, zaś R&C to nie kto inny, jak tylko Robin Symes i jego wspólnik Christo Michaelides. NJ to oczywiście Nowy Jork.

Następny dokument nie nosi żadnego podpisu ani daty, natomiast nagłówek mówi sam za siebie: „Sekhmet we Włoszech (Michael Thomson Glover): MTG donosi, że klient chce 60 tysięcy funtów, ale istnieje pewne pole manewru (*sic*). Zakupu powinien dokonać R&C. Michael musi robić to, czego chcą. Nie można przesłać bezpośrednio". Proszę zauważyć: „Zakupu powinien dokonać R&C... Nie można przesłać bezpośrednio". Co to oznaczało? Ano to, że Symes miał być fasadą, tj. udawać kupca, aby wszystko wyglądało zgodnie z prawem, ale tak naprawdę to zarówno sam dom aukcyjny, jak i dealer brali bezpośredni udział w aferze.

Trzecim z kolei dokumentem była także odręcznie skreślona notatka, tym razem od Felicity Nicholson do Carla Lennoxa, który był jednym z sekretarzy działu antycznego. Nosiła datę 11 lipca 1984 roku i treść jej brzmiała tak: „Proszę o odnotowanie do akt faktu odbycia rozmowy z Michaelem Thomsonem Gloverem i złożenia mu oferty w wysokości 40 000 funtów za statuę egipską w imieniu Robina Symesa. Powiadomi nas o decyzji".

Następna notatka pochodziła z 2 stycznia 1985 r. i potwierdzała fakty zawarte w dokumentach. Napisała ją Felicity Nicholson i treść jej była następująca: „Jakiś czas temu, przedstawicielstwo we Florencji pokazało mi pewien przedmiot. Doprowadziłam do sprzedaży prywatnej. Transakcję przeprowadził oddział florencki (w załączeniu). Zapłacono mu 110 milionów lirów (około 58 tysięcy funtów) wraz z prowizją". Piąty z kolei dokument, noszący datę 22 października 1985 r., potwierdzał dalsze szczegóły. „Dot. SEKHMET. We Florencji otrzymaliśmy 110 milionów lirów, z czego 10 milionów otrzymaliśmy od kupującego i 10 milionów od sprzedającego. Transakcja doszła do skutku dnia... Przyczyna wysokiego kosztu przewozu z Genui do Rzymu tkwi w tym, że musieliśmy zamówić specjalną skrzynię dla przedmiotu."

Oto szefowie działu antyków Sotheby's i przedstawicielstwa firmy we Florencji oraz jeden z najpoważniejszych handlarzy międzynarodowych wdają się w przerzut przedmiotu zabytkowego z Włoch do Ameryki przez Wielką Brytanię. Z całą pewnością nie przypadkiem Sotheby's przymyka oczy na coś. Jak wskazują dokumenty – wyżsi urzędnicy firmy wpadli na ten pomysł i zorganizowali fundusze oraz transport.

Afera związana z Sekhmet na tym się jednak nie kończy. Sedno sprawy ujawnia strona druga notatki Linella, ta właśnie zawierająca wyszczególnienie kosztów przewozu bogini z Genui do Nowego Jorku. Po dotarciu posągu do Nowego Jorku sytuacja ulega radykalnej zmianie. Lektura ostatniego paragrafu noty stanowi przezabawną lekturę.

> Po przyjeździe do Nowego Jorku posąg wyjęto ze skrzyni i ustawiono do sfotografowania, ale kiedy włączono jupitery okazało się, że to odlew z mieszaniny cementu portlandzkiego, węgla drzewnego i kalcytu. Robin i Felicity mówili potem, że czegoś podobnego nigdy przedtem na oczy nie widzieli. Po prostu odjęło im mowę...

To tyle o ich fachowości. Co za ironia losu, by nie powiedzieć komizm. Po tylu zabiegach, jako żywo wyjętych z powieści płaszcza i szpady, mających na celu wydostanie posągu bogini z Włoch i wydaniu tylu pieniędzy, okazuje się nagle, że to nędznej jakości „podróba". Z tego właśnie powodu „grube ryby" firmy wkroczyły do akcji. Robin Symes stracił 63 699 funtów, ale za wszystko odpowiadał dom aukcyjny Sotheby's w osobach Felicity Nicholson i Michaela Thomsona Glovera, którzy doprowadzili do transakcji. I dlatego koniecznym było sporządzenie klarownej specyfikacji kosztów.

Linell nie miał żadnych wątpliwości, że Sotheby's powinna odpowiadać za straty i zwrócić Symesowi pieniądze. W jednej z następnych notatek, zaadresowanych do Tima Llewellyna i Toma Tidy, napisał: „Odbyłem wyczerpujące rozmowy z Robinem Symesem, Felicity Nicholson, a także z Dede Brooks (będącą w owym czasie zastępcą kierownika w Nowym Jorku, a obecnie dyrektorem generalnym na cały świat), podczas których uzgodniliśmy, że firma nasza zwróci Symesowi wszystkie wydatki poniesione przez niego aż do chwili przybycia posągu do Londynu... W sumie w wysokości 88 176 funtów".

Sotheby's postanowiła teraz odzyskać, ile się da od pośrednika z Genui. Ale nie było to łatwe. Tuż przed świętami Bożego Narodzenia Tim Llewellyn napisał do Linella, pytając go czy posunął się naprzód w kwestii odzyskania pieniędzy. Linell odpisał, że handlarz jest „nieco skłonny" i że Michael Thomson Glover „ciągle go sonduje w celu zorientowania się, ile można od niego wyrwać". Jak się okazało później poniósł go trochę optymizm, bowiem w telexie z dnia 11 lutego 1986 r. Michael Thomson Glover donosił Felicity Nicholson: „Dziesięć dni temu udałem się na rozmowy (o bogini). Klient sprawia trudności. Będę musiał ponownie pojechać na rozmowy z nim i doradcą prawnym".

Wydawało się, że Sotheby's jest przekonana, iż dealer z Genui musiał sobie zdawać sprawę z tego, że Sekhmet była falsyfikatem i dlatego wolał bawić się w płaszcz i szpadę. Z kolei Sotheby's uważała, że zrobi dobry interes i niezbyt dokładnie sprawdziła posąg. Przy tym wszystkim nie należy zapominać, że dom aukcyjny Sotheby's to potężna instytucja, licząca się bardzo na rynku światowym. Jak napisał w swej nocie Linell, pośrednik z Genui jest stałym dostawcą. A zatem trudno by było kontynuować z nim współpracę (szczególnie w sytuacji, kiedy dysponuje przemytem), jeśli nie osiągnie się z nim jakiegoś porozumienia co do posągu bogini egipskiej.

I chyba z tego powodu handlarz z Genui ustąpił nieco w maju 1986 roku. Dwudziestego szóstego maja Thomson Glover wysłał list do Felicity Nicholson i kopię listu do Tima Llewellyna, donosząc w nim, że negocjuje dalej z handlarzem z Genui i że doszli już do pewnego porozumienia. „Sprzedający godzi się na pokrycie połowy różnicy między ewentualną ceną sprzedaży «kota» w Nowym Jorku, a sumą 90 milionów lirów, jakie otrzymał. Ponieważ w tej sytuacji żadne postępowanie prawne nie wchodzi w rachubę, myślę, że nie możemy osiągnąć nic więcej ponad to, a i to przyszło mi z trudem, ponieważ musiałem na niego wywierać silny nacisk moralny."

Oto jawi się nam obraz krętacza jawnie łamiącego prawo, wywierającego moralny nacisk na innego niegodziwca, kpiącego sobie w żywe oczy z prawa. Fakt, iż pierwszy z nich jednym tchem przyznaje, że nie można podjąć działań prawnych przeciwko drugiemu mógłby śmieszyć, gdyby aż tak nie smucił. Natomiast wzmianka o ewentualnej sprzedaży w Nowym Jorku wprowadza nas do ostatniego rozdziału tej niecnej afery. Zamierzano wystawić posąg bogini na tzw. aukcji pod arkadami w dniach 17–18 grudnia 1986 r. Pod nazwą tą znane były bardziej kameralne licytacje przedmiotów ozdobnych, na których z reguły nie wystawiano dzieł sztuki o większych gabarytach. Katalogi były tu mniej szczegółowe, bez specjalnych kategorii wystawianych przedmiotów, a okres dostawy znacznie krótszy.

Posąg bogini Sekhmet odbył długą drogę i spadł bardzo nisko, od pierwotnej wyceny 200 000–300 000 dolarów do 4000–6000 dolarów, z marginesem 3000 tysięcy. Licytację jednak przerwano na 2750 dolarach, ponieważ nie było chętnego. Posąg ponownie wystawiono na licytacji 25 listopada 1987 roku i tym razem udało się go sprzedać za osiem tysięcy dolarów, czyli za „psi pazur".

Pod pewnym względem epizod z boginią Sekhmet miał o wiele większe znaczenie niż afera ze *Śpiewaczką* czy wazami apulijskimi, ponieważ zamieszane tu były główne osobistości Sotheby's, co prawda nie w charakterze funkcjonariuszy firmy, ale jako „straż pożarna". Tim Llewellyn i Julian Thomson to wielkie szychy w Londynie, natomiast Dede Brooks to z kolei czwarta figura w Nowym Jorku po Johnie Marionie, Michaelu Ainslie i Alfredzie Taubmanie. Żaden z nich nie kiwnął nawet palcem, by zapobiec naruszaniu prawa. W dokumentach nie ma ani słowa krytyki pod adresem Felicity Nicholson czy Michaela Thomsona Glovera. Nikt nie pytał o jego kontakty z Robinem Symesem. I trzeba pamiętać, że Sotheby's grała główne skrzypce w całej aferze i że musiała zwrócić pieniądze Symesowi.

A więc dlaczego nie podjęto żadnych kroków dyscyplinarnych? Czy może aby nie dlatego, że kierownictwo przymykało oczy na to, co się w firmie działo? Kilka razy w ciągu 1994 i 1995 roku zwracaliśmy się z zapytaniem do kierownictwa firmy, czy podjęto jakieś kroki przeciwko Felicity Nicholson lub Michaelowi Thomsonowi Gloverowi. Odpowiedź brzmiała niezmiennie: „Nie mamy nic do powiedzenia na ten temat".

ROZDZIAŁ ÓSMY

Telefon z Zurychu

Po powrocie z Włoch głównym naszym zadaniem było sfilmowanie letniej aukcji Sotheby's z ukrycia. Było to o tyle ważne, że firma ta nie zezwala na filmowanie, twierdząc, że obecność ekip telewizyjnych stanowi zagrożenie dla delikatnych przedmiotów wystawianych na aukcję. My jednak podejrzewaliśmy, że przyczyna tkwi gdzie indziej. D'Estee Bond z biura prasowego firmy w notatce dotyczącej stosunku prasy do firmy Sotheby's po aferze z wazami apulijskimi, zastanawia się, czy „nie należy zakazać telewizji wstępu na aukcje w celu... ochrony klientów włoskich?" (przyznając tym samym, że wśród dostawców antyków są Włosi). I potem stawia takie oto pytanie: „Czy powinniśmy wstrzymać sprzedaż przedmiotów mogących pochodzić z przemytu ze względu na opinię społeczną? Jeśli tak, to czym wówczas będziemy dysponować?" A tymczasem do letniej licytacji wystawiono sześć waz apulijskich, z których ani jedna nie posiadała żadnej dokumentacji. Tak więc niecny proceder trwał dalej.

Po nakręceniu filmu z aukcji wszyscy udaliśmy się na urlop. Ja pojechałem na ryby do Szkocji. Po wakacjach zajmiemy się dalszym badaniem wykroczeń i występków firmy Sotheby's. Trzy przypadki przemytu z Włoch świadczyły niezbicie, że dział przedmiotów antycznych, kierowany przez Felicity Nicholson, zajmuje się w sposób bezwstydny handlem bezcennymi przedmiotami pochodzącymi z nielegalnych wykopalisk i przewożonymi w jakiś podejrzany i pokrętny sposób. Ale to tylko część naszego planu, ponieważ dokumenty świadczyły jeszcze o innych niecnych praktykach, zachodzących na terenie firmy i wykraczających swym zasięgiem daleko poza sferę antyków i przemytu.

Kiedy tak stałem sobie w ulewnym deszczu w rzece Esk po kolana w wodzie, zastanawiałem się nad tym, jak posunąć sprawy do przodu, mieliśmy bowiem tyle papierów, że czasami nie bardzo wiedzieliśmy, które z nich wybrać. Część dokumentów było natury technicznej i mogły zainteresować raczej tylko profesjonalistów, handlarzy czy kolekcjonerów, a nie zwykłych telewidzów, a zakładaliśmy, że oglądać nasz program będą zwykli widzowie. Pewnego deszczowego poranka usłyszałem wysoko w górze huk myśliwca RAF-u, odbywającego lot ćwiczebny. Pomyślałem sobie, jak wiele taki pilot ryzykuje, ale w tym momencie przyszło mi zupełnie co innego do głowy.

Niebo było mroczne i ponure, ale dzięki radarowi piloci mogli wszystko widzieć. To, z czym mieliśmy do czynienia w pierwszej części programu, było dokładnie odwrotnością tej sytuacji. Licytacja ma w swym założeniu być operacją otwartą i czystą. Ale zawartość dokumentów wskazuje, że to całkowita nieprawda, ponieważ istniała cała gama różnych możliwości „ustawiania" jej. To, co mogło wydawać się oczywiste, było w istocie bardzo mroczne i podejrzane. I to właśnie postanowiłem pokazać w dalszej części programu: jak łatwo można manipulować przetargami i dowolnie je „ustawiać". A to zrozumieją wszyscy.

Wróciliśmy do Londynu i skupiliśmy się na dwóch dokumentach, z których każdy miał po jednej stronie. Wskazywały one jednoznacznie jak dziecinnie łatwo można manipulować aukcjami. W tym miejscu należy wyjaśnić kilka spraw, by pokazać jak istotne znaczenie posiadały te dwa świstki papieru (których wagi Hodges nota bene wcale nie docenił).

Jak już zaznaczyłem, licytacja ma być w swym założeniu operacją na wskroś otwartą, tj. transakcją sprzedaży i kupna. Właściciel lub handlarz wystawia przedmiot na sprzedaż, podaje cenę minimalną, za którą chce go sprzedać, a potem czeka i patrzy co się wydarzy. Wyznaczonego dnia odbywa się licytacja, na którą przychodzą ludzie i licytują, za ile chcą nabyć ów przedmiot. Wszyscy mają równe szanse i ten, kto daje najwięcej i jest wypłacalny staje się posiadaczem owego przedmiotu, pod warunkiem wszakże, że jest to kwota wyższa od ceny minimalnej czy najniższej podanej przez sprzedawcę.

Ale praktyka częstokroć wygląda zupełnie inaczej. Jednym z najczęstszych powodów, dla których licytacje nie przebiegają w taki właśnie sposób, to nieobecność na nich potencjalnych kupców, którzy z tych czy innych względów nie mogą w nich uczestniczyć. Na przykład niektórzy mogą mieszkać za granicą, jeszcze inni mogą mieć w tym momencie ważniejsze sprawy do załatwienia, a jeszcze inni mogą być chorzy lub po prostu nie życzyć sobie, by widziano ich na aukcji ze względu na bezpieczeństwo czy urząd podatkowy. W takim przypadku potencjalny kupiec wysyła swego agenta, by licytował w jego imieniu lub upoważnia dom aukcyjny do licytacji w jego imieniu.

W przypadku upoważnienia-zlecenia dom aukcyjny znajduje się w szczególnie uprzywilejowanej sytuacji, ponieważ wie, dlaczego zlecający chce nabyć dany przedmiot oraz ile jest gotów za niego zapłacić. Weźmy, na przykład, taki przypadek. Otóż na aukcji pojawia się jakiś przedmiot wyceniony na 100 do 120 tysięcy funtów, o cenie minimalnej 90 tysięcy. Załóżmy, że kilka dni przed licytacją zgłasza się klient nie będący w stanie uczestniczyć w niej i powiada, by licytować w jego imieniu do wysokości 125 tysięcy funtów. I załóżmy następnie, że jak to się często zdarza nikogo poza nim przedmiot wystawiony do sprzedaży nie interesuje. W normalnej sytuacji przedmiot ten „poszedłby" za 90 tysięcy funtów, z czego sprzedający otrzymałby 81 tysięcy funtów (90 tysięcy minus 10 procent prowizji), kupujący musiałby zapłacić 99 tysięcy (90 tysięcy plus 10 procent opłaty, zaś dom aukcyjny zarobiłby na tym dwa razy po dziewięć tysięcy funtów, czyli osiemnaście w formie prowizji, wypełniając przy tym swe zobowiązania zarazem w stosunku do sprzedającego i kupującego.

Ale nie potrzeba zbyt wielkiej wyobraźni, by zdać sobie sprawę, że niezmiernie trudno jest zadowolić równocześnie sprzedającego i kupującego, bowiem pierwszy żąda ceny możliwie najwyższej, podczas gdy drugi jak najniższej. I rzecz o wiele istotniejsza – im wyższa cena uzyskana, tym większa prowizja dla domu aukcyjnego. W naszym przypadku, gdyby sprzedać przedmiot ów, no powiedzmy za 110 tysięcy funtów, wówczas sprzedający otrzymałby 99 tysięcy (110 tysięcy minus 10 procent prowizji), kupujący zapłaciłby 121 tysięcy (110 tysięcy plus opłata 10 procent), natomiast dom aukcyjny zainkasowałby dwa razy po jedenaście tysięcy, czyli 22 tysiące funtów w formie prowizji. Wynika z tego niezbicie, że posiadając informacje o tym, ile sprzedający żąda i ile kupujący jest gotów zapłacić dom aukcyjny zwykle ulega pokusie windowania ceny w górę.

Domy aukcyjne twierdzą, że nie stosują praktyk tego rodzaju. Utrzymują, że podobnie jak banki czy Wall Street posiadają systemy, zwane „murem chińskim", chroniące dostępu do danych dotyczących wysokości pobieranych prowizji specjalistom znającym ceny minimalne przedmiotów wystawianych na sprzedaż. Otóż ten „mur chiński" w firmie Sotheby's znany jest pod nazwą „pudła prowizji". Jest to nic innego jak tylko skrzynka, do której wrzuca się wszystkie zlecenia przed aukcją, i które przynajmniej w teorii nie powinny być znane tym, którzy ustalają ceny najniższe.

System ten posiada dwie wady. Po pierwsze, opiera się na zaufaniu i tylko na nim, ponieważ zakłada, że jedni nie będą wymieniać informacji z drugimi. Ale jeżeli dom aukcyjny może zarobić o wiele więcej, gdy do takiej wymiany dojdzie, to co wart jest taki system? Drugą jego słabością jest to, że bez względu na stopień zachowania tajemnicy zlecenia przetargowe nadsyłane są przed aukcją i licytatorzy muszą znać cenę minimalną na każdy wystawiany przedmiot oraz muszą wiedzieć, czy zlecenia takie w ogóle istnieją. A zatem prowadzący licytację zawsze zna przed rozpoczęciem przetargu ceny najniższe i ilość nadesłanych zleceń, o ile w ogóle nadeszły.

Salony aukcyjne utrzymują, że nie wykorzystują tego systemu dla własnych korzyści. Ale przypadek taki miał miejsce w grudniu 1985 r., dokładnie podczas aukcji, na której wystawiono kontrowersyjne wazy apulijskie. Oto treść listu noszącego datę 27 stycznia 1986 r., jaki Hodges mi wręczył. Wysłany był przez Felicity Nicholson do dyrektora centrali w Londynie Tima Llewellyna:

> Drogi Timie,
>
> Colin Mackay (szef działu chińskiego) prosił mnie o napisanie notatki z aukcji z dnia 9 grudnia 1985 r. odnośnie pozycji nr 64 (srebrna misa z Bliskiego Wschodu, nadesłana przez prof. Snellgrove'a), która została sprzedana za 80 tysięcy funtów... Cena najniższa na tę pozycję wynosiła 65 tysięcy funtów... Podczas licytacji mój pracownik (Hodges) doniósł mi, że jest zgłoszenie do licytacji do wysokości 80 tysięcy funtów i że powinniśmy podnieść dolną cenę do 75 tysięcy. Wyraziłam na to zgodę...

Otóż w tym przypadku Hodges zajrzał przez ramię innego pracownika Sotheby's, Petera Batkina, i przeczytał, że ten gotów jest licytować do 80 tysięcy funtów w imieniu swego klienta.

W niczym nie umniejsza to winy Hodgesa, choć on tylko doniósł swej przełożonej o zamiarze Batkina. Ale Hodges twierdził, że zwykle informował Felicity Nicholson o zleceniach przed aukcjami. Powiedział tak: „Zawsze przekazywałem jej katalogi ze sprzedaży z zaznaczonymi cenami minimalnymi i kwotami, na jakie opiewały zgłoszenia". A panna Nicholson przyjmowała informacje Hodgesa i postępowała stosownie do nich. Nie widziała nic złego w podwyższaniu ceny najniższej, nawet po rozpoczęciu licytacji. Podczas rozprawy Hodges twierdził, że był tylko małą płotką wśród grubych ryb współpracujących ze sobą w przestępczym procederze.

Choć byłem przekonany, że dokument ten, świadczący o tym, że dolne ceny były rzeczywiście podnoszone, kompromituje Sotheby's, trzeba było jeszcze potwierdzenia tego faktu przez niezależnego eksperta. Peter Nahum, jeden z londyńskich dealerów i były licytator Sotheby's, oświadczył przed kamerą, że praktyki tego rodzaju przynoszą hańbę, ale odbywały się one „przez cały czas". Latem 1995 roku Sam skontaktował się z prof. Brianem Harveyem, z wydziału prawa uniwersytetu w Birmingham, który jest uznanym autorytetem w dziedzinie prawa aukcyjnego i który od czasu do czasu doradza firmie Sotheby's. Za chwilę powiemy o tym, co oświadczył na ten temat, ale najpierw kilka słów wyjaśnienia.

Kiedy po raz pierwszy spotkałem się z Hodgesem i spędziłem dwa tygodnie u niego w domu na Shepherd's Bush, zapoznając się z dokumentami, widziałem luzem sporo różnych papierów, których nie włożył do swych czerwonych teczek, nie sądził bowiem, że mają jakiekolwiek znaczenie. Ja natomiast byłem przeciwnego zdania. Jeden z nich był szczególnie interesujący. Hodges nie przywiązywał do niego żadnego znaczenia, natomiast ja byłem przekonany, iż jest rewelacyjny. Zanim wyjaśnię, dlaczego różniliśmy się w ocenie, należy zrekapitulować kilka rzeczy.

Do kwietnia 1991 roku byłem pochłonięty inną książką, o początkach handlu dziełami sztuki w piętnastym wieku i jego rozkwicie w ostatnich czasach. Prześledziłem historię różnych domów aukcyjnych i co poważniejszych handlarzy i kolekcjonerów z Londynu, Nowego Jorku, Paryża, Hongkongu i Szwajcarii. Jedna rzecz rzucała się w oczy natychmiast: rozwój międzynarodowych domów aukcyjnych – to główna cecha charakterystyczna rynku dziełami sztuki po wojnie. Podawano różne przyczyny tego stanu rzeczy, od osobowości ludzi uczestniczących w nim po rozwój środków masowego przekazu w coraz bardziej zintelektualizowanym świecie i upodobań nowej klasy średniej, która przedkładała otwarte i z natury czytelne aukcje nad mroczne i mocno podejrzane interesy handlarzy i pośredników.

Ale stwierdzenie takie może mylić. W rzeczywistości domy aukcyjne mogą być manipulowane w dwojaki sposób, dzięki czemu profesjonaliści z tej branży mogą dowolnie naginać cały proces stosownie do swych potrzeb. Pierwszym sposobem jest „krąg", a drugim „licytacja z sufitu" lub jak wolą inni „licytacja ze ściany". Obydwa sposoby to formy oszustwa.

„Krąg" to porozumienie kilku uczestników licytacji, zwykle handlarzy, na którego mocy wstrzymują się od uczestnictwa w przetargu pod pewnymi warunkami w zamian za przyszłe korzyści. Jak to funkcjonuje? Ano tak. Powiedzmy, że handlarz A daje sto jednostek za przedmiot Z, niech to będzie zegar, który dostaje za tę cenę. Pozostali uczestnicy „kręgu" siedzą cicho. Potem w dogrywce, czyli w nieformalnym przetargu, w którym uczestniczą tylko zaproszeni i który zwykle odbywa się w pobliskiej piwiarni bezpośrednio po głównej aukcji, zegar zostaje wystawiony do ponownej sprzedaży, tylko tym razem dla uczestników kręgu.

Trzeba dodać, że tym razem zegar zostaje sprzedany handlarzowi B dającemu 250 jednostek. Z tej kwoty płaci on „stówę" handlarzowi A, któremu zwracają się koszty z głównej aukcji. Pozostałe 150 jednostek idzie do wspólnego kotła. Po „załatwieniu" w ten sposób wszystkich pozycji, całą pulę dzieli się równo między uczestników kręgu.

W ten sposób można osiągnąć kilka celów. Po pierwsze, na normalnej aukcji wartość przedmiotu ulega zwykle zmniejszeniu (choć nie zawsze) poniżej rzeczywistej wyceny, ponieważ pewna liczba uczestników wstrzymuje się od licytacji. Po drugie, co znaczniejsi dealerzy, nie będąc nawet zainteresowanymi w danej aukcji, i tak mogą zarabiać pieniądze tylko za to, że nie biorą w niej udziału. Po trzecie, taki krąg (często, choć nie zawsze) przez samą tylko obecność swych członków na aukcji, szczególnie na prowincji, może wpływać na innych handlarzy i zniechęcać ich do podbijania ceny lub nawet wręcz do udziału w licytacji. To także sposób na zmniejszenie ceny.

Najbardziej znany krąg dwudziestego wieku działał w Ruxley Lodge w Surrey, siedzibie barona Foleya z Claygate. W roku 1918 zapłacono za zbiór książek Claygatów zawierający w sumie 637 pozycji – 3714 funtów, 12 szylingów i 6 pensów. Jednak aukcję „podkręciło" kilku handlarzy, skutkiem czego podczas następnej licytacji księgozbiór został sprzedany za astronomiczną kwotę 19 696 funtów i 17 szylingów. Różnica 15 982 funtów ówczesnych stanowi obecnie równowartość około pół miliona funtów. W taki oto sposób pan baron został oszukany na tę kwotę, a dom aukcyjny stracił znaczną prowizję.

To, co się nazywa licytacją z sufitu istnieje po to, aby przeciwdziałać takim praktykom. Otóż dolna cena powinna stanowić tajemnicę domu aukcyjnego. Jeśli licytacja zaczyna się od ceny najniższej, tak jak by chcieli tego niektórzy, i jak dokładnie ma to miejsce w Austrii, krąg ma w dalszym ciągu pole do działania, bowiem jego członkowie mogą sobie spokojnie siedzieć, co najwyżej zgłosić jedną propozycję kupna, a potem dokonać reszty między sobą. Aby przeciwdziałać temu, domy aukcyjne wypracowały sobie następującą metodę działania. Zwykle cena dolna znajduje się poniżej jednego lub dwóch oczek najniższych wycen podawanych w katalogach, ale nikt nie zna jej dokładnie, ponieważ może być w rzeczywistości jeszcze nieco niższa lub może w ogóle nie być żadnej dolnej ceny. I w tym momencie „metoda z sufitu" staje się pomocną w sprawieniu wrażenia, że istnieje popyt na każdą pozycję wystawioną do licytacji, dzięki czemu można wprowadzić w błąd uczestników kręgu co do właściwej ceny najniższej i jej marginesu. Licytator rozgląda się wówczas po sali, kiwa głową uśmiecha się mówiąc: „Dziękuję" lub „Czy pan licytuje dalej?", wszystko po to, by sprawiać jak najlepsze wrażenie. W tym momencie nikt poza prowadzącym aukcję nie wie, czy ktoś naprawdę licytuje czy tylko udaje.* Innym jeszcze argumentem przemawiającym przeciw podawaniu dolnych cen, jak powiadają licytatorzy, jest taka oto możliwość. Otóż jeśli licytacja rozpoczyna się od ceny najniższej i nie ma żadnych zgłoszeń z sali, to powinna się na tym skończyć i nie powinno być nawet mowy o „nakręcaniu" jej. Kompletna klapa i na tym koniec. Ale rozpoczynając poniżej widełek cenowych prowadzący licytację robi ruch na sali, sprawiając tym samym wrażenie, że coś się dzieje.

Kiedyś, dawno temu zanim doszło do rozkwitu handlu dziełami sztuki, na aukcję przychodzili ludzie z branży – handlarze, przedstawiciele muzeów lub agenci – i to nawet kilka razy w ciągu

* Regulamin Handlowy Sotheby's, zamieszczany w każdym katalogu, stanowi obecnie, że cena minimalna będzie wynosić 75 procent dolnej wyceny. Przepis ten nie obowiązywał w latach osiemdziesiątych. Nie dotyczył także Nogariego wymienionego w rozdziale 1.

tygodnia. Byli to profesjonaliści, którzy doskonale wiedzieli, co się wokół nich dzieje. Być może nie wszystko im się podobało i nie ze wszystkim się zgadzali, ale znali wszystkie chwyty na wylot. Ale po II wojnie światowej, a szczególnie w latach osiemdziesiątych, nastąpiło wiele zmian i metoda licytowania z sufitu została poddana krytyce. Obecnie na aukcje przychodzą osoby nieznane, którym tego rodzaju praktyki są zupełnie obce. Im licytacja z sufitu może się wydawać tylko prostą, lecz rażącą formą oszustwa.

Afera wybuchła na początku lat osiemdziesiątych w Nowym Jorku, kiedy udowodniono domom aukcyjnym Christie's i Sotheby's, że uciekają się do oszustw. W przypadku Christie's jej prezes, David Bathurst, skłamał dziennikarzom, mówiąc, że jego firma sprzedała o wiele więcej przedmiotów na mocno rozreklamowanej licytacji aniżeli naprawdę miało to miejsce. Próbował w ten sposób sprawić wrażenie, że sytuacja na rynku dzieł sztuki wyglądała o wiele lepiej niż w rzeczywistości. W przypadku Sotheby's oszustwo polegało na tym, że firma ta twierdziła, iż nie zna tożsamości osoby wystawiającej iluminowane egzemplarze Biblii na sprzedaż, które potem okazały się być zrabowane w Europie podczas II wojny światowej. Dom aukcyjny Sotheby's oświadczył, że jego pracownicy mieli w tym przypadku do czynienia tylko z agentem, lecz potem okazało się, że interesu dobili z posiadaczem Biblii.

Co prawda w żadnym z tych przypadków nie stosowano licytacji z sufitu, ale razem wzięte były wielce pomocne w zdemaskowaniu oszukańczych chwytów stosowanych przez obydwa domy aukcyjne. Komisarz Angelo J. Aponte z nowojorskiego wydziału ds. konsumentów wszczął nawet śledztwo przeciwko obydwu firmom. Mniej więcej w tym samym czasie ministerstwo handlu i przemysłu w Londynie ogłosiło wszczęcie postępowania przeciwko „kręgom", podczas gdy komitet ds. środowiska naturalnego gminy Westminster ogłosił zamiar wprowadzenia obowiązku rejestracji dla wszystkich domów aukcyjnych na swym terenie, na wzór Nowego Jorku i Paryża.

Sotheby's dość zdecydowanie zareagowała na to, przyjmując postawę, że ani w teorii, ani w praktyce domy aukcyjne nie mogą się dopuścić czegokolwiek złego. Ale dokumenty przekazane mi przez Hodgesa wskazywały na to, że prywatnie wyrażano odmienne opinie, bowiem dyrekcja firmy zleciła przeprowadzić wewnętrzny sondaż odnośnie praktyk stosowanych podczas aukcji w Nowym Jorku, Londynie, Hongkongu, Szwajcarii, Amsterdamie i Hiszpanii. Najciekawszym punktem w ankiecie, z naszego punktu widzenia, było pytanie siódme: „Czy korzystacie na licytacji z podstawionych osób?"

Odpowiedzi nadesłane Ainsliemu stanowią rewelacyjną lekturę. Graham Llewellyn tak odpowiedział na to pytanie: „Niektórzy licytatorzy mogą stosować technikę rozpoczynania licytacji poniżej ceny minimalnej serią przebitek, podczas gdy inni po prostu rozpoczynają poniżej ceny minimalnej od jednej oferty". Specjalnie to nie dziwi, ale po raz pierwszy ktoś tak wysoko postawiony w renomowanym domu aukcyjnym przyznaje czarno na białym, że licytacja z sufitu naprawdę ma miejsce. Powrócimy do tego tematu.

Na razie jednak godzi się dodać, że Graham Llewellyn i Julian Thompson mieli pewne dodatkowe uwagi odnośnie pytania siódmego, mające na celu złagodzić nieco sens odpowiedzi. Notatka Thompsona do Ainsliego z dnia 16 sierpnia 1985 roku, brzmiała tak:

> Pytanie byłoby o wiele bardziej przejrzyste, gdyby postawiono je w taki oto sposób: „Czy licytatorzy korzystają ze zmyślonych ofert?" Lub jeszcze bardziej szczegółowo: „Gdy licytator rozpoczyna od ceny najniższej i z sali nie padają żadne zgłoszenia, czy wówczas nie jest lepiej podać kolejno dwie lub trzy oferty kupna, by w ten sposób wciągnąć ociągających się do dalszej licytacji?"
>
> Na odpowiedź, jakiej udzieliliśmy wpływ miało pewne odkrycie, jakiego dokonaliśmy. Otóż w programie telewizyjnym zatytułowanym *Na gorąco*, w którym wystąpił jeden aktor, widać było wyraźnie, że do roli licytatora stosującego nasze metody przygotowany on został przez swego instruktora Petera Nahuma. BBC posiada kopię tego programu i jesteśmy pewni, że jeśli ktoś się do nich zwróci, to ją otrzyma. Oznacza to, że sytuacja nasza bardziej przypomina sytuację Christie's po ukazaniu się artykułu Burga (*sic*) w „New York Timesie", aniżeli można było na początku przypuszczać.
>
> W tej sytuacji musimy się zdecydować, czy od razu przejąć inicjatywę i ponownie przeszkolić licytatorów w stosowaniu technik aukcyjnych, ale wówczas mogą być oni wolniejsi i może się to okazać kłopotliwe. Jeśli byśmy od razu się zdecydowali na taki krok, to można to uczynić w sposób publiczny lub bez żadnego komentarza. Zaletą pierwszego podejścia będzie to, że wszyscy zobaczą, iż przejmujemy inicjatywę w zao-

> strzaniu procedur stosowanych podczas aukcji, natomiast wadą to, że może się okazać, iż uczyniliśmy pewne ustępstwo, którego nie musieliśmy czynić, ponieważ istnieją już obowiązujące procedury oraz szczegółowe wykładnie Nowojorskiego departamentu ds. konsumentów oraz ministerstwa przemysłu i handlu Wielkiej Brytanii. Tak w ogóle to wraz z GDL (Grahamem Llewellynem) uważamy, że lepiej poczekać i dobrze rozejrzeć się wokół zanim podejmiemy jakiekolwiek kroki, z których potem trudno będzie się wycofać.

Sformułowania użyte w tej notatce zadziwiają, lecz są zarazem wielce wymowne, szczególnie te z końca drugiego akapitu: ... „aniżeli można było na początku przypuszczać". Faktem jest, że film BBC wyraźnie wskazuje na to, iż ówczesny szef pionu filmowego firmy Sotheby's Peter Nahum uczył aktora zgłaszania kolejnych fałszywych ofert na licytacji. Ale wydaje się, że wyjąwszy ten moment Thompson i Llewellyn woleliby raczej udzielić innej odpowiedzi.

Mniej więcej w tym samym czasie krążył jeszcze jeden okólnik napisany przez Johna Mariona, głównego licytatora Sotheby's w Ameryce, a potem prezesa. Była to odpowiedź Mariona na ankietę Ainsliego. W dniu 23 sierpnia 1985 r. napisał on m.in.: „Oferty mające na celu ochronę ceny minimalnej, zgłaszane są przez prowadzącego licytację, by w ten sposób zwiększyć stopień konkurencyjności w porównaniu z innymi ofertami (zleceniami ofert), zgłoszeniami telefonicznymi lub ofertami padającymi z sali. Licytacja rozpoczyna się od części ceny dolnej (zwykle od 40–50 procent). Nierzadko licytator sam składa kilka pierwszych propozycji, by popchnąć licytację do przodu".

Te wewnętrzne okólniki stanowią ważne uzupełnienie dokumentów, które uznałem za sensacyjne. To prawda, że w pewnym sensie ukazują pewien stopień wrażliwości ze strony Sotheby's w odniesieniu do metody licytowania z sufitu, ale wcale nie oznacza to, że dom aukcyjny nosił się z zamiarem zaniechania tradycją uświęconej formy manipulowania przetargami. Wprost przeciwnie, w tym samym czasie, kiedy Michael Ainslie przeprowadzał swą wewnętrzną ankietę, jego podwładni udoskonalili metody na nowe sposoby. I podobnie jak w przypadku wielu innych dokumentów, które Hodges nam przekazał, ten konkretny mówi sam za siebie. Był to telex z datą 19 lutego 1987 r. od J.G. (Jurga) Wille, kierownika przedstawicielstwa Sotheby's w Zurychu, do Johna Gossa z działu książek w Londynie. Oto jego treść:

Dot. sprzedaży poniedziałkowej 23 lutego
Jak uzgodniono Inez Bodmer będzie pilnować następujących pozycji:
124, 132, 144, 146, 155, 162, 164, 168, 170, 180, 188, 253, 254, 255, 262, 263, 325, 326, 327, 328, 329
Natasha następujących pozycji:
129, 142, 145, 147 (itd.)
Ja następujących pozycji przez telefon:
206, 207, 208, 209, 210, 216, 217, 227 (itd.)
Proszę nie zajmować telefonu w tym czasie.

A więc tu leży pies pogrzebany. Licytacja z 23 lutego to zwykły rutynowy przetarg map i książek, ale nie chodzi tu o rodzaj wystawionego towaru. Otóż pomimo wewnętrznych sondaży, niepokoju i niepewności Grahama Llewellyna i innych osobistości odnośnie tego, co i ile należy ujawnić i przyznać w kwestii licytacji sufitowej, Sotheby's w dalszym ciągu doskonaliła proceder w niezmiernie wyrafinowany sposób. W tym konkretnym przypadku trzech pracowników przedstawicielstwa w Zurychu dosłownie „wisiało" na telefonach podczas aukcji, podając lipne oferty w sumie na siedemdziesiąt jeden pozycji. Numery podane w telexie dotyczyły tylko jednego fragmentu aukcji – zbioru map pod nazwą „Własność Europejskiego Członka Wielkiego Rodu" i stanowiły numery pozycji od 124 do 337 włącznie.

Podczas zbierania dokumentacji do programu dla Channel 4 zadzwoniliśmy do J.G. Wille do Zurychu. Owszem, potwierdził autentyczność telexu i dodał, że nie widzi nic złego w tym, co firma uczyniła w tym przypadku. Zwróciliśmy się więc z pytaniem do Sotheby's w Londynie, czy stałą praktyką jest wykorzystywanie lipnych zgłoszeń telefonicznych podczas licytacji. Odmówili odpowiedzi.

Pomimo to nie ulega jednak żadnej wątpliwości, że praktyki tego rodzaju są rażąco sprzeczne z literą prawa i oświadczeniami, jakie firma złożyła publicznie. A więc w stopniu o wiele większym niż zwykle, Sotheby's stara się sprawić wrażenie, że istnieje popyt na pewne rzeczy, podczas gdy w rzeczywistości nic takiego nie ma miejsca. Nie sposób stwierdzić, jak często stosuje się praktyki tego rodzaju obecnie, ale rutynowy charakter telexu wskazuje, że nie był to pierwszy czy ostatni przypadek, kiedy ktoś podbija licytację przez telefon.

Powróćmy teraz do prof. Briana Harveya z uniwersytetu w Birmingham, światowej sławy eksperta od prawa aukcyjnego. Potwierdził on, że zgłoszenia sztucznych ofert stanowią naruszenie ustaw o sprzedaży i kradzieży. Dodał, że zgodnie z prawem prowadzący przetarg może licytować tylko w imieniu sprzedającego. Sformułowanie to, powiedział, może oznaczać, że firma taka jak Sotheby's może licytować z podium tylko raz lub akceptować tylko jedno zgłoszenie z sufitu. Każde następne, jak uważa prof. Harvey, jest najwyraźniej nielegalne. (Użył określenia najwyraźniej, ponieważ choć sama redakcja tekstu nie pozostawia żadnych wątpliwości, to jednak nigdy nie poddano jej osądowi procesowemu). Godzi się w tym miejscu przypomnieć, że we wspomnianych dokumentach Julian Thompson, Graham Llewellyn i John Marion wyznali, iż licytatorzy Sotheby's zgłaszają wiele następujących po sobie ofert celem rozruszania licytacji.

Tak oto wyczerpaliśmy zawartość pięciu teczek wykorzystanych przez nas w programie pierwszym, zatytułowanym przez Channel 4 *Sprzedaż stulecia*. Październik 1995 upłynął nam na montażu. Staraliśmy się dokonać odpowiednich skrótów, by wcisnąć wszystko to, czym dysponowaliśmy, w pięćdziesięciotrzyminutowy program. Jeśli dodać do tego przerwy na reklamy, będzie to program godzinny.

ROZDZIAŁ DZIEWIĄTY

Osobliwa para

Program nadano 8 listopada 1995 roku. W poprzedzającą niedzielę „Observer" zamieścił artykuł o aferze z Sekhmet. Dom aukcyjny Sotheby's, któremu proponowaliśmy aż pięć razy wzięcie udziału w programie i który powiadomiliśmy z góry o jego treści, za każdym razem odmawiał, odpowiadając niezmiennie: „bez komentarza".

W jednym tylko przypadku wbrew własnej zasadzie polecono prawnikom firmy z kancelarii Freshfields zabrać głos w tej sprawie w liście z zażaleniem do Channel 4, w którym wyrazili takie oto stanowisko: „Pan Hodges zamieszany został w sfałszowanie dokumentów Sotheby's" (proszę zwrócić uwagę na użycie liczby mnogiej, podczas gdy skazano go tylko na podstawie jednego zarzutu fałszerstwa). Na takie *dictum* odpowiadałem niezmiennie w ten sam sposób: „Proszę pokazać mi, które z dokumentów zostały zmienione lub sfałszowane, bym mógł zobaczyć, w jaki sposób wpłynęły na treść programu, a wtedy dokonam odpowiednich zmian lub w ogóle zrezygnuję z emisji, jeśli się okaże, że obiektywna prawda różni się od tej zawartej w dokumentach.

Ale Sotheby's ani razu nie podała, co i gdzie konkretnie sfałszowano. Firma wolała raczej zaryzykować publikację nawet nieprawdy o sobie niż cokolwiek korygować przed pojawieniem się nagrania, czy próbować nie dopuścić do emisji. I co dziwi, ani razu nie stwierdziła, przed czym ostrzegał nas George Carman, że dokumenty będące w naszym posiadaniu są autentyczne, ale nie oddają całej złożoności sprawy, która w rzeczywistości wygląda zupełnie inaczej.

Dlatego doszedłem do wniosku, że Sotheby's celowo udaje, że ucieka się do pokrętnych wybiegów. Dokumenty nie były podrobione lub zmienione, ale Sotheby's chciała, bym tak właśnie myślał, i wówczas nic złego się nie stanie. Uznałem, że mi to odpowiada w zupełności i dałem im to odczuć. Poczułem się zwolniony, przynajmniej w tym przypadku, z obowiązku nieujawniania tego, czego dowiedziałem się w sposób nieoficjalny podczas poufnych rozmów. Sami przecież złamali tę regułę w liście nadesłanym przez kancelarię Freshfields. Niemniej jednak Sotheby's w dalszym ciągu trwała przy swoim, odmawiając wszelkich wyjaśnień w kwestii sfałszowania czy zmian dokonanych w dokumentach. A więc jedynym sposobem przekonania się, co naprawdę przedstawiciele firmy myślą stała się decyzja o emisji programu i oczekiwanie jak zareagują, a w szczególności, czy wystąpią do sądu czy nie?

Reakcja środowiska artystycznego na program była porażająca. Był na ustach wszystkich. Nikt nie wątpił w jego prawdziwość lub w autentyczność dokumentów, na podstawie których go nakręcono. Powiedziano mi, że nawet pracownikom konkurencyjnego, lecz nieco mniejszego domu aukcyjnego Bonhams polecono obejrzeć program lub zdobyć jego kopię, jeśli go nie widzieli. Jak rozumiałem, firma ta chciała pokazać swym pracownikom, w jaki sposób można robić przekręty, by nie można było ich wykryć.

Po wstępnych listach, jakie przyszły od prawników, Sotheby's zamilkła. Cofnięto mi zaproszenia na kilka imprez, ale jakoś to przeżyłem. W praktyce firma Sotheby's zareagowała w dwojaki sposób. Otóż zwróciła się do dziennikarza z Bliskiego Wschodu, który napisał po arabsku artykuł dla dziennika saudyjskiego. Natomiast Diana Phillips, rzeczniczka prasowa Sotheby's w Nowym Jorku, określiła mnie jako „parweniusza uganiającego się za sławą". To już coś, pomyślałem sobie, ponieważ kiedy zbierałem materiał do wcześniejszej książki o rynku dziełami sztuki, panna Phillips (z zawodu nauczycielka) załatwiła mi wywiad ze swym szefem Alfredem Taubmanem, prezesem Sotheby's, znanym z tego, że nigdy nie udzielał wywiadów. Uważałem Taubmana za przyzwoitego człowieka, nigdy nie zamieszanego w żadną aferę. Od samego początku sprawy związanej z Hodgesem zastanawiałem się, czy wiedział, co kupuje, kiedy wchodził w posiadanie firmy Sotheby's.

Bardziej konkretna reakcja miała miejsce, kiedy przedstawiciele Sotheby's zwrócili się do Anthony Thorncrofta, znanego reportera „Financial Times" obsługującego aukcje dzieł sztuki, z prośbą o dokonanie recenzji programu dla amerykańskiego magazynu „Art and Auction". Artykuł miał jedną stronę i ukazał się pod nagłówkiem *Watson kontra Sotheby's*. Użycie nazwisk uznałem za nieistotne w tym przypadku. I choć artykuł zawierał pewne elementy krytyczne pod adresem programu (sprowadzające się głównie do tego, że przedmiotów, o których mowa, nigdy nie wystawiono w salonach sprzedaży), to jednak kończył się stwierdzeniem, iż świat sztuki jest przekonany, że „Watson pojedynek ten wygrał". Anthony Thorncroft cytował także wypowiedź Dede Brooks, która zgodziła się na rozmowę z nim. Wyraziła ona oburzenie z powodu artykułu, ponieważ „gloryfikował kogoś, kogo sąd skazał na więzienie" i kto prowadził osobistą wendetę przeciwko byłemu pracodawcy. Oburzenie jej było tym większe, że praktyki opisane w artykule dawno zarzucono, natomiast obecne kierownictwo firmy zostało zniesławione na skutek pomówień, iż miało cokolwiek z nimi do czynienia.

W tym miejscu godzi się poczynić kilka uwag odnośnie komentarza Dede Brooks. Pierwsza i najważniejsza, oczywiście, to ta, że chociaż ona sama, jak i jej biuro prasowe oraz prawnicy firmy zawsze twierdzili, niestety nieoficjalnie, iż dokumenty, na podstawie których nakręciliśmy program, były sfałszowane lub zmienione, lub że przy nich w jakiś sposób „majstrowano", to jednak w rozmowie z Thorncroftem już nic takiego nie twierdziła. To jeszcze jeden powód, dla którego nie czułem się już dalej zobowiązany do niepowoływania się na rozmowy nieoficjalne. Następna uwaga: to nieprawda, że kierownictwo Sotheby's składa się z nowych ludzi. Owszem, Dede Brooks to nowa twarz, ale tylko na najwyższym stanowisku. Tim Llewellyn rzeczywiście odszedł z firmy, ale tylko po to, by objąć stanowisko dyrektora fundacji Henry Moore'a, natomiast zastąpił go na stanowisku dyrektora zarządzającego centralą w Londynie były pośrednik Henry Wyndham, którego w żadnym wypadku nie można było łączyć ze starym procederem. I to wszystko. W roku 1995 Julian Thompson był w dalszym ciągu członkiem zarządu zarówno Sotheby's Holdings, Inc., jak i Sotheby's Europe. Marcus Linell w dalszym ciągu pełnił funkcję dyrektora, podobnie jak Michael Thomson Glover i Colin Mackay. I co najważniejsze, Felicity Nicholson w dalszym ciągu była kierowniczką działu antyków, zaś Oliver Forge jej zastępcą, podczas gdy Brendana Lyncha awansowano do stanowiska kierownika nowego działu zajmującego się sztuką Indii i południowo-wschodniej Azji. Nikt nie ucierpiał ani nie został ukarany dyscyplinarnie za swe czyny.

Co się tyczy gloryfikacji skazanego przestępcy, wydaje mi się, że jest to wyłącznie kwestia interpretacji, bowiem czytelnicy sami będą mogli ocenić. Ale by nie było żadnej wątpliwości godzi się zaznaczyć, że pięćdziesięciotrzyminutowy program zawierał tylko dwuminutowy wywiad z Hodgesem, dwie minuty poświęciłem spotkaniu z nim w Shepherd's Bush i dwie minuty rozprawie sądowej. I to tyle. Powoływania się na dokumenty, jakie mi przekazał z całą pewnością nie można nazwać gloryfikacją jego osoby. Powrócę do tego tematu w rozdziale 13. *Zgniłe jabłka*.

I to jeszcze nie wszystko. Jak podkreśliliśmy w programie, podczas aukcji, jaka się odbyła w lipcu 1995 roku i którą udało się nam potajemnie sfilmować, Sotheby's sprzedała sześć waz apulijskich niewiadomego pochodzenia. Opinia British Museum w dalszym ciągu była aktualna: Sotheby's nadal dokonywała sprzedaży znacznych ilości przedmiotów pochodzących z nielegalnych wykopalisk i przemytu z Włoch. Cała masa z nich nie wiadomo skąd pochodziła. I nic się w tej sprawie nie zmieniło.

Stanowisko, jakie Sotheby's przyjęła było zaiste zdumiewające. Najpierw dąsy, potem uparte trwanie przy swoim i nie dopuszczanie myśli, że to, co robi jest naganne lub że może być postrzegane jako takie. Bernard, Sam i ja daliśmy sobie spokój. Chcieliśmy się tylko dowiedzieć, czy istnieją jakiekolwiek podstawy do wytoczenia nam sprawy. Czy można było zinterpretować zawartość dokumentów w jakiś inny, mniej złowrogi, sposób, który mógł umknąć naszej uwadze? A może Hodges świadomie nastawił nas tendencyjnie, a kiedy poznamy pozostałe elementy zdarzeń, być może wyłoni się zupełnie inny, całkowicie odmienny obraz sytuacji? Nie bardzo wiedzieliśmy jak to możliwe, ale pewności nie mieliśmy.

Minął miesiąc. David Lloyd, naczelny redaktor w Channel 4, zdawał sobie dobrze sprawę z tego, że po pierwszym programie można zrobić następny, jeszcze bardziej dosadny, ale na tym etapie niczego jeszcze nie zlecił. Twierdził, że nie ma o czym gadać nim minie miesiąc od nadania pierwszego programu i zanim się nie przekonamy jak zareaguje Sotheby's, jeśli w ogóle zareaguje.

Dlatego spotkaliśmy się dopiero przed Bożym Narodzeniem, David, Bernard i ja, na obiedzie, by porozmawiać wstępnie o następnym programie. W opinii wielu ludzi, z którymi rozmawiałem, Channel 4 wykazał wiele odwagi nadając program mocno krytyczny pod adresem renomowanego domu aukcyjnego. David Lloyd i Jan Tomalin udzielali nam cennych rad, dzięki czemu nadaliśmy pierwszemu programowi taki, a nie inny kształt. Podczas obiadu

David naciskał, byśmy postarali się o zaktualizowanie dokumentów. Zwłoka w publikacji naszej historii doprowadziła do pewnego zestarzenia się posiadanej przez nas dokumentacji, ponieważ dotyczyła ona wydarzeń mających miejsce w drugiej połowie, lub pod koniec, lat osiemdziesiątych. Zgodził się z tym, że wazy apulijskie dalej były sprzedawane w podobnych ilościach, a zatem stary proceder w dalszym ciągu uprawiano. Niemniej jednak prześledzenie i zbadanie z dziennikarskiego punktu widzenia zachowań Sotheby's w połowie lat dziewięćdziesiątych z pewnością by wniosło aktualne elementy do naszego programu. Lecz pośpiech był niewskazany, a zatem postanowiliśmy odczekać jeszcze jeden miesiąc, do końca stycznia. Sezon aukcyjny zamiera między drugim tygodniem grudnia i drugim tygodniem lutego. Gdyby Sotheby's chciała w jakikolwiek sposób zareagować na nasz program, to najlepszym momentem na uczynienie tego był właśnie ten ogórkowy sezon.

Na początku 1996 roku pojechałem na kilka tygodni do Afryki Południowej. Wziąłem ze sobą poprawiony rękopis i czytałem go podczas długiego lotu do Johannesburga. Jednym z dokumentów przekazanych mi przez Hodgesa była pojedyncza karta papieru stwierdzająca, że znaczna ilość przedmiotów z Afryki Południowej sprzedana przez Sotheby's opuściła ten kraj w sposób nieoficjalny. Afryka Południowa nie mogła stanowić rozwiązania naszych problemów, ale podczas lotu powrotnego zdałem sobie sprawę z tego, że jedynym terenem, o którym mieliśmy dokładne informacje i gdzie mogliśmy zaktualizować nasze materiały były Włochy, skąd nielegalnie wywożono płótna starych mistrzów. Wiedzieliśmy dokładnie, które firmy były zamieszane w ten proceder, znaliśmy rodzaj przemycanych przedmiotów i znaliśmy ludzi, którzy się tym zajmowali, i wiedzieliśmy jak ich podejść.

Ostatniego tygodnia stycznia 1996 roku spotkałem się z Samem i Bernardem. Zgodzili się z moim sposobem rozumowania. Ale istniał pewien szkopuł. Potrzebny nam był obraz starego mistrza, którego moglibyśmy użyć do tego, co nazwaliśmy naszym eksperymentem. Raz już próbowałem tego sposobu jakiś czas temu, ale bezskutecznie, nie udało mi się bowiem wtedy znaleźć odpowiedniego płótna i musiałem wypożyczyć antyk chiński i srebrną tacę, ale doprowadziło mnie to donikąd.

Tym razem z pomocą przyszedł mi Bernard. Oświadczył, że jeśli naprawdę uważam, że jedyną możliwością potwierdzenia zawartości dokumentów jest właśnie taki a nie inny sposób, to może uda mu się przekonać Davida Lloyda, by wyasygnował odpowiednie fundusze na ten cel. Byłby to z całą pewnością uzasadniony wydatek, gdyby się udało udowodnić, że cały proceder w dalszym ciągu ma miejsce. Ile nam potrzeba?

– Sporo – odrzekłem, mając na myśli ewentualny zakup Canaletta. Powiedziałem, że jakieś 25 tysięcy funtów byłoby rozsądną kwotą.

Bernard skrzywił się.

– Piętnaście? – zapytałem.

– Strzelę dwanaście – odrzekł.

Ostatecznie dostaliśmy dziesięć. Wprawdzie suma ta rozczarowała nas, niemniej jednak lepszy rydz niż nic. David Lloyd okazał się naprawdę lojalnym i z głową na karku naczelnym. Gdyby się nam udało nabyć odpowiedni obraz, moglibyśmy się wówczas przekonać, czy to, co mówiły Dede Brooks i Diana Phillips o swej firmie pod nowym zarządem jest prawdą, czy też w dalszym ciągu stosuje się tam stare praktyki, by nie powiedzieć proceder. Wraz z Samem poczyniliśmy pewne przygotowania do spotkania z Cecilią w Rzymie przed udaniem się do Neapolu, miasta, które chyba najlepiej będzie się nadawać do nabycia płótna starego mistrza, potrzebnego do naszego eksperymentu.

Wyniki tych działań opisałem w rozdziale 1., *Dama z Neapolu*. Wskazują one jednoznacznie i w sposób nie budzący żadnej wątpliwości, że dom aukcyjny Sotheby's w dalszym ciągu przemyca starych mistrzów z Włoch. A zatem musimy pójść drogą wytyczoną w dokumentach przekazanych mi przez Hodgesa na początku naszej znajomości, ponieważ wówczas stanie się jasne, dlaczego nabraliśmy pewności, że cały ten nielegalny handel rozpoczyna się właśnie w przedstawicielstwie mediolańskim.

Kilka słów gwoli wprowadzenia. Hodges został zatrudniony w Sotheby's w nieistniejącym już salonie sprzedaży Pantechnicon w Belgravii, w dziale mebli i antyków. Jako administrator tych działów otrzymywał odpowiednie dokumenty. Do jego obowiązków należało segregowanie i katalogowanie papierów. Ale pozostała część niniejszego rozdziału oraz kilka następnych dotyczyć będzie działów, w których Hodges nigdy nie pracował. A więc w jaki sposób wszedł w posiadanie tych papierów? Sprawę tę wyjaśniam w rozdziale 12., *Nocna dostawa*.

Dokumentacja dotycząca starych mistrzów, przekazana mi przez Hodgesa, miała pół cala grubości i główna jej część to szczegółowa wymiana trzydziestu czterech not na przestrzeni kilku lat pomiędzy Timem Llewellynem, ówczesnym dyrektorem i wiceprezesem spółki, oraz historykiem sztuki Nancy Neilson, będącą konsultantem Sotheby's w Mediolanie. Znaczna część korespondencji dotyczyła kontaktów Nancy Neilson z Włochami pragnącymi sprzedać obrazy w Londynie. Oto kilka przykładów:

10 czerwca 1980 r.: Nancy Neilson do Tima Llewellyna
„...Cortona wpadł do mnie i chce sprzedać niewielki portret Guardiego w Londynie po cenie minimalnej 2500 funtów..."

17 czerwca 1980 r.: Tim Llewellyn do Nancy Neilson
„...z przyjemnością wystawimy Guardiego na sprzedaż w Londynie pod warunkiem, że go szybko otrzymamy..."

10 kwietnia 1981 r.: Nancy Neilson do Tima Llewellyna
„...*Człowiek stojący* to chyba dobry kandydat na czerwcową aukcję w Londynie... Proszę zapytać Dennisa o niejakiego P. Longhiego, z którym się spotkaliśmy. Wyceniliśmy go na 20–30 milionów. Właściciel chce 26 milionów, ale w Londynie za 13 tysięcy funtów..."

15 grudnia 1981 r.: Nancy Neilson do Tima Llewellyna
„Załączam fotografię Zuccarelliego, o którym rozmawialiśmy jakiś czas temu. Właścicielom nie podoba się wycena 40–60 milionów i obstają przy sprzedaży w Londynie, itd., itd. Co wy na to?"

8 marca 1982 r.: Nancy Neilson do Tima Llewellyna
„...pozostałe obrazy należą do klienta pragnącego się dowiedzieć, czy Londyn jest zainteresowany kupnem dwóch martwych natur. Nie chce sprzedać Foschiego we Florencji ze względu na obawy, że dojdzie do powiadomienia – niesłusznych moim zdaniem".

20 grudnia 1982 r.: Nancy Neilson do Tima Llewellyna
„Ile można uzyskać za Eismanna w Londynie? Właściciela interesuje sprzedaż prywatna, o ile możliwe".

Wynika z niej niezbicie, że Włosi zgłaszali się do Nancy Neilson z prośbą o wyceny obrazu lub obrazów, które chcieli sprzedać.

Jedną na rynek włoski, drugą na wolny rynek w Londynie. W takich przypadkach albo sama dokonywała wyceny, albo radziła się Tima Llewellyna, po czym informowała o niej klienta. W jakiś czas potem obrazy pojawiały się w Londynie. W pewnych przypadkach Włochom podawano nawet adres w Anglii.

Większość obrazów to płótna nieznanych malarzy (ale były wyjątki, na przykład Guardi) i o to właśnie chodziło, ponieważ znane płótna zwróciłyby na siebie uwagę. Mogłoby się bowiem tak zdarzyć, że jakiś znany historyk sztuki lub kustosz widział obraz w domu Włocha i w przypadku braku zezwolenia na wywóz, jak to najczęściej bywało, będzie potem mógł zeznawać, iż obraz ów wywieziono z Włoch nielegalnie. Handel tego rodzaju dotyczył tylko mniej znanych dzieł, ale odbywał się na wielką skalę, przynosząc większą część zysków z aukcji.

Niektóre dokumenty zawierały bardziej szczegółowe dane. Na przykład wśród dokumentów znajdowało się kilka listów na papierze firmowym od Bruno Scaioli. Wszystkie dotyczyły obrazów i zaadresowane były na 31 Corso Lamarmora, Alessandra, w północnych Włoszech, ale na pokwitowaniach odbioru podawany był już inny adres – Alexa Apsisa, ulica Bond Street. (Apsis pracuje obecnie dla Sotheby's w Nowym Jorku w charakterze dyrektora wydziału impresjonistów i dzieł współczesnych). W jednych z listów Scaioli pisze, że przedmioty będą przesyłane na nazwisko Graciello Castilla lub Roberta Necchi, ale w każdym przypadku będą stanowić jego własność. W ten sposób na aukcję przesłano przynajmniej pięćdziesiąt pięć obrazów. Udało się nam potwierdzić, że dwanaście z nich sprzedano w Londynie.

Kilka wewnętrznych pism odnosi się do osobliwej pary dżentelmenów – niejakiego pana Turri i pana Sturma. Ujawniają one szczegóły o wiele bardziej wyrafinowanego planu działania. Pierwsze z tych pism nadeszło od Nancy Neilson z Mediolanu z datą 28 lipca 1980 roku i zaadresowane było do Tima Llewellyna. W piśmie tym donosiła ona o obrazie Marca Ricciego, żyjącego w latach 1676–1730 w Wenecji. Był on siostrzeńcem malarza Sebastiano Ricciego, który pozostawał pod wpływem Magnasco i Pellegriniego i specjalizował się w krajobrazach i capricciach. Oto treść tego pisma: „Właściciel chciałby za Marco Ricciego 3–5 «milioni», ale pewnie będzie chciał go wystawić w Londynie. Ma nas powiadomić".

Pismo to należy porównać z następnym, które, jak powiedział Hodges, znajdowało się w tej samej teczce. Dotyczyło: „Obrazów należących do pana Turri, sprawdzonych w Zurychu". Wśród czternastu płócien znajdowały się dzieła Jacopo del Sellaio *Chrystus Udręczony*, *Judyta i Holofernes* przypisywany Ridolfo Ghirlandaio, ale z podpisem Lattanzio Gambara na marginesie; *Tobiasz rozcinający brzuch ryby* pędzla Lorenzo Lippiego; *Ofiara Izaaka* (ze szkoły Carla Dolciego lub być może Orazio Marinariego); para płócien bez tytułu, przypisywanych Gobbo da Cortonie; *Postacie wychodzące z gospody*, szkoła Mattei dei Pittocchiego; para anonimowych obrazów włoskich z osiemnastego wieku; para krajobrazów pędzla Marca Ricciego; duży, piękny obraz namalowany przez Huillota, podpisany, z datą 1718 r., w znakomitym stanie; oraz *Dziewica z Dzieciątkiem* przypisywana Biagio di Antonio.

Proszę zauważyć, że pismo to znajdowało się w tej samej teczce, co dokument Neilson dotyczący posiadacza Marca Ricciego, którego zadowoliłoby 3–5 „milioni", co znaczyło, że przystaje na cenę włoską. Nasuwa się przypuszczenie, że choć oględzin obrazów dokonano w Zurychu, to w rzeczywistości przybyły one z Włoch. Wniosek ten zyskuje potwierdzenie w dalszej części pisma. Tim Llewellyn pisze o czterech ośmiokątnych obrazach, w tym o Lippim i naśladowcy Dolciego, ale potem dodaje „Dwie martwe natury z Florencji i *Uzdrowienie Tobiasza* powinny pozostać na miejscu i tam być sprzedane".

Zdanie to wskazuje wyraźnie, że pozostałe obrazy pochodzą z Florencji i że Llewellyn oraz inni pracownicy Sotheby's, tacy jak na przykład Neilson, wiedzieli o wszystkim. Dalsze dowody pochodzą z dołączonej do sprawozdania noty, o takiej oto treści: „Do Johna Wintera (John Winter był konsultantem działu dzieł sztuki): Pan Turri potrzebuje we Florencji eksperta od druków i dywanów anatolijskich".

Otóż okazuje się, że pan Turri, mieszkający we Florencji, przedstawił swe obrazy pracownikowi Sotheby's we Włoszech, który je wycenił, po czym zawiózł do Zurychu, gdzie ponownie dokonano oględzin. Ale na tym nie koniec. Teczka zawierała jeszcze jedno pismo, co prawda bez daty, ale napisane tą samą czcionką i na papierze tego samego formatu co noty Wintera do Turri. Jednak zostało ono wysłane do dr. Jurga Wille z firmy Sotheby's w Zurychu. Llewellyn pisał: „Dot. »Emila Sturma« (proszę zwrócić uwagę na cudzysłów). Rozpatrzyliśmy sprawę obrazów i pragnęlibyśmy najlepsze z nich wystawić na aukcji listopadowej..."

W dalszej części pisma Llewellyn omawia płótna Jacopo del Sellaio *Chrystus Udręczony, Judytę i Holofernesa*, zaliczanego do szkoły Lattanzio Gambary, ale oznaczonego także jako Ridolfo, dwa ośmiokątne obrazy, jeden to *Tobiasz rozcinający brzuch ryby* pędzla Lorenzo Lippiego, drugi to obraz Huillota, a także *Dziewica z Dzieciątkiem* pędzla Baggio di Antonio, dwa krajobrazy Marco Ricciego, *Postacie wychodzące z gospody*, dzieło malarza ze szkoły Matteo dei Pittocchi. „Pozostałe dwa obrazy, z których jeden poprzednio przypisywano Gobbo da Cortonie, w katalogu wyszczególnimy jako stylizację Abrahama Breughla... i jako po prostu Szkołę Neapolitańską".

Innymi słowy, kropka w kropkę ta sama lista płócien, należących przedtem do pana Turri, a teraz do „Emila Sturma" w cudzysłowie.

Skąd ta zmiana nazwiska? Czy wysyłka obrazów ze Szwajcarii to nie wystarczający kamuflaż w tym konkretnym przypadku? Być może nazwisko Turriego jest na tyle znane we Włoszech, że obawia się on, iż w przypadku wizyty celników lub urzędników izby skarbowej w oddziale Sotheby's w Londynie nazwisko jego z łatwością zostanie odkryte i zidentyfikowane. W tym miejscu przychodzą na myśl zeznania złożone przez Petera Dangerfielda podczas rozprawy, w których stwierdził, że według akt Sotheby's pan X nie posiada czegokolwiek, natomiast „Truskawka" tak.

Sprawdziliśmy i okazało się, że siedem z tych obrazów zostało sprzedanych przez Sotheby's na aukcji starych płócien w Londynie dnia 17 listopada 1982 roku. Ich opis zgadza się z opisem z wcześniejszej listy, i to samo dotyczy wycen. I o dziwo obrazy te rozmieszczono w katalogu na pozycjach od nr 95 do 340.

I na koniec ostatni dokument w sprawie Emila Sturma. Było to jedno z ostatnich pism, noszące datę 19 stycznia 1988 r., od Olivera Forge'a z działu antyków do Guy de Lotbiniére z biura Sotheby's w Rzymie. Znajdowało się w tej samej teczce. Zaadresowane było do „Pana Sturma": „W dalszym ciągu jesteśmy w posiadaniu marmurowego popiersia i marmurowej głowy, należących do powyższego klienta. Czy możecie nam powiedzieć, co mamy z nimi zrobić? Czy można wystawić je na aukcję 23 maja 1988 roku? Wyceniamy popiersie na 1200–1500 funtów (sugerowana cena najniższa to tysiąc funtów), a głowę na 600–800 funtów (cena najniższa 400 funtów)". De Lotbiniére odręcznie napisał odpowiedź na tym samym faxie. „Drogi Olivierze, obawiam się, że nic nie wiem o tym kliencie, ani o tym, co posiada. W ciągu ostatnich dwóch i pół lat, od kiedy prowadzę oddział w Rzymie, nigdy nie miałem do czynienia z antykami, ponieważ przestępstwem byłoby samo przetrzymywanie takich przedmiotów na terenie oddziału. Sugeruję byś .... (wymazane) przez jakieś inne biuro". Wydawało się zatem, że Forge uważa, iż Sturm mieszka we Włoszech.

Nazwiska Turriego oraz Emila Sturma nie były jedynymi, które nas zainteresowały. W teczce akt przekazanych mi przez Hodgesa widniały i inne, a wśród nich niejakiego Carlo Milano, o którym mówiono, że mieszka w Zurychu. Na przykład 3 maja 1988 roku Sotheby's wystawił pokwitowanie odbioru dwóch przedmiotów – egipskiej figurki kamiennej pochodzącej z okresu Ramzesa (18.–19. dynastii) oraz kamiennej płaskorzeźby egipskiej. Figurka o wysokości 30 cm została wyceniona na około 30 tysięcy funtów, natomiast płaskorzeźba o wymiarach 26 na 28 cm na 20 tysięcy funtów. Według dokumentacji obydwa przedmioty zostały wysłane przez pana Carlo Milano dzięki uprzejmości biura Sotheby's w Zurychu. Wystawiono je na sprzedaż w dniach 11–12 lipca tego roku jako pozycje 30 i 50.

Na kilka dni przed aukcją, dokładnie 23 czerwca, Oliver Forge donosił Felicity: „Bruno dzwonił w sprawie dwóch przedmiotów egipskich na lipcową aukcję. Żąda ceny minimalnej na posąg (pozycja 30) w wysokości 14 tysięcy funtów oraz na płaskorzeźbę (pozycja 50) w wysokości 12 tysięcy. Gdybyś chciała je zmienić proszę się o nich wyrażać jako o dziecku pierwszym i płaskorzeźbie jako o dziecku drugim, zaś cenę podać w dziesiątkach (tysięcy funtów)".

Trzeba przyznać, że wyrażenia użyte w tej nocie były niecodzienne, ale co bardziej intrygowało, to pytanie, kim był Bruno. W wewnętrznej książce telefonicznej z lat 1989–1990 nie było żadnego Brunona wśród dwudziestu pięciu nazwisk osób zatrudnionych przez Sotheby's w Zurychu i Genewie. Ale nazwisko Bruno Muheima figurowało wśród pracowników oddziału mediolańskiego. Następna nota, odnosząca się także do pozycji 30. i 50. mówiła już o pierwszym dziecku i Brunonie M. I tu także mamy powtórkę z zastosowania procedury typu Turri/Sturm, dzięki której sprawia się wrażenie, że przedmioty włoskie pochodzą ze Szwajcarii.

Przeskoczmy teraz o rok do przodu, do 18 maja 1989 r., kiedy to James Hodges otrzymał fax od Grazii Besany z biura Sotheby's w Rzymie, dotyczący jednej z niesprzedanych pozycji nr 30 lub 50. Posiadacz przedmiotu zwrócił się z pytaniem do Grazii Besany, kiedy jego obiekt zostanie ponownie wystawiony na sprzedaż. Jednak Grazia Besana nie wymieniła nazwiska Carlo Milana jako właściciela, ale osobę płci żeńskiej. Inne dokumenty z tej samej teczki sugerują, że prawdziwym właścicielem przedmiotu była niejaka pani Dal Bono. Carlo Milano, podobnie jak i Emil Sturm, to postacie zmyślone, i to chyba raczej w niezbyt wyszukany sposób. W związku z tym nasuwa się pytanie, czy aby w księgach Sotheby's nie figurują nazwiska Giorgio Firenza i Marii Torino.

W tym miejscu godzi się wspomnieć jeszcze o dwóch innych dokumentach, zanim posuniemy się dalej. Pierwszy z nich to niebieska kartka papieru formatu A5, z datą 1 sierpnia 1984 r., i zaadresowana do Jonathana Bourne z działu zabytkowych mebli u Richarda Cambera. Wskazywała wyraźnie, że to, co się działo z antykami, z dziełami starych mistrzów i dziewiętnastowiecznymi płótnami włoskimi, dotyczyło także z całą pewnością mebli. Zatytułowana „Własność we Włoszech", zawierała następującą treść:

> Dziękuję za wiadomość z 12 lipca dotyczącą pana Rossi i pozostałych klientów włoskich, którzy mieli kłopoty z wywiezieniem swych przedmiotów z Włoch do Monte Carlo. Przewiduję trzy rodzaje trudności z realizacją planu, który przedstawiliście: 1. Nawet jeśli strona trzecia dokona zakupu tych przedmiotów od pana Rossi i wywiezie je na swoje nazwisko, to i tak będzie można stwierdzić, że pochodzą od niego. Mogą więc zostać zatrzymane na granicy Włoch. 2. Jeśli zakupu przedmiotów od pana Rossi dokona osoba trzecia wraz z zapłatą, to bez względu na to, czy zapłaci wszystko czy tylko część, będzie niezmiernie trudno odzyskać pieniądze w przypadku konfiskaty. 3. O ile firma, o której mowa, nie będzie się wyraźnie różnić od naszej, zakup przedmiotów, lub wniesienie stuprocentowej zaliczki na nie może doprowadzić nas do sytuacji, w której staniemy się stroną główną transakcji, a nie tylko pośrednikiem, a tego przecież chcemy uniknąć. W przeszłości w podobnych sytuacjach postępowałem w zupełnie odmienny sposób, ale o tym nie chciałbym pisać, woląc raczej wyjaśnić to osobiście. Czy możemy o tym pomówić po powrocie z urlopu pod koniec sierpnia? Tymczasem może porozmawiacie z Davidem Wardem, by zobaczyć, czy plan zaproponowany przez Ala Taubmana Financial Services ma na celu zaradzenie sytuacjom tego rodzaju.

Z notatki tej wynika kilka pytań. Czy to Jonathan Bourne zaproponował kupno mebli we Włoszech i wywiezienie ich z tego kraju, ponieważ Rossi obawiał się zrobić to osobiście? Jeśli tak, to jako żywo przychodzi tu na myśl wybieg zastosowany przez Felicity Nicholson z figurką bogini Sekhmet z Genui. A cóż to za metoda preferowana przez Richarda Cambera, o której nie chciał pisać w liście, a którą stosował już w przeszłości? Z notatki wynika niezbicie, że nielegalny strumień płócien pędzla starych mistrzów, antyków i zabytkowych mebli płynie nieustannie na północ, z Włoch do Anglii lub Monte Carlo, gdzie rzeczy te są wystawiane na sprzedaż.

I tak do ostatniego dokumentu z tej konkretnej teczki, w której pełno szczegółów opisujących ten bezecny proceder. Z początku nie doceniałem jej wagi, ale kiedy zdałem sobie sprawę ze wszystkiego, odjęło mi mowę. Ta bezczelna forma łamania prawa oburzała. Szczególnie wymowne w swej treści było pięć dokumentów, liczących łącznie osiem stron. Opisywały bowiem przerzut następnych starych płócien z Włoch do Anglii, a wśród nich obrazy Scarsellina i Bassana. Jedno z pism wysłanych przez Llewellyna do Neilson 10 marca 1980 r. kończyło się stwierdzeniem, że udaje się on 24 marca do Florencji celem „sfinalizowania czerwcowej sprzedaży". Kiedy zwróciliśmy się z pytaniem do Sotheby's, udając pośredników firmy handlowej Petera Carpentera, odpowiedziano nam, że w czerwcu tego roku dom aukcyjny zorganizował trzy aukcje we Włoszech. Odbyły się one we Florencji 6 maja, 27 września i 25 listopada, a zatem nie było żadnej aukcji we Włoszech w czerwcu 1980 roku. Natomiast miała miejsce aukcja w Londynie 11 czerwca. Innymi słowy, jeśli wierzyć przedstawicielom Sotheby's i dokumentom – to wynika niezbicie, że Tim Llewellyn kierował londyńską aukcją z Florencji.

Pewność siebie, z jaką Sotheby's wywoziła włoskie obrazy spod nosa władz włoskich i bogata dokumentacja opisująca ten oburzający proceder wołała o pomstę do nieba i zdemaskowanie, co potem nastąpiło.

Poczyniwszy odpowiednie przygotowania do rozpoczęcia naszego eksperymentu w Neapolu i Mediolanie – Sam, Peter Minns, Victoria Parnall i ja udaliśmy się ponownie do Włoch w październiku 1996 roku w celu odtworzenia wydarzeń możliwie jak najdokładniej dla naszego programu. Cecilia Todeschini znowu była naszą włoską dokumentalistką. Pomimo ulewnego deszczu i pobytu księżnej Diany w Rimini, która przybyła tam celem odebrania nagrody (co w pewnym stopniu absorbowało Cecilię), wszystko przebiegało zgodnie z planem.

Przeprowadziliśmy wywiad z pułkownikiem Conforti, szefem oddziału karabinieri, zajmującym się ochroną dzieł sztuki. Oglądał nasz program i wzburzyło go to, co w nim zobaczył. Ujawnił nam, że wszczęto śledztwo w sprawie *Śpiewaczki świątynnej* i podjęto kroki dyplomatyczne (rogatorio) na forum międzynarodowym, dzięki czemu policja włoska będzie mogła przesłuchać personel Sotheby's w Londynie. Dodał, że pracuje także nad sprawą Medici.

Wywiadu udzielił nam także dr Alberto La Volpe z włoskiego ministerstwa sztuk pięknych. Przyrównał nielegalny handel dziełami sztuki do prania brudnych pieniędzy i wezwał władze brytyjskie do podjęcia bardziej radykalnych kroków w stosunku do swych obywateli łamiących postanowienia konwencji UNESCO o nielegalnych wykopaliskach.

Na początku października Victoria Parnall pojechała do Mediolanu na spotkanie z Roelandem Kollewijnem. Oświadczyła mu, że nie zadowala ją cena, jaką obraz jej osiągnął na aukcji w Londynie i zastanawia się, co zrobić z resztą obrazów z kolekcji. Odrzekł na to, że nie wie kto go kupił, ale ma wrażenie, iż jakiś włoski handlarz, który z powrotem przywiezie go do Włoch, na co Victoria zapytała, czy mogłaby dostać za obraz więcej, gdyby uzyskała na niego pozwolenie wywozu.

– Nie – odpowiedział. – Tego nie należało robić.

Dodał, że jedynym sposobem osiągnięcia wyższej ceny było wywiezienie obrazu z Włoch. Sposób, w jaki to zrobiono był o wiele tańszy aniżeli procedury legalne. A potem dodał:

– Myślałem, że chciała pani uniknąć rozgłosu i pozostać w cieniu.

Victoria przytaknęła.

– To rzeczywiście powód, dla którego zdecydowałam się na takie właśnie, a nie inne rozwiązanie.

Kollewijn powiedział, że obraz starej kobiety nie osiągnął odpowiedniej ceny, ponieważ kobieta ta miała smutny wyraz twarzy, i temat był nieatrakcyjny. Ale jeśli pozostałe obrazy są lepsze, to można je sprzedać w Londynie cztery razy drożej niż we Włoszech. Podsunął nawet pomysł wywiezienia ich z Włoch za jednym zamachem. Dodał, że nawet jeśli nie uda się ich sprzedać, to będzie mogła je mieć przy sobie w Australii.

Kollewijn to niepoprawny gość.

ROZDZIAŁ DZIESIĄTY

Ludzie z Bombaju

Eksperyment mediolański niemal w całości wypełniony został filmowaniem z ukrytej kamery i siłą rzeczy stanowił najbardziej dramatyczną część drugiego programu. Sam fakt, iż stanowił rodzaj tajnego dochodzenia gwarantował mu popularność. Na domiar tego ukazywał, czemu Sotheby's uparcie zaprzeczała, że firma w dalszym ciągu robiła to, czego się wypierała publicznie, oraz że dokumenty przekazane przez Hodgesa zyskują potwierdzenie w realnych wydarzeniach. Wszystko to prawda, ale to nam nie wystarczało. W pierwszym programie skoncentrowaliśmy się na przemycie antyków i manipulowaniu przetargami. Chciałem, byśmy w drugim programie poszli nieco dalej poza poszerzenie go o najnowsze elementy czy ukazanie przemytu dzieł sztuki, tak jak wskazywały na to dokumenty Hodgesa. Cały sens nakręcenia drugiego programu sprowadzał się do ukazania, że nieprawość polegała nie tylko na przemycie, ale że zło tkwiło w samej firmie, wewnątrz niej, że zatacza coraz szersze kręgi i posiada wyrafinowany charakter.

Jednak pod tym względem istniały różnice poglądów pomiędzy mną i Davidem Lloydem. Telewizja, nawet najpoważniejsza, stanowi nośny środek przekazu w tym sensie, że programy nie tylko coś prezentują, ale często apelują do ludzi nie posiadających wiedzy fachowej na dany temat. Nawet jeśli jest to dokument, to w godzinnym programie wypowiada się około 7 tysięcy słów, podczas gdy książka niniejsza zawiera około 140-150 tysięcy słów. David był zdania, że pewne kwestie podniesione w programie, a więc na przykład manipulowanie wskaźnikami rynkowymi lub tajna transakcja z japońskim domem towarowym Seibu, czy machinacje z brytyjskimi kolejami państwowymi, były zbyt skomplikowane, by je uczciwie przekazać w stosunkowo ograniczonym czasie, jakim dysponowaliśmy.

Bernard doprowadził do kompromisu. Zgadzał się co prawda z Davidem, że problem przemytu będzie zrozumiały dla wszystkich, ale przypomniał mu, iż dokumenty w naszym posiadaniu jednoznacznie wskazywały na to, że dom aukcyjny Sotheby's od lat zaangażowany był w nielegalny wywóz zabytkowych przedmiotów przynajmniej z Włoch, Indii, Francji, Hiszpanii, Grecji, Afryki Południowej, Czechosłowacji i Pakistanu. – To potężny argument – powiedział. Dlatego uważa, że druga część nowego programu powinna dotyczyć przemytu spoza Europy i w związku z tym zaproponował Indie, kraj, o którym mieliśmy najlepszą dokumentację. Zgadzał się także z moją opinią, że powinniśmy wyjść dalej poza przemyt, w związku z czym sugerował, by w trzeciej i ostatniej części programu zająć się jeszcze dwoma innymi sprawami – transakcjami z Iranem i Seibu. – Niemal wszyscy słyszeli o szachu i ajatollahach – powiedział – i wszyscy wiedzą, że Japończycy odgrywają olbrzymią rolę na rynku dzieł sztuki.

Jak zawsze cięty i uszczypliwy, David Lloyd wyraził w końcu zgodę. Drugi program nabrał zatem kształtów, przynajmniej na razie.

Przedsięwzięcie indyjskie to plan ambitny, ale dysponowaliśmy pełną dokumentacją w tej sprawie. Ponadto działania Brendana Lyncha omówiono pokrótce w sądzie, podczas rozprawy Hodgesa, i ani razu nie zakwestionowano prawdziwości jego dokumentów. Nikt nie zarzucał mu dokonania jakichkolwiek zmian w papierach, nie dopatrzono się w nich braków, nie podważono też ich wiarygodności.

Noty, pokwitowania i rejestry, które Hodges mi przekazał były bardzo szczegółowe, a ilość ich i objętość dorównywała zawartości akt dotyczących przemytu starych mistrzów z Włoch. Niektóre z dokumentów bez wątpienia dotyczyły legalnej działalności handlowej firmy Sotheby's, ale wiele z nich wskazywało na coś zupełnie przeciwnego. Hodges powiedział, że wszyscy pracownicy działu antyków doskonale zdawali sobie sprawę z rozmiaru i skali, na jaką odbywał się przemyt z Indii oraz Dalekiego Wschodu. Pracownicy Sotheby's regularnie jeździli do Indii, udając, że jadą na wakacje lub że piszą książkę, podczas gdy inni, jak na przykład Ghiya z Dżajpuru przyjeżdżali do Londynu na aukcje. Pan ten nadesłał spore ilości przedmiotów, które nadchodziły za pośrednictwem kilku firm szwajcarskich. Hodges oświadczył, że często przechowywał niektóre jego rzeczy w piwnicy swego domu na Tunis Road.

Przepisy prawne regulujące wywóz dzieł sztuki z Indii są nie mniej rygorystyczne niż włoskie. W rzeczywistości są bardzo podobne. Żaden przedmiot liczący ponad sto lat nie może opuścić kraju, no chyba tylko na wystawę. Nawet samo posiadanie przedmiotów zabytkowych jest niedozwolone bez zezwolenia władz. A zatem zachodzi ta sama konieczność przemytu ich poprzez Szwajcarię. Trzeba przyznać, że w praktyce nic nie wolno wywozić legalnie, a zatem większość dokumentów w posiadaniu Hodgesa dawała obraz rozmiaru tego nielegalnego handlu. Hodges nie znał Brendana Lyncha w tym stopniu co Felicity Nicholson, bowiem biura ich rozdzielały jeszcze dwa inne. Ale przez jego ręce, jako administratora, przechodziły wszystkie papiery, które musiał rejestrować i katalogować.

Chronologicznie rzecz biorąc, pierwszy dokument z tej teczki pochodził od Patricka Bowringa z działu malarstwa brytyjskiego i nosił datę 18 marca 1986 r. Było to sprawozdanie z podróży, jaką odbył w dniach od 6 lutego do 6 marca do Delhi, Dżajpuru, Bombaju, Kalkuty i Lucknow, podczas której, jak podał, spotkał się z siedemdziesięcioma trzema osobami. Nadmienił, że występują pewne problemy w interesach z tym krajem, ale można im zaradzić. W rozdziale zatytułowanym „Specjaliści Sotheby's w Indiach" napisał tak:

> Ze względu na wymogi utrzymania naszej pozycji w Indiach i w kontaktach z rządem konieczne jest, aby każdy pracownik Sotheby's pragnący przyjechać do Indii na wakacje lub służbowo, powiadomił Juliana Thompsona lub mnie o swym przybyciu, tak by można fakt ten odnotować w aktach. Każde przybycie naszego eksperta będzie tu bacznie śledzone i należy podać odpowiednie uzasadnienie, ponieważ twierdzenie, że każdy specjalista przybywa tu na wakacje lub „by napisać książkę" brzmi nieprzekonująco.

W dalszej części następuje wyliczanka osób, z jakimi się spotkał. Radża Jehangirabadu (Jimmy) „to chyba jeden z najmilszych pomyleńców, posiadających znaczne ilości dobrego towaru w postaci miniaturek, biżuterii, jedwabi i sreber, itd. Odwiedziłem go po raz drugi i wydaje mi się, że obdarzył mnie swym zaufaniem. Wziąłem sporo zdjęć. Osobiście ma przywieźć pewną ilość przedmiotów w czerwcu i spotkać się z Nicholasem Raynerem w Genewie". Potem następuje fragment dotyczący maharadży Dhrangadhry. „Klejnoty, przesłane nam w wyniku wizyty, którą złożyliśmy mu wraz z lordem Westmorlandem i Nicholasem Raynerem w październiku, «poszły» za 97 tysięcy funtów w St Moritz, natomiast wycena wynosiła od 70 do 90 tysięcy. Mam nadzieję, że zachęci go to do następnych transakcji. Przygotuję wywóz pewnej ilości obrazów wiktoriańskich, (za 50 do 80 tysięcy funtów)". Z pisma tego nie wynika jednoznacznie czy biżuteria ma sto czy mniej lat. A potem następuje nazwisko, o którym dowiedziałem się od Hodgesa.

> Ghiya. Brendan Lynch posiada dobre kontakty służbowe z tym pośrednikiem, pomimo ostatniej wizyty Jacka Fransesa, w wyniku której nadesłano nam mnóstwo niepotrzebnych przedmiotów. (Franses był szefem wydziału hinduskiego i islamskiego). Wiemy teraz, czego chcemy, i wykluczamy dolną granicę rynku. Proponujemy, by Ghiya płacił za cztero- pięciodniowe wyjazdy Brendana, może dwa razy do roku, dzięki czemu będzie można ustalać ceny minimalne przed wysyłką. Wraz z Brendanem uważamy, że wyrazi na to zgodę, mając na uwadze interesy obecne jak i przyszłe.

Następny paragraf daje pojęcie, w jaki sposób przedmioty te opuściły Indie. Dotyczy on maharani z Holkar.

> Obraz maharani pędzla Almy Tadema miał dotrzeć do Londynu przed marcem, ale zięcia jej powołano do Nagalandu (na końcu świata) i nie jest w stanie wywieźć go w tej chwili. Ponadto straciła wnuczkę, która była stewardesą podczas tego nieszczęsnego lotu Air Indii. Wkrótce nadejdzie i powinien „pójść" za jakieś 80 do 100 tysięcy funtów. Rodzina jej posiada inne bardzo cenne przedmioty.

Bowring tak kończy:

> Oprócz tego osiągnięto postęp podczas ponownego spotkania z maharadżą Rajmatem z Jodhpuru i kuzynem i ciotką Bapy Dhrangadhry i być może uda się ich odwieść od domu aukcyjnego Christie's. Partha Talukdar posiada trzy obrazy (orientacyjna cena 50 do 70 tysięcy funtów), które, mam nadzieję, przywiezie do Londynu. Maharadża Samtharu ma wywieźć pewną ilość przedmiotów w czerwcu. Jest mile zaskoczony kwotą, jaką uzyskaliśmy za poprzednie przedmioty. Na wysyłkę do Londynu oczekuje pewna ilość innych przedmiotów, w tym

obraz J.W. Godwarda (50 do 70 tysięcy funtów), sekretarzyk wiedeński (25 do 35 tysięcy) oraz rampurska kolekcja obrazów europejskich (50 do 80 tysięcy funtów), a także biżuteria nepalska, którą Rayner ma obejrzeć. W dalszym ciągu czynimy starania celem dotarcia do trzech różowych diamentów bengalskich (10 milionów funtów, tak jak donosiliśmy).

Władze indyjskie nie są w ciemię bite i nie dały się nabrać. Jednym z dokumentów przekazanych nam przez Hodgesa była oryginalna kopia listu od dyrektora ds. antyków „Archeologicznego Przeglądu Indyjskiego" w Delhi, L.K. Srinivasana. Zatytułowany był *Aukcja dzieł sztuki i przedmiotów zabytkowych pochodzenia indyjskiego w Londynie dnia 7 lipca 1989 r.* i treść jego brzmiała:

Drogi Panie, wdzięczny jestem za przesłanie mi katalogu przedmiotów zabytkowych i dzieł sztuki, jakie miały być wystawione na sprzedaż (dnia 7 lipca 1986 r.). Przeglądając go stwierdziłem, że przynajmniej 179 pozycji odnosiło się do przedmiotów zabytkowych lub dzieł sztuki pochodzenia indyjskiego. Z tej liczby w katalogu podano informację o pochodzeniu lub źródle zakupu tylko 23 przedmiotów. Natomiast takiej informacji nie ma o pozostałych 156 przedmiotach. W związku z powyższym „Archeologiczny Przegląd Indyjski" pragnie uzyskać pełną informację o tych przedmiotach. Będę wielce zobowiązany, jeśli będziecie panowie uprzejmi przesłać nam informację o źródle nabycia i pochodzenia 156 przedmiotów, której nie ma w przesłanym mi katalogu.

Brendan Lynch odnotował na liście: „Felicity, zwróciłem się do Joe Ocha z prośbą o odpowiedź". Hodges nie posiadał tego dokumentu.

Ale posiadaliśmy dwa inne, dotyczące podróży do Indii, jaką odbył Brendan Lynch. Obydwa dokumenty różniły się bardzo pod względem charakteru od pisma Bowringa. Lynch wcale nie krępował się celem wyjazdu. Na przykład na zleceniu wyjazdu, na którym Lynch wyszczególnił koszt przelotu w wysokości 1823 funtów oraz wydatki bieżące w wysokości 3049,70 funtów w związku z pobytem w Singapurze, Bangkoku, Kalkucie, Bombaju, Dżajpurze, Delhi i Islamabadzie w dniach od 24 stycznia do 21 lutego 1988 roku, było wyraźnie napisane: „Cel podróży – uzyskanie towaru na indyjską aukcję w dniu 13 czerwca".

W swym sprawozdaniu z podróży Lynch wymienia około 65 klientów, z którymi się spotkał w tym czasie i ocenia, że przesłali oni przedmioty na około 275 tysięcy funtów, w tym: z Singapuru – na 40 tysięcy, z Bangkoku – na 80 tysięcy, z Indii – na 140 tysięcy i Pakistanu – na 15 tysięcy funtów.

Rok później, w kwietniu 1989 r., Lynch pisze sprawozdanie z następnej podróży do Indii, w którym zwraca uwagę na klientów posiadających „na sprzedaż indyjskie miniaturki". W piśmie skierowanym do Margaret Erskine, eskperta od rękopisów islamskich, pisze mimochodem:

> *Kalkuta*... Pan Bharany, Grand Hotel, przesyła najlepsze życzenia i powiada, że żona jego przyjedzie latem, by podjąć należność za obrazy sprzedane kilka lat temu. Ma o wiele więcej do sprzedania... *Bombaj*, Esajee. Ciągle mi coś podsyła i wydaje się, że bez końca, ponieważ ciągle coś od niego i jego brata Fakrou (Shama) nadchodzi. Być może dzięki zachęcie (nawet znacznej...) zechce przesłać niektóre ze swych obrazów. Fakrou przyjeżdża do Londynu co kilka miesięcy i proponuję byśmy się z nim spotkali przy okazji następnej przesyłki...
>
> Pan Sidney Gomes, Antyki Międzynarodowe. Były wspólnik Gheeya (Ghiya). Bardzo sprytny i najwidoczniej posiadający dostęp do naprawdę znakomitych rzeczy, które trzyma dyskretnie w domu w Bandra. Z powodzeniem zajmuje się także handlem żyrandolami i rzeźbami ogrodowymi. Posiada sklep w pobliżu hotelu Taj. Pokazał mi misternej roboty kryształową lulkę fajki do palenia opium, za którą chce 50 tysięcy funtów... Posiada także pewną ilość obrazów baszolijskich, które przechowuje na prezent. To ktoś, kim bezwzględnie należy się zająć... Państwo Heeramaneck... widziałem u nich bajeczne tkaniny i szkło, które posiadają od przynajmniej czterdziestu lat. Mam nadzieję, że do nas dotrą w ciągu następnych kilku lat... *Dżajpur*... pan Gheeya (Ghiya) wspomniałem o przedmiotach wartości około 60 tysięcy funtów, które mam nadzieję nam się dostaną...

I to byłoby wszystko o „podróżologii" wyszczególnionej w dokumentach tej teczki, ale na tym sprawa się nie kończy, bowiem posiadaliśmy jeszcze sporo wydruków komputerowych z nazwiskami sprzedających na aukcjach firmy Sotheby's, mających miejsce w Indiach i Azji południowo-wschodniej w latach 1985, 1986 i 1987. Wynika z nich jasno, że przynajmniej siedem z tych osób, z którymi Bowring lub Lynch się spotkali w Indiach i Pakistanie figurowało jako sprzedający na tych licytacjach. Wśród nich znajdowały się takie nazwiska jak: C. Bharany z Delhi, R. Kumar z Delhi, pani R. Sabawala z Bombaju, panowie E. i F. Sham z Bombaju, dr. Partha Banerjee z Kalkuty i Taimur Khan z Islamabadu. Niektórzy z nich sprzedali znaczne ilości przedmiotów. Na przykład na aukcji z listopada 1987 pani Sabawala wystawiła na sprzedaż sześć przedmiotów na łączną dolną kwotę 26 tysięcy funtów, a pan Sham wystawił dwadzieścia. Pan Bharany wystawił dziesięć pozycji na aukcji z listopada 1986 r., Kumar – trzynaście, a pan Sham – razem czterdzieści pięć.

Z dokumentów naszych wynikało także niezbicie, że personel Sotheby's zastosował znaną już skądinąd metodę w przygotowaniu dokumentacji do aukcji. Co prawda w sprawozdaniach z podróży Bowring i Lynch piszą, że zarówno F. Sham, jak i R. Sabawala mieszkają w Bombaju, jednak pokwitowania odbioru sześciu przedmiotów od pani Sabawali przesłano na adres B. Lyncha, a cała korespondencja była zaadresowana na St James Court Hotel, London SW1. Listy do dr. Banerjee przychodziły na dwa adresy: 20 Aberdeen Court, Maida Vale, London W9 (jeden list) i 38 Crommeock Gardens, W9. Trzeba nadmienić w tym miejscu, że według miejscowych władz adres Crommeock Gardens 38 nie istnieje i nigdy nie istniał.

Prawdziwe oblicze handlu przedmiotami z Indii i pokrętny charakter dokumentacji wyziera chyba najmocniej z dokumentów znajdujących się w oddzielnej teczce dotyczącej pana F. Shama. Główną pozycję na pokwitowaniu odbioru wystawionego panu Shamowi na nieistniejący adres 38 Crommeock Gardens stanowił przedmiot opisany jako duża stela, czyli płyta kamienna ozdobiona rzeźbami i inskrypcjami, wyobrażająca boginię z głową kozy. Stelę tę wyceniono na 10 do 15 tysięcy funtów, a cenę minimalną ustalono na 7 tysięcy. Wystawiono ją jako pozycję 92. na aukcji z dnia 14 listopada 1988 r., zaś w katalogu opisano ją w następujący sposób: „Duża stela z płowożółtego piaskowca indyjskiego, wyobrażająca boginię z głową kozy. Post Gupta, VIII–IX w.". Bogini, opisana jako *lalitasana* (ze skrzyżowanymi nogami), miała ponad 1,3 metra wysokości i towarzyszyło jej zdjęcie na całą stronę.

I chyba zamieszczenie tego zdjęcia stanowiło błąd ze strony Sotheby's, ponieważ wśród dokumentów przekazanych mi przez Hodgesa znajdowały się cztery strony fotokopii pochodzących z książki hinduskiej (napisanej po angielsku) i zatytułowanej *Yogini: Kult i świątynie*. Książkę napisał Vidya Dehejla, obecnie kustosz Smithsonian Institution w Waszyngtonie D.C. Opisał w niej, między innymi, znaczną ilość yogini, czyli bożków, znajdujących się na odosobnionym wzgórzu w okręgu Banda w stanie Uttar Pradesh w północnej części Indii, w pobliżu wioski Lokhari. Według autora książki, pierwotnie na wzgórzu znajdowało się dwadzieścia postaci bożków, każda około półtora metra wysokości, wyrzeźbionych na płytach z gruboziarnistego piaskowca, zaokrąglonych u góry.

Większość bożków i bogiń pochodziła z pierwszej połowy dziesiątego wieku, miały duże zaokrąglone piersi, siedziały w pozycji *lalitasana* i miały głowy zwierząt. A więc jeden miał głowę królika, drugi węża, trzeci krowy, a jedna bogini głowę kozy. Dehejla pisze dalej: „Miejscowi wieśniacy donieśli, że ostatnimi laty jacyś wandale wywieźli sporą ilość postaci". Ale zanim boginię o głowie kozy wywieziono, sfotografowaną ją i Dehejla zamieścił zdjęcie w książce. Reprodukcja ukazuje, że to właśnie pozycja nr 92 z listopadowej aukcji Sotheby's. A zatem wszystko wskazuje na to, że pan Sham w niczym się nie różni od Giacomo Mediciego, Christiana Boursauda czy Serge'a Vilberta, czyli od ludzi znanych firmie Sotheby's jako handlarze przedmiotów zabytkowych, pochodzących z nielegalnych wykopalisk, przemytu, czy wprost z grabieży we własnym kraju.

Co ciekawe, dokumenty nie wymieniają w ogóle jednej osoby. Nie ma tam nazwiska pana Ghiyi, ale w sprawozdaniach z podróży wymienia się je. W jednym z nich jest mowa o tym, że wkrótce wysyła partię towaru za około 60 tysięcy funtów. W następnym mowa o tym, że Lyncha łączą z nim dobre stosunki oraz że przedstawiciele Sotheby's podejmą próbę przekonania go co do celowości sfinansowania kilku wypraw Lyncha w ciągu roku, w celu ustalenia właściwej ceny minimalnej na jego towar. (Jako żywo przychodzi na myśl w tym miejscu Tim Llewellyn i jego aukcja starych płócien z czerwca 1980 r., we Florencji).

Hodges wyjaśnił, dlaczego w papierach tych nie wymieniano tego nazwiska. Otóż Ghiya przyjeżdżał do Londynu na każdą licytację indyjskich dzieł sztuki, podobnie jak Medici, uczestniczący we wszystkich licytacjach antyków włoskich. Istniało wiele podobieństw między nimi oraz tym, co robili. Ghiya także wykorzystywał kilka firm szwajcarskich do swej działalności. Hodges znał ich nazwy i posiadał ich druki firmowe. Nazwy tych firm to: Megavena, Cape Lion Logging i Artistic Imports Corporation. Jeśli porównać dokumentację Sotheby's z listami przewozowymi, kropka w kropkę podobne do listów wystawionych przez Christiana Boursauda, wówczas widać wyraźnie ścisłe związki pomiędzy tymi trzema firmami. Na przykład płatność za przedmioty, które według wydruków komputerowych należały do firmy Cape Lion Logging, została przelana na konto firmy Megavena. Megavena i Cape Lion posiadały ten sam adres genewski, podobnie jak w przypadku Editions Services i Xoilan Trading. Innymi słowy, sposób przemytu indyjskich dzieł sztuki przez Genewę był właściwie identyczny ze sposobem nielegalnego wywozu antyków włoskich przez Genewę. Sześć innych dokumentów wskazywało, że w latach 1984–1986 firma Cape Lion Logging i/lub Megavena wysłały przynajmniej dziewięćdziesiąt trzy pozycje na licytacje Sotheby's na łączną kwotę 58 tysięcy pięćset funtów, a jej przedstawiciele byli obecni na prawie każdej aukcji. Ponadto kwota ta odpowiada dokładnie sumie 60 tysięcy, prognozowanej przez Lyncha w odniesieniu do Ghiyi w sprawozdaniach ze swych podróży. A więc działalność Ghiyi miała charakter trwały.

Rozmiar przemytu z Indii był także podobny do włoskiego, przynajmniej w kilku przypadkach. Na przykład na aukcję, jaka się odbyła w Sotheby's 24 listopada 1986 roku, Cape Lion Logging oraz panowie Bharany, Ravi Kumar, Taimur Khan i Sham, z którymi spotkali się przedtem w Indiach Bowring albo Lynch, wystawili razem 119 pozycji na ogólną liczbę 317, czyli 37,5 procenta wszystkich pozycji.

Jednak pod wieloma względami najciekawsze transakcje handlowe na Dalekim Wschodzie, z punktu widzenia wartości artystycznej, miały miejsce w Tajlandii. Tak przynajmniej wynikało z dokumentów Hodgesa. Wynikało z nich niezbicie, że pewien generał wysłał z tego kraju wiele przedmiotów khmerskich. W roku 1988 Khmerski Ludowy Front Wyzwolenia Narodowego poddał nawet ostrej krytyce dom aukcyjny Sotheby's za wystawienie na sprzedaż dwóch głów kamiennych, które najwyraźniej zostały skradzione ze słynnej świątyni Angkor Wat, będącej miejscem kultu buddyjskiego w Kambodży. Sotheby's kategorycznie odrzuciła zarzut, twierdząc, że nikt nie zwrócił się do nich w tej sprawie przed licytacją, kiedy można było jeszcze nie dopuścić do niej.

Mieli trochę racji, aczkolwiek z drugiej strony dobry specjalista od dzieł sztuki Dalekiego Wschodu z pewnością natychmiast rozpoznałby głowy oraz miejsce ich pochodzenia.

W tym konkretnym przypadku, podobnie jak i w poprzednim dotyczącym waz apulijskich, do akcji wkroczyła rzeczniczka prasowa Sotheby's, D'Estee Bond. Hodges posiadał jej pismo wewnętrzne na temat wrzawy wokół afery z głowami. W tym czasie rozważano możliwość uczestnictwa w debacie telewizyjnej przedstawiciela Sotheby's z udziałem członka Khmerskiego LFWN i pismo D'Estee Bond dotyczyło właśnie tej sprawy. Postawę firmy w tej kwestii najlepiej chyba ilustrują sformułowania użyte w tym piśmie. A więc D'Estee Bond pisze, że Sotheby's może, jeśli zechce, odmówić wzięcia udziału w debacie „pod pewnym pretekstem, takim na przykład, że przedstawiono nas w fałszywym świetle... w tej sprawie".

Pretekst – to ulubione słowo firmy Sotheby's. Użył go Bowring w swym piśmie, kiedy pisał o tajnych wizytach przedstawicieli swej firmy w Indiach. Nie było całkiem niestosowne i chyba miało coś wspólnego z faktem, iż przynajmniej w dwóch przypadkach, jak na to wskazują dokumenty Hodgesa, rzeźby z Angkor Wat przesłano do Londynu w skrzyniach dla „lalek", a jeszcze inne jako „kamienne popiersia".

Nikt z firmy nie wziął udziału w debacie telewizyjnej z przedstawicielami LFWN. Prawda bowiem jest taka, że Khmerowie nikogo nie szkalowali, natomiast proceder uprawiany przez dom aukcyjny miał o wiele większy zasięg niż Khmerom mogłoby się wydawać.

* * *

Istniała pewna granica, do której byliśmy w stanie potwierdzić to, co znajdowało się w dokumentach w odniesieniu do Indii. To olbrzymi kraj i choć koszty utrzymania są tam stosunkowo niskie w porównaniu z poziomem życia na Zachodzie, jednak koszt utrzymania siedmioosobowego zespołu, składającego się z kamerzysty i jego pomocnika, technika od dźwięku, miejscowego dokumentalisty, Sama, Petera Minnsa i mnie, jest wysoki. Dlatego zdecydowaliśmy posłać Sama na rekonesans. W sierpniu pojechał do Delhi na spotkanie z Raman Mann, która przedtem pracowała z Peterem Minnsem nad filmem dokumentalnym dla BBC.

Przestudiowaliśmy mapę i postanowiliśmy najpierw odnaleźć małą wioskę Lokhari, skąd zrabowano yogini. Był to jedyny konkretny przedmiot, o którym wiedzieliśmy z całą pewnością, że został nielegalnie przerzucony z odległych Indii, by wylądować na napuszonych aukcjach w Londynie. Ze względu na wymogi telewizji chcieliśmy pokazać jego oryginalne miejsce pochodzenia i zapytać miejscowych wieśniaków, czy rozpoznają rzeźbę. Gdyby ją rozpoznali, potwierdziliby tym samym, że została skradziona i mielibyśmy ważny dowód w ręku. Po drugie, chcieliśmy przeprowadzić wywiad z dr. L.K. Srinivasanem, byłym dyrektorem „Archeologicznego Przeglądu Indyjskiego", na temat jego listu do Sotheby's z roku 1986, w którym pytał o pochodzenie 156 przedmiotów indyjskich wystawionych na sprzedaż, i prosić go o wyrażenie opinii co do dokumentów w naszym posiadaniu. Po trzecie, mieliśmy zamiar użyć ukrytej kamery i podejść pana Shama w Bombaju, zajmującego się handlem yoginiami, by się przekonać, czy w dalszym ciągu przemyca dzieła sztuki z kraju i sprzedaje je Sotheby's. Po czwarte, postanowiliśmy się zwrócić bezpośrednio do przedstawicieli firmy w Indiach, aby zbadać ich reakcje na propozycje wywiezienia dzieł sztuki z tego kraju.

Musieliśmy zrezygnować ze wszystkich innych możliwych wątków ze względu na ograniczone środki. Raman Mann odnalazła dr. Srinivasana w Bangalore. Był już na emeryturze. Chętnie zgodził się na spotkanie z nami, ale Bangalore znajduje się o godzinę i kwadrans lotu od Bombaju i ponad półtora tysiąca kilometrów od Lokhari. Miejsca, jakie postanowiliśmy odwiedzić były rozrzucone po całych Indiach i fakt ten nastręczał pewne trudności.

Zanim Sam pojechał na rekonesans, zaczęliśmy rozpytywać się wśród specjalistów od archeologii hinduskiej. Nie było ich wielu, ale w końcu natknęliśmy się na dr. Dilipa Chakrabartiego z katedry badań orientalnych uniwersytetu w Cambridge. Wyraził zgodę na spotkanie z nami, aczkolwiek na tym etapie nie powiedzieliśmy mu, czym się zajmujemy, obawiając się przecieków informacji. Mimo to dr. Chakrabarti podał nam nazwiska swych kolegów w Indiach, choć nie bardzo wiedzieliśmy, na ile się nam one przydadzą.

Sam spędził w Delhi cały wieczór z Raman, wtajemniczając ją w szczegóły naszego planu. Nie chcieliśmy używać telefonu czy faxu ze względu na ryzyko podsłuchu. Wiedzieliśmy z dokumentu Vidyi Dehejli, że Lokhari znajduje się w prowincji Banda w stanie Uttar Pradesh i że najbliższe miasto to Allahabad. I to wszystko.

Nie sposób odnaleźć Lokhari na jakiejkolwiek mapie Indii dostępnej w Londynie czy nawet w Delhi, o czym Sam mógł przekonać się osobiście. Dlatego wraz z Raman polecieli do Varanasi (Benares), a stamtąd pojechali samochodem do Allahabadu, nie bardzo wiedząc w jakim kierunku jechać.

Do Allahabadu przybyli we wtorek wczesnym wieczorem, dnia 14 sierpnia, przed nastaniem zmroku. Allahabad to miasto uniwersyteckie i siedziba sądu okręgowego. Przed udaniem się do hotelu przetrząsnęli wszystkie sklepy z książkami w poszukiwaniu odpowiedniej mapy. Nie znaleźli. W końcu udali się do księgarni uniwersyteckiej na krótko przed zamknięciem. Owszem, mieli tam miejscową mapę, co prawda angielską sprzed pięćdziesięciu lat, i Sam odetchnął z ulgą, ale jak się szybko okazało tylko na krótką chwilę. Lokhari na mapie nie było.

Księgarz okazał się wielce pomocny i przyłączył się do poszukiwań. Choć księgarnia była już zamknięta, nie wyprosił ich na zewnątrz. Odszukał egzemplarz ostatniego spisu miejscowości stanu Uttar Pradesh z 1990 roku. Lokhari znajdowała się w tym spisie i to była dobra wiadomość, ale złą wiadomością było to, że znaleźli aż cztery miejscowości pod tą nazwą w rejonie Banda, a jedna z nich znajdowała się o siedem godzin jazdy od Allahabadu. Sam musiał powrócić do Bangalore za dwa dni na spotkanie z dr. Srinivasanem, a więc nie było ani czasu, ani pieniędzy na znalezienie właściwego Lokhari.

Księgarz wpadł na pomysł, by Raman zadzwoniła do wydziału archeologicznego uniwersytetu allahabadzkiego i poprosiła prof. J.N. Pandeya. Była już godzina siódma wieczorem i nikt nie podnosił słuchawki, ale na szczęście księgarz miał domowy numer profesora. Profesor podniósł słuchawkę i w głosie jego pobrzmiewała podejrzliwość, gdy usłyszał Anglika wypytującego o antyki. Miał już odłożyć słuchawkę, kiedy Sam wymienił nazwisko dr. Chakrabartiego. Ton jego głosu natychmiast się zmienił, przyjmując przyjazne brzmienie. W tym momencie Samowi cisnęły się do głowy różne myśli. Pandey wysłuchał go uważnie, po czym powiedział, że zadzwoni do swego kolegi i poprosił o oddzwonienie o wpół do jedenastej.

Raman i Sam znaleźli w końcu hotel i poszli na kolację. O dziwo, pozostałe pokoje wynajęła spora grupa ludzi, którzy kolację połączyli z grą w bingo. Sam był już w Indiach przedtem, ale czegoś takiego jeszcze nie widział. Kolacja z bingo?

Zadzwonił ponownie do Padneya o umówionej godzinie. Profesor miał dobrą wiadomość do przekazania. – Odnalazł pan właściwe Lokhari – powiedział. Dodał, że skontaktował się z archeologiem znającym dobrze okolice, o które nam chodzi i mieszkającym w tamtych stronach. Zaproponował nawet osobistą pomoc następnego dnia. Archeolog ten, Dubey, był absolwentem uniwersytetu allahabadzkiego. Obecnie robił doktorat pod kierunkiem prof. Pandeya i można go odszukać w pobliżu dworca kolejowego w Bargarh.

Następnego ranka obydwoje wyruszyli w podróż. Allahabad liczy około półtora miliona mieszkańców, natomiast Bargarh to przysłowiowa dziura licząca nie więcej niż tuzin domów. I choć pociąg przejeżdżał przez sam środek wioski, nie było w niej niczego takiego, co mogłoby przynajmniej z grubsza przypominać stację kolejową. Był tam tylko drugi tor do mijania się pociągów. Pojawienie się białego człowieka w takim miejscu zawsze wywołuje sensację. Sama i Raman otoczył natychmiast tłum ludzi, wśród których znajdował się niejaki Pandeyji, miejscowy sekretarz partii komunistycznej, który zaproponował im herbatę. Okazało się, że wszyscy znają Dubeya, ale mieszkał on w pobliżu dworca kolejowego w wiosce odległej o około cztery kilometry od Bargarh. Pandeyji oświadczył, że ich tam zaprowadzi, jeśli wypiją następną filiżankę herbaty.

„Dworzec" był to po prostu ślepy tor, kończący trasę kolei.

Pan Dubey był wysokiego wzrostu, poważnie wyglądającym jegomościem, o lśniących kruczoczarnych włosach. Oczekiwał ich. Przerwał to, co robił w tej chwili, by zaprowadzić ich do jego Lokhari, odległego o ponad 60 km. I tak Sam wyruszył w ostatni etap podróży do wioski nie zaznaczonej na żadnej z istniejących map świata. Obejrzał świątynię i jej potworne zniszczenia. Spotkał się z miejscowym sołtysem, który był mocno wzburzony z powodu kradzieży, mimo upływu dziesięciu lat. Powiedział Samowi, że kiedy yogini zostały skradzione, powstała olbrzymia wrzawa, ponieważ były one nie tylko rzeźbami, ale także bóstwami.

Tak więc Sam pomyślnie zakończył pierwszy etap swej misji. Następnego dnia odnalazł dr. Srinivasana, ale nie mógł się z nim spotkać, ponieważ przebywał on w szpitalu z powodu operacji nogi. Jednak rozmawiał z nim przez telefon. Dr Srinivasan powiedział, że jest w dalszym ciągu wstrząśnięty postępowaniem Sotheby's i obiecał, że jeśli Sam przyjedzie ponownie, udzieli mu wywiadu.

Sytuacja w Bombaju była bardziej delikatnej natury. Mieliśmy przyjechać tam ponownie z ukrytą kamerą i dlatego potrzebowaliśmy jakiegoś pretekstu i kamuflażu. Uzgodniliśmy, że Sam będzie udawał mojego syna Charlesa Carpentera, pracującego dla mnie (nazwiska tego używałem jako kamuflażu we Włoszech). Miał mówić, że jestem handlarzem staroci, który dopiero co odziedziczył zabytkowe przedmioty indyjskie i ma zamiar zająć się handlem starymi rzeźbami hinduskimi. Miał dawać do zrozumienia, nie podając przy tym żadnych szczegółów, że zamierzamy wywieźć te przedmioty z kraju. Miał zorientować się w terenie i nie wolno mu było zawierać żadnych transakcji. Celem wybiegu było zademonstrowanie naszej obecności, podkreślenie międzynarodowego charakteru naszej działalności oraz tego, że jesteśmy na tyle zamożni, by pozwolić sobie na wiele, nie spiesząc się przy tym zbytnio.

Sam spotkał się z panami Sham, ojcem Fakrou, synem Zoharem i wujkiem Essą. Spotkania miały pomyślny przebieg, wymieniono wizytówki i Sam wyszedł. Tego samego wieczoru odleciał do Londynu.

Wraz z Peterem Minnsem i Samem przyleciałem do Delhi dwa miesiące później, 15 października. Nawet w Indiach używaliśmy kryptonimu „Baker" ze względu na dyskrecję. Raman odebrała nas z lotniska i zawiozła do hotelu. Tego samego wieczoru spotkaliśmy się z miejscową ekipą filmową, którą najęliśmy, i następnego ranka udaliśmy się do Varanasi. Cała nasza trójka cieszyła się z wyjazdu z Delhi, ponieważ panowała tam epidemia *dengi*, czyli złośliwej odmiany malarii. W ciągu poprzednich kilku dni zmarło na nią 229 osób w samej stolicy, ponad dwa tysiące przebywało w szpitalach.

Varanasi (Benares) jest ośrodkiem kultu religijnego, znanym na całym świecie. Święty charakter tego miejsca polega na tym, jak nam wyjaśniono, że dokładnie w mieście święta rzeka Ganges, mająca tam osiemset metrów szerokości, zmienia koryto w zupełnie innym kierunku. Hindusi wierzą, że Bogowi spodobało się to miejsce i dlatego ochronił je przed potężną rzeką. Sfilmowaliśmy niektóre słynne świątynie, których tam są setki. Przed świątyniami ludzie dokonują rytualnych kąpieli zanim rozpoczną modły.

Tego samego wieczoru pojechaliśmy do Allahabadu. Co za przeżycie: Nawet ci spośród nas, którzy nie są skorzy do modlitwy, czuli nieodpartą potrzebę westchnąć do Boga. Allahabad leży 130 km od Varanasi i choć jechaliśmy szybko, podróż zabrała nam prawie cztery godziny. Drogi zatłoczone rowerzystami, wozami zaprzężonymi w woły, wielkimi czerwonymi i żółtymi ciężarówkami kopcącymi niemiłosiernie czarnymi spalinami z silników wysokoprężnych, niezliczonymi łazikami i furgonetkami, trąbiącymi z całej siły na siebie. I choć droga miała dwa pasma na całej długości, często się zdarzało, że minibus, którym jechaliśmy wyprzedzał na trzeciego lub nawet na czwartego ciężarówki, rowerzystów i wozy ciągnione przez woły. Proszę wyobrazić sobie ławę czterech pojazdów pędzących naprzeciw zbliżających się pojazdów z drugiej strony, które dokładnie w tej chwili także się nawzajem wyprzedzają. Tego wieczoru widzieliśmy cztery ciężarówki wywrócone do góry kołami, ponieważ kierowcy musieli raptownie skręcać, by uniknąć czołowego zderzenia. Po przyjeździe do hotelu stwierdziłem, że moja żółta koszula była czarna od spalin.

Filmowanie to powolne i żmudne zajęcie. Peter Minns sporządził szczegółowy rozkład. Obudzono nas za pięć czwarta rano i po filiżance herbaty i kilku biszkoptach wyjeżdżaliśmy z hotelu o wpół do piątej. Brzask zastawał nas zwykle w samochodzie pędzącym przez wzgórza tonące w soczystej zieleni. Po nakręceniu wschodu słońca powróciliśmy przed południem do Bargarh, gdzie natknęliśmy się na partyjniaka Pandeyjiego, rozciągniętego na drewnianej ławie i popijającego herbatę. Wesołek z natury, o krótko ostrzyżonych siwych włosach i dziwnie zabarwionych zębach, nalegał byśmy poczęstowali się herbatą, po czym zaprowadzi nas do Dubeya.

Do Lokhari przyjechaliśmy w samo południe. Panował niemiłosierny upał i z trudem pokonaliśmy sto poszczerbionych schodków wiodących do świątyni. Na górze rosły dwa drzewa dające cień. Od zachodu wiał przyjemny wietrzyk. Ze wzgórza kilometrami rozpościerał się piękny widok – tajemnicze kopce usypane ręką ludzką i wokół pofałdowany krajobraz. Ale co najbardziej rzucało się w oczy to czarny kamienny taras ze ścianą od zachodniej strony, o którą wspierało się dziewięć kamiennych płyt lub raczej tego, co po nich pozostało. Z lektury książki Vidya Dehejla dowiedzieliśmy się, że kiedyś stało tu dwadzieścia rzeźbionych yogini, teraz nie było ani jednej. Jedenaście z nich skradziono, a pozostałe dziewięć rozbito na kawałki, pozostawiając jedynie gruz.

Kiedy staliśmy oniemiali, na myśl przyszedł nam widok koparki i szkody, jakie poczynili *tombaroli* we Włoszech i cały ten podły proceder kryjący się za blichtrem salonów aukcyjnych Londynu i Nowego Jorku. Lokhari także sprawiało ponure wrażenie. Kiedy ustawialiśmy kamerę, przyszedł jeden z miejscowych wieśniaków. Wysokiego wzrostu, pod trzydziestkę, zdjął buty przed wejściem na taras i padł na twarz przed jedną z kup gruzu. Co za wzniosła i wzruszająca scena!

Wkrótce po tym pojawiło się dwóch *sadhu*, czyli świętych mężów odzianych w szaty koloru szafranu, trzymających w rękach metalowe pręty czy włócznie. Przez około pół godziny modlili się, intonowali pieśni, kropiąc świętą wodą z Gangesu boskie gruzy. Potem jeden z nich zagrał na instrumentach perkusyjnych składających się z prostych stalowych kastanietów w kształcie dużych liści paproci.

Wiadomość o ekipie filmowej rozeszła się szybko po okolicy i około dwudziestu wieśniaków przyszło na wzgórze. Otoczyli nas kołem. Pokazałem Dubeyowi katalog z aukcji Sotheby's, a w nim skradzione yogini. Mówił z pasją do kamery o gwałcie dokonanym na świątyni i o tym, jak to święte miejsce służyło wiernym od ponad tysiąca lat. O wiele bardziej wzruszające wypowiedzi złożyło kilku miejscowych chłopów, którzy doskonale pamiętali yogini. Jeden z nich ujawnił, że pewnego razu zorganizowano nawet pościg za rabusiami, ale udało im się zbiec.

Następny chłop powiedział wprost (byli sami mężczyźni), że żąda zwrotu bóstw, na co pozostali energicznie przytaknęli głowami.

Przez kilka godzin filmowaliśmy świątynię, po czym zeszliśmy do wioski. Co za widok! Lokhari to średniowieczna wioska w pełnym znaczeniu tego słowa. Nie ma ani prądu, ani wody bieżącej (są tylko dwie studnie) i żadnej kanalizacji. Domy, ulepione z gliny i pokryte strzechą, zamieszkują ludzie wraz z krowami, kozami i owcami. Wszędzie pełno szczurów i mangust, a żaby rechocą w kałużach powstałych w wyżłobieniach po wozach ciągnionych przez woły. Tam, gdzie kończą się domy, rozpoczynają się pola ryżowe i trzciny cukrowej. Wszędzie brud, smród i ubóstwo nie do opisania.

Wioska, do której można dotrzeć tylko pieszo, posiada jednak pewną specyficzną godność własną, na którą składa się ubóstwo, prymitywizm i nade wszystko wszechobecna cisza. Całe Indie to wrzaskliwy kraj, to nieustający ryk klaksonów, muzyki i głośników na niekończących się wiecach politycznych. Ale nie Lokhari. Jeszcze innym znakiem szczególnym jej godności osobistej są rzeźby bogów i bogiń przytwierdzone do ścian domostw. Sołtys powiedział nam, że wieśniakom proponowano aż 15 tysięcy funtów za te rzeźby, ale zawsze odmawiali sprzedaży.

– Jak można sprzedać Boga? – pytali z niedowierzaniem.

Obecność bóstw we wsi świadczyła o samej istocie hinduizmu. Stanowiły bowiem nieodłączną część życia wieśniaków. Niektóre bóstwa sprowadzono do wsi ze względu na poczucie bezpieczeństwa. Zabranie ich było czymś więcej niż zwykła kradzież: był to rabunek samej duszy wioski.

Opuściliśmy wioskę o zmierzchu, uprzednio obiecawszy, że odnajdziemy boginię z kozią twarzą. Byliśmy pod wielkim wrażeniem tego, co ujrzeliśmy i już nigdy nie będziemy myśleć o antykach indyjskich w dotychczasowy sposób.

Następnego dnia spotkaliśmy się z dr. Lakshmem Srinivasanem w Bangalore. Ten dostojny mężczyzna nosił rzucający się w oczy znak swej kasty. Była to wymalowana na czole pionowa czerwona linia z żółtymi i białymi plamkami, znaczenia których nie byłem pewny. Był zły na Sotheby's, co do tego nie miałem żadnych wątpliwości. Powiedział nam, że kiedy pisał list do domu aukcyjnego dziesięć lat temu jako dyrektor „Archeologicznego Przeglądu Indyjskiego" czynił to, ponieważ nie mógł zrozumieć, dlaczego Sotheby's była w stanie podać miejsce pochodzenia dwudziestu trzech przedmiotów indyjskich, natomiast nie była w stanie uczynić tego samego w odniesieniu do pozostałych 156 przedmiotów wystawionych na sprzedaż, chyba że pochodziły z przemytu. Oświadczył, że nigdy nie uzyskał zadowalającej odpowiedzi, dodał, iż jego następca dr I.K. Sharma także pisał do Sotheby's w tej sprawie. I on także nie uzyskał zadowalającej odpowiedzi.

Podczas wywiadu dr Srinivasan stawał się coraz bardziej otwarty. Kiedy pokazaliśmy mu dokument stwierdzający, że personel Sotheby's przyjeżdża do Indii pod wątpliwym pretekstem pisania książki lub spędzenia urlopu, oświadczył, iż słowo to mówi samo za siebie. Postępowanie takie jest podejrzane. Stwierdził, że nie wiedział o tym, iż pracownicy Sotheby's spotykają się z tak wieloma Hindusami i że handel przybrał aż takie rozmiary, jak wskazują dokumenty. Wezwał rząd do podjęcia odpowiednich kroków i wszczęcia postępowania przeciwko Sotheby's. Było to oskarżenie poważne, ponieważ wypowiedział je tak niepodważalny autorytet.

Dochodzenie nasze skupiliśmy teraz na Bombaju. Wiedzieliśmy z dokumentów, jakie udostępnił nam Hodges, że w mieście tym mieszkało wielu kolekcjonerów i handlarzy, wysyłających różne przedmioty do Sotheby's. Ale dokumenty odnosiły się do lat 1985–1989. Czy proceder ten odbywał się w dalszym ciągu? Wydawało się, że tak, ponieważ w niektórych notatkach służbowych sporządzonych przez pracowników Sotheby's z podróży do Indii mówiono o interesach, które, jak się spodziewali ich autorzy, będzie można robić przez następnych kilka lat.

Sytuacja nasza w Indiach była pod wieloma względami o wiele trudniejsza i bardziej delikatnej natury niż we Włoszech. W przeciwieństwie do Włoch, w Indiach rozporządzaliśmy nazwiskami wielu kolekcjonerów prywatnych, którzy, jak się wydawało, nielegalnie wywożą antyki z kraju. Ale nie można było zwrócić się do nich wprost, bez żadnego przygotowania. Zdobycie ich zaufania zabrałoby zbyt dużo czasu. Dlatego postanowiliśmy skoncentrować się na handlarzach. Najbardziej chyba zamieszanym, według dokumentów, wydawał się być niejaki Ghiya z Dżajpuru oraz rodzina Shamów z Bombaju. Ale ku naszemu zmartwieniu budżet nie pozwalał na podróż do Dżajpuru i innych miejsc. Dlatego skupiliśmy się na panu Fakrou Shamie, jego synu Zoharze i prawdopodobnie bracie Fakrow-Essie. To właśnie Shamowie wywieźli z Indii yogini oraz wiele jeszcze innych przedmiotów, w tym dwa srebrne siodła na słonia. To właśnie Shamowie używali lipnego adresu z Crommeock Gardens.

I w tym miejscu pojawił się również problem kamuflażu. Podczas rekonesansu w sierpniu, Sam odwiedził Shamów oraz innych handlarzy, oświadczając im, że jest synem Petera Carpentera, który ostatnio odziedziczył pewne antyki hinduskie. Na kilka dni przed wyjazdem z Londynu wysłałem fax jako Peter Carpenter, donosząc Shamom o moim przyjeździe i chęci spotkania się z nimi. Lecz po przyjeździe do Indii wyłoniły się dwa problemy. Pierwszy – to, że Indie są makabrycznie zbiurokratyzowanym krajem (w Allahabadzie dają pisemne pokwitowanie na dziesięć rupii, czyli na 20 pensów, za przejazd mostem na Gangesie, by dziesięć metrów od kasy wręczyć je strażnikowi podnoszącemu szlaban na tym moście). W recepcji hotelowej zawsze sprawdzano dokładnie paszporty, tak że nie mogłoby być mowy o zameldowaniu się pod jakimkolwiek innym nazwiskiem niż własne. Starając się znaleźć jakiś sposób ominięcia tej przeszkody, przyglądałem się pilnie procesowi meldowania w Allahabadzie i zauważyłem, że Hindusów ten wymóg biurokratyczny nie dotyczy. Proszono ich tylko o podanie nazwisk.

Zwróciłem się zatem do technika od dźwięku, członka ekipy mówiącego najlepiej po angielsku, o silnym usposobieniu. Powiedziałem mu o co mi chodzi. Wysłuchał uważnie i trzeba mu przyznać, że nie zdziwił się wcale. Zauważył tylko, że żaden Hindus, a nawet Hindus pochodzący z mieszanego małżeństwa nie może się nazywać Peter Carpenter, ponieważ zaraz zaczną zadawać niepotrzebne pytania. Obiecał, że pomyśli. Następnego dnia zaproponował, że wybierze sobie nazwisko obcego pochodzenia lecz często spotykane w jego kraju, takie, na przykład, jak De Souza lub Pinto. Wyjaśniłem mu, że Sam używał już nazwiska Carpentera w Bombaju, a ja z kolei wysłałem fax do Shamów w jego imieniu, tak więc teraz nie możemy używać innego. Sprawa utknęła w martwym punkcie.

I nagle przyszedł mi pewien pomysł do głowy. Zgodnie z historią, jaką Sam przekazał przedtem, ja odziedziczyłem hinduskie dzieła sztuki. A co by było, gdybym odziedziczył je po ciotce mojej matki, która wyszła za mąż za pana Pinto? Mógłbym wówczas powiedzieć panom Sham, że w Indiach używam nazwiska P. Carpenter-Pinto. W takiej sytuacji technik mógłby wynająć pokój w hotelu w Bombaju na nazwisko P.C. Pinto, a potem zamienić pokoje ze mną. A więc Raman Mann oddała nam przysługę i w recepcji odnotowali nazwisko „P.C. Pinto" bez żadnych dodatkowych pytań, dzięki czemu ktokolwiek by nie zadzwonił do Petera Carpentera-Pinto, uzyska połączenie ze mną.

Następny problem to konieczność pokazania Shamom choćby kilku „odziedziczonych" przedmiotów. Staraliśmy się rozwiązać ten problem fotografując bóstwa w Lokhari, zdjęte i umieszczone w pomieszczeniu ze względu na niebezpieczeństwo kradzieży. Zdjęcia robiliśmy w taki sposób, by w tle nie było niczego. Nie sądziliśmy, by Shamowie byli tymi wandalami, którzy dokonali kradzieży w świątyni. Najprawdopodobniej kupili je albo od złodziei, albo od pośredników. Istniało pewne ryzyko zdemaskowania nas, ale nie mieliśmy wyboru. Sytuacja była o wiele trudniejsza niż we Włoszech, bowiem tam dysponowaliśmy odpowiednim przedmiotem. Ale mówi się trudno i musi wystarczyć to, co mamy.

Udaliśmy się do galerii Shamów – Z.N. Exporters, mieszczącej się kilka ulic od hotelu Tadż Mahal nad samą zatoką, około wpół do piątej, w piątek 18 października. Sam, występujący jako mój syn Charles, miał w torbie ukrytą kamerę. Ja miałem mały mikrofon w górnej kieszonce marynarki. Choć panował niesamowity upał, miałem na sobie dwurzędowy garnitur, aby wyglądać na zamożnego jegomościa. Kiedy wchodziliśmy do galerii, stało tam czterech ludzi w grupce i na nasz widok rozeszli się z uśmiechem na twarzy.

Fakrou Shama, seniora, nie było, jak nam powiedziano. Przebywał w Londynie w związku z aukcją hinduskich, islamskich i himalajskich dzieł sztuki, jaka odbyła się poprzedniego dnia. Nie wiedzieliśmy, czy to dobra wiadomość czy zła. Powitał nas Zohar, syn Shama. Oczekiwano nas. Podano nam zimne napoje i zamknięto drzwi frontowe, co za udogodnienie dla mikrofonu. Rozpocząłem rozmowę zadając Zoharowi pytanie, czy ojciec jego kupuje czy sprzedaje na aukcjach Sotheby's.

– I kupuje, i sprzedaje – odpowiedział.

Początek był obiecujący. Na aukcji z 17 października wystawiono 168 pozycji, z czego tylko dziewięć pochodziło z dwudziestego wieku. Wszystkie pozostałe podlegały ustawie o ochronie zabytków. Gdyby Zohar Sham powiedział nam dokładnie, co ojciec jego w tej chwili sprzedaje w Londynie, moglibyśmy się dowiedzieć natychmiast czy aukcja trwa dalej.

Ale aby zdobyć zaufanie powinienem wyjaśnić kim jestem i co robię w Indiach. A więc powiedziałem, że jestem Anglikiem mieszkającym w Nowym Jorku, gdzie zajmuję się handlem zabytkami greckimi i rzymskimi (na czym nie znałem się zbytnio, mając nadzieję, że Shamom dziedzina ta także jest obca). Świat się zmienia, powiedziałem. Coraz więcej muzeów i poważnych kolekcjonerów chce dokładnie wiedzieć, skąd pochodzą dane przedmioty, na skutek czego coraz trudniej sprzedać antyki niewiadomego pochodzenia. Ma się rozumieć, że w kontekście naszej rozmowy zwrot „niewiadomego pochodzenia" stanowił eufemizm określający nielegalne wykopaliska i przemyt. Mimochodem wspomniałem o śmierci ciotki na początku roku. Z pochodzenia była Angielką, ale całe życie spędziła w Indiach. Wyszła za mąż za Hindusa pochodzenia portugalskiego o nazwisku Pinto. Dodałem, że odziedziczyłem po niej wiele dzieł sztuki. Dopiero co dałem zdjęcia do wywołania i będą gotowe za dzień lub dwa. W tym, co powiedziałem, była część prawdy, ponieważ nie mieliśmy czasu na wywołanie zdjęć zrobionych w Lokhari, a ponadto chciałem mieć pretekst do następnego spotkania. Nie spodziewałem się, że na pierwszym spotkaniu Shamowie zdradzą mi wszystkie sekrety swego fachu. A więc jeśli uda się nam doprowadzić do następnego spotkania za kilka dni, nikomu nie przyjdzie nawet do głowy, że nam się spieszy. Będziemy mogli uchodzić za ludzi zasobnych, dokładnie rozglądających się wokół, zbierających informacje i ze wszech miar godnych zaufania.

Oświadczyłem, że udajemy się do Bangalore w sobotę (zgodnie zresztą z prawdą, ponieważ chcieliśmy się spotkać z dr. Srinivasanem). Zohar odrzekł, że galeria jest zamknięta tego dnia, ale będzie czynna w poniedziałek. Zaproponowałem wspólny obiad, a on zaprosił mnie na kolację, po czym zmieniliśmy temat. Wręczyłem mu katalog z aukcji Sotheby's z poprzedniego dnia, na której był jego ojciec. Przekartkował go i zatrzymał się na stronie z fotografią czterech szesnasto- i siedemnastowiecznych kolumn granitowych pochodzących z południowej części Indii. Pstryknął palcem w fotografię i powiedział: – Mogły być nasze, mamy podobne.

Smutne to, ale prawdziwe.

Dodał, że przez kilka najbliższych dni ojciec jego pozostanie w Londynie i być może powinniśmy się z nim spotkać po powrocie. Będzie w poniedziałek rozmawiać z ojcem i powie mu o naszym spotkaniu.

Wydawało mi się, że osiągnęliśmy wystarczająco wiele. Denerwowałem się bardzo o mikrofon, ponieważ kiedy go włączałem, poczęło migać czerwone światełko. Zajmowałem pozycję siedzącą i za każdym razem, kiedy Sham wstawał istniało ryzyko, że zauważy to migocące światełko.

Oddał mi katalog i kiedy go przeglądałem, uwagę moją zwróciło zdjęcie dziewiętnastowiecznych drewnianych drzwi. Powiedziałem, że dostały mi się takie same. Chciałem w ten sposób wzbogacić asortyment odziedziczonych przedmiotów, na co Zohar odpowiedział, że ma podobne drzwi tu, w Bombaju, w magazynie. Sam zapytał niby od niechcenia, czy magazyn ten znajduje się w pobliżu. Zohar odpowiedział, że tak i zapytał czy chcemy go obejrzeć. Pomimo zdenerwowania z powodu mikrofonu, oczywiście przystałem na tę propozycję natychmiast. Poszliśmy dwie ulice dalej i weszliśmy po schodach na drugie piętro. Weszliśmy do olbrzymiego pomieszczenia. Na podłodze leżały ułożone rzędami naczynia szklane. Oparty o ściany stał ozdobny rzeźbiony parawan oraz kilkoro drzwi. Mieliśmy włączoną kamerę i mikrofon, i zapytaliśmy o parawan. Zohar poinformował nas, że pochodzi z dziewiętnastego wieku, i dlatego przynajmniej w teorii może mieć mniej niż sto lat. Powiedział nam, że zwykle parawany takie odnawia się i wysyła za granicę jako nowe. Dowiedzieliśmy się czegoś nowego. Porozmawialiśmy jeszcze chwilę o cenie takiego parawanu i ile można by uzyskać za niego w Londynie.

Spotkanie, dotarcie do galerii i spacer do magazynu zabrało sporo czasu. Powinniśmy wyjść zanim się skończy taśma w kamerze, ponieważ zawsze słychać głośny pstryk, gdy kamera się wyłącza. Tak więc raz jeszcze podkreśliliśmy zamiar ponownego spotkania następnego poniedziałku i pożegnaliśmy się. Zohar Sham złożył trzy interesujące wyznania i byliśmy przekonani, że nielegalny handel hinduskimi antykami trwa dalej.

Następny dzień, sobotę, spędziliśmy w Bangalore, gdzie spotkaliśmy się z dr. Srinivasanem. Miejscowość ta uchodzi w Indiach za miasto ogród i rzeczywiście pełno tam parków i szerokich ulic wysadzanych drzewami. Ale jak w każdym mieście indyjskim, wszędzie niezliczone tłumy ludzi i pojazdów, plujących czarnymi spalinami w twarz na każdym rogu. W niedzielę nakręciliśmy ogólne ujęcia Bombaju, filmując także doki, wysokościowce i naturalnie żebraków i przerażające slumsy. Co za potworne przeżycie. Normalny człowiek nie jest w stanie znieść tego brudu, tej potwornej nędzy i nade wszystko tego smrodu. Dla Anglika jest to przeżycie trudne do opisania. W milczeniu powróciliśmy do hotelu i poszliśmy prosto do łóżka.

W poniedziałek spotkaliśmy się z dr Ushą Ramamrutham, przedstawicielką Sotheby's w Bombaju. Mając dokumenty w ręku, chcieliśmy porównać sytuację w Indiach z sytuacją we Włoszech, choć, co prawda, nie mieliśmy nic, co moglibyśmy jej zaproponować, tak jak zaproponowaliśmy obraz Roelandowi Kollewijnowi. Doktor Usha Ramamrutham wróciła niedawno z Londynu, gdzie uczestniczyła w aukcji 17 października. Zadzwoniłem do niej i zgodziła się na spotkanie w hotelu Centaur mieszczącym się na plaży Dżuhu na przedmieściu Bombaju.

Mogła mieć trzydzieści pięć do czterdziestu pięciu lat i pracowała u Sotheby's od lat pięciu. Była doskonałym archeologiem, uczęszczała na uniwersytet nowojorski i pracowała jako kustosz w muzeum w Brooklinie. Na początek wymieniliśmy kilka nazwisk z branży, oczekując na podanie kawy, po czym opowiedziałem jej tę samą historyjkę, co Zoharowi Shamowi. Jej także pokazałem zdjęcia przedmiotów, które „odziedziczyłem". Trzeba przyznać, że na tym etapie wykazała sporą ostrożność. Jedna statua miała czerwoną kreskę na czole, oznaczającą, że w dalszym ciągu była przedmiotem kultu. A zatem posąg ten znajdował się w dalszym ciągu w świątyni lub został stamtąd zabrany niedawno. Odpowiedziałem beztrosko, że miejscowi chłopi modlili się do posągu w ogrodzie mojej ciotki, gdzie przedmioty te przechowywano. Pospiesznie dodałem, że przedmioty znajdujące się wewnątrz domu są w o wiele lepszym stanie, ale panuje tam taki galimatias, iż trzeba będzie przynajmniej miesiąca na uporządkowanie i sfotografowanie ich. Mogę tylko powiedzieć, dodałem, że są wśród nich „brązy Koli". Sam odkrył podczas swej wyprawy rozpoznawczej, że brązy Choli, pochodzące z południa kraju, są bardzo cenne i poszukiwane przez salony sprzedaży. Celowo przekręciłem słowo na „Kola", by dać do zrozumienia jak mało się znam na tych rzeczach. Oświadczyłem także, że wraz z Charlesem przyjedziemy ponownie za kilka tygodni, by zobaczyć, co się da zrobić z tymi przedmiotami. Zakreśliłem jeden czy dwa przedmioty z londyńskiego katalogu aukcyjnego z tego tygodnia, pochodzące z północy i środkowej części Indii, czyli z rejonu, w którym miała mieszkać moja ciotka, udając, że posiadam podobne przedmioty, by zaostrzyć apetyt pani doktor.

Przez całe spotkanie utrzymywała, że indyjskie prawo jest bardzo rygorystyczne względem wywozu przedmiotów zabytkowych, że nielegalny ich wywóz z kraju to przedsięwzięcie bardzo ryzykowne i kosztowne, i że ani ona, ani Sotheby's nie chcą mieć z tym nic wspólnego. Powtarzała to wielokrotnie, ale mając w pamięci doświadczenia z Roelandem Kollewijnem we Włoszech nie bardzo wiedziałem, czy to prawda czy tylko poza przyjęta przez panią doktor podczas pierwszego spotkania.

W miarę upływu czasu, spotkanie trwało już godzinę i kwadrans, w jej postawie pełnej determinacji zaczęły pojawiać się pewne niekonsekwencje. Po pierwsze, zaprzeczyła jakoby znała Fakrou Shama, kiedy ją o to zapytałem. Zdziwiło mnie to, bo Sham to duży dostawca dla Sotheby's od lat. Podobnie jak i ona przebywa w Bombaju i tak samo jak ona przyjeżdża do Londynu na aukcje w tym samym czasie. Obydwoje byli profesjonalistami w stosunkowo wąskiej dziedzinie.

Druga niekonsekwencja wyłoniła się, kiedy doszło do rozmowy o działalności Sotheby's w Indiach. W kraju tym jak dotąd odbyła się tylko jedna licytacja, w 1992 roku. Zakończyła się co prawda pomyślnie, ale nie planowano dalszych, przynajmniej do czasu kiedy rupia stanie się w pełni wymienialna, co może nastąpić, jak podkreśliła, dopiero pod koniec 1997 roku. Zapytałem więc, na czym w takiej sytuacji polega jej praca. Odpowiedziała, że na robieniu wycen, za które nic nie dostaje. I w tym momencie przyznała, że podaje wyceny przedmiotów w rupiach oraz w dolarach i funtach. Jako żywo przywodzi to na myśl szlak przerzutu podany przez Kollewijna w Mediolanie. Mówiła dalej, że pod wieloma względami lepiej sprzedawać pewne przedmioty w Indiach, gdzie uzyskują one lepszą cenę niż w Londynie (podobnie mówił Kollewijn o Włoszech) i często wielokrotna różnica w cenie na korzyść Londynu czy Nowego Jorku idzie na koszt transportu. I to właśnie stanowiło trzecią niekonsekwencję, ponieważ zdradziła się, że wie aż tak dużo o nielegalnym handlu. Kiedy zapytałem, skąd wie tak wiele, uśmiechnęła się i odpowiedziała, że tkwi w tym interesie po uszy od lat.

Do czwartej niekonsekwencji doszło, kiedy zapytałem, co by się stało, gdybym mimo jej ostrzeżenia postanowił wysłać nielegalnie niektóre rzeczy do Londynu lub Nowego Jorku. Czy udało by się je sprzedać? Uśmiechnęła się znowu i odrzekła: – Zobaczymy, gdy będzie potrzeba. Teraz to tylko hipoteza.

Po chwili wyjaśniła, że główny problem przy wywozie przedmiotów zagranicę leży nie w tym, iż celnicy sprawiają kłopoty, lecz w tym, że przedmioty często giną u pozbawionych wszelkich skrupułów eksporterów. Musimy się wystrzegać tych rekinów, dodała.

Odbyliśmy długą rozmowę, podczas której wypiliśmy kawę. Mój „syn Charles" dał mi umówiony znak, że kończy się taśma i że należy się rozstać. Żegnając się umówiliśmy się na następne spotkanie za kilka tygodni. Obiecałem przynieść zdjęcia brązów Chola. Tym razem udało mi się wymówić poprawnie ich nazwę.

Po południu spotkaliśmy się ponownie z Zoharem Shamem, tak jak się umówiliśmy. Było to spotkanie niezwykłe. Po pierwsze, Zohar oświadczył, że nie może się z nami spotkać na kolacji, ponieważ w mieście przebywa pewien poważny klient i jest z nim umówiony. Zanim jednak podano pepsi i zanim rozmowa rozpoczęła się na dobre, zadzwonił telefon. Zohar podniósł słuchawkę i powiedział kilka słów w języku hindi. Nagle wykrzyknął coś do słuchawki i poderwał się na równe nogi. Wykrzyknął znowu coś w hindi, po czym obecni w sklepie zaczęli krzyczeć wszyscy naraz.

Zohar odwrócił się do nas. – Przepraszam – powiedział. – Muszę panów opuścić. Klient, z którym umówiłem się na kolację, jest skończony.

– Skończony? – powtórzyłem bezwiednie. – Czy chce pan powiedzieć, że nie żyje?

Zohar potwierdził ruchem głowy, odprowadzając nas do drzwi.

– Bardzo mi przykro, ale muszę wyjść i zobaczyć, co się stało. Proszę przyjść za godzinę – po czym wraz z asystentem pobiegł ulicą.

Nie wiedzieliśmy z Samem, co sądzić o tym wydarzeniu. Czy to naprawdę prawdziwy, choć niesamowicie makabryczny zbieg okoliczności? A może to sprytny wybieg, ponieważ odkryto nasze plany i zostaliśmy zdemaskowani? A może dr Ramamrutham przejrzała nas i ostrzegła Shama przed nami?

Skierowaliśmy się do pobliskiego hotelu Tadż Mahal, gdzie oczekiwał na wiadomość od nas Peter Minns. (Gdybyśmy poszli do restauracji z Zoharem, jak planowaliśmy, on filmowałby nas siedząc przy sąsiednim stoliku).

Kiedy dotarliśmy do hotelu, pierwszą osobą, jaką ujrzeliśmy, był właśnie Zohar. Pochłonięty był rozmową z grupą osób, wśród których byli Hindusi i Amerykanie. Nie chcieliśmy, by zobaczył nas rozmawiających jeszcze z trzecim Anglikiem, ale już nie mogliśmy się wycofać. Tak więc podszedłem do niego i zapytałem, czy wiadomość została potwierdzona. Odrzekł, że owszem i powtórzył, iż spotkamy się za godzinę w jego galerii. Na szczęście Peter Minns natychmiast zorientował się w sytuacji i nie przyłączył się do mnie i Sama. Chwilę jeszcze posiedzieliśmy w hallu hotelowym, po czym Sam poszedł do łazienki. Po kilku minutach Peter ruszył za nim i Sam opowiedział mu, co się wydarzyło.

Po raz drugi tego dnia udaliśmy się do Z.N. Exporters około wpół do siódmej po południu. Robiło się ciemno. Byliśmy nieco zdenerwowani. Wyglądało na to, że nagła śmierć amerykańskiego handlarza była okropnym zbiegiem okoliczności, a nie czymś bardziej złowrogim, ale...

Kiedy powróciliśmy do galerii, Zohar stał na ulicy i rozmawiał z jakimś człowiekiem. Przedstawił go jako wujka Essę, brata Fakrou. Był to naturalnie Essagee, wymieniany w dokumentach i warto w tym miejscu przypomnieć uwagi Brendana Lyncha o nim: „Esajee z *Bombaju*. Dostarcza regularnie towar i wydaje się, że wraz z bratem są w stanie przesłać niemal wszystko. Przy pewnej zachęcie (być może nawet znacznej) może nam przysłać niektóre ze swych obrazów. Fakrou przyjeżdża do Londynu co kilka miesięcy i proponuję się z nim spotkać wspólnie przy następnej przesyłce..."

Przywitaliśmy się i weszliśmy do środka. W tym momencie Essa Sham przyglądając się rzekł im: – Znam pana. Widzieliśmy się już kiedyś.

Serce zaczęło mi bić gwałtownie. Niesamowite. Tak samo powiedziała Concha Barrios w Neapolu. Spociłem się jak mysz kościelna z wrażenia i uśmiechnąłem się niepewnie.

Podczas spotkania siedziałem na przepięknie rzeźbionym drewnianym krześle. Essa siedział naprzeciw, a Zohar między nami. Co za znakomite rozmieszczenie dla ukrytej kamery. Zohar oświadczył, że jego ojciec nie może się z nami spotkać, ponieważ poleciał z Londynu do Dubaju, gdzie urządza wystawę. Rozczarowało to nas nieco, ale z drugiej strony przypomnieliśmy sobie, co nam powiedział Hodges kilka miesięcy temu, kiedy napomknął, że srebrne siodła, które Sham wystawił na sprzedaż u Sotheby's, zostały wysłane z Dubaju. A zatem potwierdzała się następna jego wiadomość.

Essa był główną postacią trzeciego spotkania. Starszy od Zohara, miał o wiele bardziej zdecydowaną osobowość. Postawny, przystojny i bardziej szorstki w obyciu. Spotkanie rozpoczęliśmy od wymiany uwag na temat niespodziewanej śmierci pośrednika nowojorskiego, specjalizującego się w handlu szkłem. Wszyscy byli pod wrażeniem tego wydarzenia.

Po chwili zmieniłem temat, rozpoczynając prezentację. Essa słuchał uważnie, obejrzał fotografie i oświadczył, że jedna z nich przedstawia falsyfikat, a pozostałe przedmioty są w kiepskim stanie (co było zgodne z prawdą). Marny to początek rozmowy, no, ale cóż. Chyba pomyślał sobie, że jesteśmy łatwowiernymi frajerami z kupą forsy w kieszeniach i z pustymi głowami; albo podejrzanymi typami, którzy „obrobili" świątynię; lub zachodnimi „twardzielami" idącymi na szybki numer, ponieważ odniosłem wrażenie, że się nieco odprężył. Powiedział, że na wsi hinduskiej znajduje się pełno „towaru". Podobnie jak dr Ramamrutham (którą, jak sam przyznał zna osobiście) powiedział, że z wywozem łączy się poważne ryzyko i koszty, i że wiele przedmiotów lepiej sprzedać w Indiach.

Potem podkreślił kategorycznie, że niezmiernie trudno wywieźć niektóre przedmioty z Indii, i że tylko tacy ludzie, jak ja, mogą sobie pozwolić na ich wywóz z kraju. Nie bardzo wiedziałem, co odpowiedzieć.

Dodał pospiesznie, że można podejść do sprawy z zupełnie innej strony. Musiałem wyglądać na zaskoczonego, ponieważ odrzekł, że ma agenta w Londynie, który może mi pokazać pewne rzeczy już wywiezione z Indii. Jeśli chcę antyków hinduskich, mogę sobie wybrać z kolekcji już zabezpieczonej. Zrozumiałem, że jest w tym głęboki sens: w ten sposób można pozbyć się konkurencji na własnym terenie. I chyba dlatego Essa był tak skory do pomocy, bowiem widział we mnie klienta nie tu, w Indiach, ale w Europie lub Ameryce.

Pokazałem mu katalog z poprzedniej aukcji. Wręczając mu go powiedziałem:

– Rozumiem, że Fakrou wystawił pewne rzeczy na sprzedaż ubiegłego tygodnia. Czy jest tu cokolwiek z waszych przedmiotów? Chciałbym się zorientować czym handlujecie?

Wziął ode mnie katalog i go przekartkował. Dopisało nam szczęście. Palec jego zatrzymał się na pozycji 119, małej kolumnie z drugiego lub trzeciego wieku, z cętkowanego różowego piaskowca, pochodzącej z Kushanu, w północnych Indiach.

– To moje – rzekł, wskazując palcem.

Katalog podawał miejsce pochodzenia jako „północnośrodkowe Indie" – zakreśliłem kolumnę flamastrem, by pokazać ją później dr Ramamrutham, udając, że odziedziczyłem podobną.

Zwróciłem się do Sama i powiedziałem: – Popatrz, Charles, ta jest naprawdę piękna – zaś do Essy: – Ta jest w moim guście.

– Mam cztery takie – odrzekł. – Może je pan obejrzeć w Londynie.

Zwrócił mi katalog i raz jeszcze przyjrzałem się pozycji nr 119. Wyceniono ją na 5,5 do 6,5 tysiąca funtów i poniżej małą czcionką podano dodatkową informację: „Taką samą kolumnę sprzedano w tym salonie 25 kwietnia, 1996 roku, jako pozycję nr 232".

– Czy to także pańska? – zapytałem.

– Tak – odpowiedział i dodał: – Zorganizowanie wywozu zabrało mi cztery lata, pojechała w kontenerze.

Panował upał i pomimo klimatyzacji lał się ze mnie pot. Ale to dobrze, ponieważ byłem w stanie panować nad sobą wewnętrznie.

– Jak się panu to udało? – zapytałem.

– Pocztą dyplomatyczną – od niechcenia kiwnął ręką.

A więc to tak. Shamowie powoli gromadzili przedmioty, cały kontener, a potem wysyłali go przy przeprowadzce jakiegoś dyplomaty. Rzeczy te składowali w Londynie i stopniowo je wyprzedawali na aukcjach prywatnych. A więc proceder trwał nadal, i to na dużą skalę.

Chciałem wyjść jak najszybciej, ale zmusiłem się jeszcze do zapytania, kim był agent pana Essy w Londynie i kiedy będę się mógł z nim zobaczyć. Nie chciał powiedzieć, nadmienił tylko, że sam udaje się do Londynu za dwa–trzy tygodnie i że będziemy w kontakcie.

Na tym zakończyliśmy rozmowę. Wymieniliśmy wizytówki i postanowiliśmy umówić się na spotkanie w Londynie. Pożegnawszy się, wyszedłem. Szliśmy z Samem w milczeniu do hotelu, nie mogąc uwierzyć w to, co usłyszeliśmy. Po dotarciu na miejsce bez słowa instynktownie skierowaliśmy się do baru.

ROZDZIAŁ JEDENASTY

Faceci z Teheranu

Pobyt w Bombaju był bardzo męczący. Działając w ukryciu zawsze trzeba brać pod uwagę wszelkiego rodzaju ewentualności, które wcale nie muszą się wydarzyć. Na przykład musieliśmy odwiedzić kilka restauracji w Bombaju, by wybrać odpowiednią na ewentualny obiad z Zoharem, tak by można bez przeszkód filmować z ukrytej kamery. Albo czy nazywanie ciągle Sama „Charlesem" nie może być dokuczliwe? Ale mimo to Indie „wypaliły", podobnie jak i Włochy. Bez względu na to, co Sotheby's może publicznie mówić lub czemu zaprzeczać, przemyt, o którym mowa w dokumentach przekazanych nam przez Hodgesa, w dalszym ciągu miał miejsce, i odbywał się na wielką skalę. I albo nowe kierownictwo, jakim by ono było, nie miało pojęcia co się działo w firmie, albo wcale nie było lepsze od poprzedniego.

Po powrocie do Londynu wzięliśmy sobie po dwa dni wolne, aby się porządnie wyspać, po czym spotkaliśmy się z Bernardem. Nabrał on już przekonania co do Hodgesa, czego nie mogę powiedzieć o sobie i, co muszę uczciwie przyznać, miał chyba lepszego nosa ode mnie. Hodgesa może i można było skazać za kradzież, fałszerstwo i oszustwa księgowe, za co przesiedział pięć miesięcy w więzieniu, ale wszystko to co nam powiedział zyskiwało realne potwierdzenie. Udało się nam potwierdzić dane zawarte w dokumentach, które mi wręczył, w stopniu o wiele większym niż się można było spodziewać.

Ale mimo to końca drogi jeszcze nie było widać, ponieważ dokumenty mówiły także o wielu innych rzeczach. Niekonwencjonalne metody stosowano nie tylko w odniesieniu do przemytu, choć sam ten fakt był już wysoce naganny. Hodges utrzymywał, że działania firmy Sotheby's wybiegają o wiele dalej, i teraz nadszedł czas, by się zająć bardziej wyrafinowanymi sposobami manipulowania aukcjami. Już przed wyjazdem do Indii i Włoch wydawało mi się, że znaczenie dokumentów Hodgesa polega nie tylko na tym, że demaskują zło i występek, aczkolwiek sam ten fakt stanowił już rewelację, ale i na tym, że ujawniały, w jaki sposób, skądinąd otwarte i przejrzyste ze swej natury, przetargi mogą być manipulowane od wewnątrz. Po lekturze dokumentów i zrozumieniu ich zawartości już nigdy nie spojrzę na aukcje w ten sam sposób, co przedtem, a już na pewno nie uwierzę, że są nieskorumpowane czy uczciwe.

Odnosi się to w szczególności do zdarzeń opisanych w jednym z najbardziej dziwnych dokumentów z akt Hodgesa, dotyczących wielu transakcji dokonywanych przez firmę Sotheby's w Iranie przez ponad dziesięć ostatnich lat. Teczka z tymi aktami liczyła ponad czterysta stron i była gruba. Poszczególne strony były stęchłe od wilgoci i wpięte do niebieskiej teczki, na której znajdowało się mnóstwo odręcznych adnotacji. Hodges powiedział, że wszedł w jej posiadanie bardzo okrężną drogą. Otóż miała ona jakiś związek z pewną Iranką, która zgłosiła się po niesprzedaną własność. Ale nie o to tutaj chodzi. Istotne jest to, czego teczka dotyczyła i co zawierała. Otóż ujawniała ona sposoby postępowania Sotheby's oraz jej kodeks etyczny.

W połowie lat siedemdziesiątych Iran był kopalnią złota dla firmy takiej jak Sotheby's. Kryzys naftowy spowodowany wojną Yom Kippur pociągnął za sobą zasadnicze zmiany w sytuacji gospodarczej na całym świecie, doprowadzając do wzrostu globalnej inflacji i recesji, która ze szczególną mocą uderzyła w rynek nieruchomości oraz w giełdy. Ucierpiały także i domy aukcyjne, ponieważ na Zachodzie ludzie wydawali na dzieła sztuki coraz mniej, na skutek czego dochody firm Sotheby's i Christie's oraz innych domów aukcyjnych zaczęły spadać. Tymczasem dzięki kryzysowi naftowemu coraz więcej pieniędzy płynęło do kieszeni eksporterów ropy naftowej na Bliskim Wschodzie. I choć niektóre rządy w tym regionie były nieprzyjaźnie nastawione do Zachodu, to inne państwa, leżące nad Zatoką Perską, znajdowały się pod rządami monarchów, którzy wcale wrogami Zachodu nie byli. Do takich państw należał Iran, wówczas rządzony przez szacha. Sotheby's widziała w nim odpowiedniego partnera do „robienia i rozwijania interesów".

Z akt przekazanych przez Hodgesa wynikało jasno, że firma ta uczyniła pierwszy krok pod koniec 1974 roku. W listopadzie Jeremy Cooper z biura Sotheby's w Belgravii napisał sprawozdanie, w którym donosił o możliwościach drzemiących w Iranie, wyliczając sześć obszarów rokujących największe nadzieje na interesy: antyki bliskowschodnie, dywany, chodniki i tekstylia, dziewiętnastowieczna porcelana francuska i meble, biżuteria, rosyjskie przedmioty emaliowane i dziewiętnastowieczne obrazy europejskie. Dziwny to dobór, ale Cooper chyba znał nieźle gusta Irańczyków i różnice dzielące ich od Europejczyków pod tym względem.

Tak czy inaczej, kierownictwo Sotheby's chyba przyjęło sugestie Coopera, skoro od tej pory zaczynają się podróże służbowe pracowników firmy do Iranu, w tym samego Coopera i prezesa Petera Wilsona, wsparte wieloma listami polecającymi do różnych osobistości w tym kraju. W listach tych podkreślano pozahandlowe aspekty działalności Sotheby's, takie jak muzealnictwo, fachowe doradztwo, działalność wydawnicza, itd. Czytając je można odnieść wrażenie, że Sotheby's trzyma się jak najdalej od działalności handlowej czy aukcji dzieł sztuki.

Szybko jednak kierownictwo firmy zorientowało się, że największe możliwości w owych czasach, które nie były zbyt sprzyjające dla Zachodu chcącego robić interesy w tym kraju, zapewniała ścisła współpraca z małżonką szacha, cesarzową Shahbanou, wykształconą w Paryżu. Interesowała się ona bowiem sztuką i znała wszystkie domy aukcyjne na Zachodzie, stanowiąc tym samym jak najlepszą kandydatkę na „naszego człowieka" w Iranie. Rozpoczęły się więc flirty z jej współpracownikami. Na przykład Thilo von Watzdorf, jeden z najbardziej ustosunkowanych ludzi w firmie, napisał do pewnej pracownicy cesarzowej list, 6 stycznia 1975 roku, który chyba najlepiej odzwierciedla linię obraną przez Sotheby's:

> Droga Panno Daftary,
>
> Od wielu lat jestem dobrym znajomym Nilufar Mehaven. Spożyłem z nią obiad ubiegłego tygodnia w Paryżu, podczas którego zasugerowała, bym się skontaktował z panią i umówił na spotkanie któregoś dnia. Z tego, co mi powiedziała pani Nilufar, pracuje pani w „Bureau de la reine" nad zorganizowaniem muzeum sztuki współczesnej. Ja, z kolei, zajmuję się aukcjami dzieł sztuki współczesnej w mojej firmie i w tym charakterze miło byłoby mi pomóc pani, gdyby potrzebowała pani informacji o aukcjach w Londynie i Nowym Jorku. Gdyby przyjechała pani do Londynu, proszę się ze mną skontaktować. Moglibyśmy umówić się na obiad, oczywiście gdyby miała pani czas.

Jeremy Cooper pisał także podobne listy do wielu notabli, takich jak wiceminister ds. dworu, wiceminister kultury oraz sekretarz urzędu ds. muzealnictwa. Jednak jego sprawozdanie z podróży do Iranu stanowi najciekawszą lekturę, szczególnie ze względu na to, co się wydarzyło potem oraz ze względu na dziedziny w nim wymienione. Sprawozdanie swe rozpoczął od takiej oto konkluzji:

> Podróż była ze wszech miar zachęcającą pod każdym względem. I choć szczegóły organizacyjne mogą sprawiać pewne kłopoty, mam wrażenie, że rynek dojrzał do zawładnięcia, w szczególności gdy się weźmie pod uwagę fakt, iż firma Sotheby's może liczyć na potężne osobiste wsparcie w Iranie. Rynek irański jest wysoce konkurencyjny, być może z początku niestabilny i nieco kosztowny, ale w ciągu dziesięciu lat może się stać najważniejszym na świecie centrum sprzedaży, kolekcjonerstwa i wystawiennictwa dzieł sztuki. Gorąco polecam ustanowienie stałego przedstawicielstwa w jakiejś formie w Teheranie w maju lub czerwcu [1975 roku] oraz zaakcentowanie tego wydarzenia prestiżowym wernisażem naszej letniej aukcji. Mając na względzie przyjazd Bahadoriego do Londynu dnia 9 lub 10 lutego, szefa prywatnego biura cesarzowej [patrz poniżej], będziemy mieć znakomitą okazję do przedstawienia szczegółowych planów do oficjalnej akceptacji cesarzowej lub szacha. W chwili obecnej trwa kodyfikacja prawa celnego, mająca na celu umożliwienie bezcłowego wwozu na sto lat [prawdopodobnie chodzi o to, że antyki liczące mniej niż sto lat będzie można wwozić bez cła]. Francuzi wysforowali się do przodu, a za nimi tuż tuż Christie's, i wydaje mi się, że szybkie działanie w tym względzie może przynieść sukces. Szczegółowy raport prześlę niebawem, a w nim postępy na wielu frontach...

W dalszej części Cooper pisze o doradztwie muzealniczym, wydawnictwie, kartach kredytowych, wystawach, a na samym końcu, tak jakby po pewnym namyśle, o aukcjach. Najciekawszy chyba jest ustęp I.3, w którym postawione zostało pytanie o „fundusz inwestycyjny". Ten, jak i inne dokumenty z teczki irańskiej, wyraźnie wskazują, oprócz wszystkiego innego, na to, że Sotheby's chciała się dogadać i ubić interes z trzema prominentami irańskimi – byli to panowie: Ladjevardi, Khayani i Bakhorda – dzięki czemu stałaby się zarówno mocodawcą, jak i pośrednikiem.

Dokładne uzgodnienia między różnymi stronami tego planu wymagały jednak pewnej organizacji. Stało się tak za przyczyną lorda Westmorlanda, który zasugerował Irańczykom trzy możliwości. Określił je w obszernym liście przesłanym w lutym 1975 r. do Ghassema Ladjevardiego, najwyższego rangą spośród trzech Irańczyków, który od czasów otworzenia swej pierwszej przędzalni bawełny nad morzem Kaspijskim w roku 1951 doszedł do jednej z największych fortun w Iranie, składającej się z banków, stalowni, fabryk mydła i przędzalni.

Sotheby's chciała, by trzej Irańczycy wnieśli wspólnie 400 tysięcy funtów do funduszu inwestycyjnego, aczkolwiek „można go zwiększyć nawet do dwóch milionów, jeśli panowie sobie życzą". Pieniądze te znajdowałyby się na wspólnym koncie i w początkowym okresie dom nabywałby stosunkowo niezbyt drogie przedmioty w ich imieniu – „na przykład po tysiąc funtów za sztukę lub nawet mniej". Dalej w dokumencie czytamy: „W normalnych warunkach zakupów będziemy dokonywać poprzez grupę Parke Berneta, należącą do Sotheby's, ale skupować będziemy także dzieła sztuki z innych źródeł, o ile zaistnieją dogodne okoliczności. (W każdym jednak wypadku pobierać będziemy zwykłą gażę handlową). Następnie przedmioty te zostaną sprzedane w Iranie. Trudno powiedzieć w obecnym stadium kiedy to nastąpi, ponieważ musimy wziąć pod uwagę szereg czynników. Jeremy Cooper oceni sytuację podczas następnej podróży do Teheranu, ale obecnie uważamy, że okres przygotowań potrwa od dziewięciu do osiemnastu miesięcy".

Sotheby's zamierzała pobierać dwadzieścia tysięcy dolarów w formie opłaty za konsultacje, ale po tym stwierdzeniu następuje chyba najbardziej kontrowersyjny passus, ponieważ oprócz dziesięciu procent prowizji handlowej i dwudziestu tysięcy aportu do funduszu dom aukcyjny postuluje dla siebie udział w zyskach. A zatem lord Westmorland proponuje trzy rodzaje rozliczeń. Według pierwszego – zysk należy dzielić w stosunku 80 do 20 na korzyść Irańczyków, według drugiego – podział winien nastąpić w stosunku 65 do 35, i tym razem także na korzyść Irańczyków, zaś zgodnie z trzecim – Sotheby's pobiera prowizję, ale nie zwyczajowe 10 procent, lecz 13 procent.

Propozycji tych nigdy nie ogłoszono, ale na pierwszy rzut oka odzwierciedlają one sprzeczne interesy. Należy pamiętać, że w normalnych warunkach, kiedy ktoś wysyła jakiś przedmiot do domu aukcyjnego, wówczas ten dom dokonuje wyceny i ustala cenę minimalną w porozumieniu ze sprzedającym. Jest to naturalnie wynik kompromisu pomiędzy tym, czego oczekuje sprzedający, a tym, co sądzi firma aukcyjna o popycie na rynku w danej chwili. Jeśli salon sprzedaży i sprzedający nie osiągną porozumienia, przedmiot nie zostaje przyjęty do sprzedaży, ponieważ zwykle domy aukcyjne nie pobierają prowizji od niesprzedanych przedmiotów (a zbyt wiele niesprzedanych pozycji świadczy o spadku popytu na rynku). Nie ma sensu poświęcać czasu i energii na przedmioty wycenione w ten sposób, kiedy dom aukcyjny jest przekonany, iż nie będzie ich w stanie sprzedać.

Jeśli jednak dom aukcyjny zainteresowany jest danym przedmiotem pod względem finansowym powyżej kwoty ewentualnej prowizji, mogą wyłonić się wtedy dwa rodzaje zagrożeń. Po pierwsze, jeśli pewne przedmioty wystawione na sprzedaż stanowią własność salonu sprzedaży, a inne nie, wówczas dom aukcyjny może traktować pierwsze w bardziej przychylny sposób niż drugie, ponieważ chodzi mu o większą stawkę. Może wówczas uciec się do manipulacji wolnym rynkiem, co stanowi przestępstwo w niektórych krajach.

Z drugiej strony, jeśli wszystkie przedmioty wystawione na sprzedaż stanowią własność domu aukcyjnego, to w takiej sytuacji salon sprzedaży nie jest pośrednikiem, ale mocodawcą i w niczym się nie różni od handlarza, który postanawia wziąć udział w przetargu. Nie ma w tym nic złego, gdy odbywa się to w sposób jawny, ale gdy cała operacja utrzymywana jest w tajemnicy, wówczas jest to manipulacja rynkiem, bowiem sprawia się wrażenie, że sprzedających jest wielu, dając tym samym do zrozumienia, iż postanowili przystąpić do przetargu niezależnie od siebie. Stwarza się w ten sposób sztuczny popyt i winduje licytację do góry w sytuacji, w której nic takiego nie występuje. Jeśli dom aukcyjny dokonuje sprzedaży jakiegoś przedmiotu, występując w roli pośrednika, a jest w rzeczywistości mocodawcą, można także powątpiewać w jego bezstronność. A zatem z powyższych przesłanek wynika niezbicie, że posiadanie tytułu własności lub własności częściowej przez salon sprzedaży rodzi konflikt interesów, tym bardziej, jeśli uczestnicy aukcji nic o tym nie wiedzą.

Z dokumentów nie wynika jasno, którą z trzech propozycji Westmorlanda w końcu przyjęto, aczkolwiek w następnej notatce z podróży do Teheranu we wrześniu 1975 r. Jeremy Cooper napisał, iż „Fundusz Ladjevardi" działa sprawnie i na jego koncie znajduje się 52 tysiące funtów. Jednak do żadnych aukcji w Teheranie nie doszło ze względów politycznych, zgodnie z przewidywaniami Sotheby's (lub przynajmniej Coopera). Zorganizowano tylko jedną sprzedaż w maju 1975, którą „New York Times" nazwał „cocktail party wraz z wystawą dzieł sztuki", ale do aukcji jako takiej nie doszło, aczkolwiek „New York Times" dodał, że sprzedano «obrazy o łącznej wartości 500 tysięcy dolarów». Nie ma także ani słowa w dokumentach o tym, czy dzieła sztuki stanowiące własność funduszu zostały sprzedane w salonach Sotheby's lub gdziekolwiek indziej oraz w jakich okolicznościach. Wymowa całego planu polegała na tym, że dom aukcyjny Sotheby's przynajmniej rozważał możliwość i zastanawiał się nad manipulowaniem rynkiem już w połowie lat siedemdziesiątych. I to na najwyższym szczeblu, jako że wmieszani w to byli lord Westmorland i jego kuzyn Peter Wilson.

Istnieje jeszcze inny aspekt działalności Sotheby's w Iranie. Na przełomie lat 1975 i 1976 Jeremy Cooper sporządził następne sprawozdanie, tym razem o objętości dwudziestu pięciu stron, w którym autor proponuje tajny układ, na którego mocy Sotheby's sporządziłaby ekspertyzę umożliwiającą cesarzowej założenie kolekcji impresjonistów i malarstwa współczesnego i w myśl którego prezes firmy Peter Wilson zostałby stałym doradcą komitetu zakupów muzeum cesarskiego. W sprawozdaniu przewiduje się ścisłą współpracę biura Wilsona i jego Ekscelencji dr. K.P. Bahadoriego, szefa prywatnej kancelarii cesarzowej.

Utrzymywali oni w najgłębszej tajemnicy ścisłe kontakty między sobą – zarówno w Iranie, jak i w branży. Cooper tak napisał we wstępie swego sprawozdania:

> Zawartość niniejszego sprawozdania, jak i wszystkie ustalenia Sotheby's z sekretariatem, należy traktować jako ściśle poufne. I choć eksperci z odpowiednich działów będą brać udział w przedsięwzięciu, nie należy ich informować dla kogo pracują. Ważną sprawą jest to, by kontakty między naszą firmą i sekretariatem pozostawały w tajemnicy tak długo, jak tylko to możliwe. Sotheby's ma zapewnić sekretariatowi jak najpełniejszą informację, często o charakterze osobistym i poufnym.

Dokument zawierał także rozdział zatytułowany „Dzieła sztuki oferowane bezpośrednio sekretariatowi". Oto jego fragment:

> Gdyby opinie odnośnie kolekcji lub poszczególnych pozycji proponowanych przez pośredników lub prywatnych kolekcjonerów były wymagane przez sekretariat, wówczas można nadsyłać zdjęcia i odpowiednią informację do Sotheby's, natomiast dzieła sztuki można przesłać do którejkolwiek ambasady irańskiej, by je potem mógł obejrzeć nasz ekspert. Jednak w żadnym wypadku sprzedający nie może wiedzieć, że firma nasza jest doradcą w transakcji.

Po co ta cała skrytość? Jeśli jakiś handlarz proponuje cesarzowej cokolwiek, to wynajmuje się stronę trzecią, która dokonuje oględzin przedmiotu i jego wyceny, ale wszystko odbywa się w sposób jawny i otwarty, a gdy powstaje jakaś wątpliwość, to się ją wyjaśnia w drodze negocjacji. Ale tak jak się sprawy miały w rzeczywistości, Sotheby's oferowała swe usługi potajemnie, i to w odniesieniu do przedmiotów oferowanych przez innych pośredników lub kolekcjonerów prywatnych, by mieć wgląd w to, kto czym rozporządza, kto nosi się z zamiarem sprzedaży i za ile. Tak naprawdę firma ta wykorzystywała muzea cesarskie jak konia trojańskiego, nie widząc w tym niczego zdrożnego, podczas gdy inni oceniają takie praktyki jak coś bardzo niegodziwego.

Zasłony tajemnicy otaczającej cały plan nie uchylono nigdy, w każdym razie przynajmniej do chwili obecnej. Strzeżono jej jak oka w głowie, co czasami przynosiło komiczne skutki. Wśród dokumentów znajdujących się w niebieskiej teczce znajdował się szkic listu Petera Wilsona do Davida Nasha, wówczas szefa działu impresjonistów i sztuki współczesnej w Nowym Jorku. Choć nie nosił żadnej daty, najwyraźniej pochodził z kwietnia 1976 roku. Wynika z niego niezbicie, że zakupy dla cesarzowej już miały miejsce w tym czasie. Wymienia się w nim trzy obrazy, w tym jeden pędzla Dubufetta. Wilson pisał:

> Bahadori nieustannie podkreśla konieczność zachowania tajemnicy wokół kontaktów między Sotheby's i sekretariatem i niezmiernie ważną sprawą z naszego punktu widzenia jest, by nikt nie dowiedział się o naszych kontaktach lub zakupach dokonywanych przez sekretariat. W celu dochowania tajemnicy, informacje o kliencie mogą być udostępniane tylko tobie (Nashowi), Arnoldowi Kaganowi i Johnowi Marionowi. Od tej chwili będziemy wymieniać go w korespondencji, telexach i rozmowach telefonicznych pod kryptonimem „Dubois".

Interes z cesarzową opłacał się, i to bardzo. W nocie przesłanej przez Jeremiego Coopera do Petera Wilsona, Peregrine Pollen i David Westmorland pisali, że w ciągu ostatnich ośmiu miesięcy napłynęły zamówienia od „Dubois" na 2 238 900 dolarów (blisko 10 milionów dolarów po cenach obecnych). Z listy sporządzonej 24 maja 1976 roku wynika, że cesarzowa zakupiła przynajmniej dziewiętnaście dzieł, w tym Gauguina, Van Dongena, Rouaulta, Miro, Villona, Morandiego oraz fotografię Stieglitza, nie wspominając Dubuffeta, o którym była już mowa.

Pomijając etyczne aspekty tego tajnego planu, wszystko działało bez zarzutu do 13 sierpnia 1977, kiedy to sir Michael Stewart (następny naganiacz) napisał do Petera Wilsona, lorda Westmorlanda i pozostałych członków kierownictwa o obiedzie, podczas którego spotkał się z irańskim ministrem kultury Amirem Abbasem Hoveydą. Minister zapytał Stewarta, czy Sotheby's może dopomóc w urządzeniu Pałacu Marmurowego, tak, by uatrakcyjnić to muzeum. W tym czasie dom aukcyjny nie organizował jeszcze sprzedaży w Iranie, ale list ten świadczy o tym, że wyrażono na to zgodę na najwyższym szczeblu. Bez wątpienia Sotheby's zarabiała zupełnie nieźle na interesach z cesarzową i chciała zwiększyć zyski.

Lecz w tym miejscu należy uwzględnić sytuację polityczną i wydarzenia, które nastąpiły potem. Pod koniec 1977 roku Iran wydawał się być krajem stabilnym. Prezydent Carter złożył wizytę w tym kraju w grudniu, i w przemówieniu noworocznym wygłoszonym w Teheranie oświadczył, że „Iran jest oazą spokoju w jednej z najbardziej niespokojnych części świata... Nie ma drugiego takiego przywódcy, któremu winien byłbym tyle wdzięczności i z którym łączyłoby mnie tyle przyjaźni".

Tydzień później wybuchły pierwsze zamieszki w świętym mieście Qum. W lutym zamieszki przybrały na sile w Qum i Tebrizie. W tym czasie Sotheby's, o dziwo, rozważa sprzedaż mięsa Iranowi. W marcu gwałtowne zamieszki wybuchły w Qazuinie, Babacie i Teheranie. W maju doszło do pierwszego wystąpienia studentów, w następstwie czego zamknięto bazar. W czerwcu gen. Nassiri, szef znienawidzonej służby bezpieczeństwa Savak, został zdymisjonowany, ale zamieszki trwały dalej. 5 sierpnia szach podjął próbę zażegnania kryzysu, oświadczając, że zamierza przeprowadzić wolne wybory następnej wiosny. Ale jak się wydaje oświadczenie to otworzyło tylko puszkę Pandory, ponieważ wkrótce zamieszki przybrały taki rozmiar w Isfahanie, że trzeba było wprowadzić stan wyjątkowy w tym mieście. W tydzień później doszło do tragicznego podpalenia kina w Abadanie. W wyniku pożaru 477 osób poniosło śmierć.

Sytuacja uległa nagłemu pogorszeniu. Tydzień później premiera zmuszono do rezygnacji i jego miejsce zajął Sharif Emani. Wychodząc naprzeciw żądaniom hierarchów kościelnych, przywrócono kalendarz islamski i zamknięto wszystkie kasyna i domy gry.

Lecz demonstracje w dalszym ciągu przybierały na sile. W „czarny piątek", 8 sierpnia, w starciach z policją i gwardią narodową zginęło 85 osób w samym tylko Teheranie, po czym rozwiązano jedyną partię polityczną kraju. Następnego miesiąca robotnicy irańskiego przemysłu naftowego zastrajkowali, a w listopadzie podpalano banki, sklepy i kina w Teheranie, nie mówiąc już o ambasadzie brytyjskiej. Mianowano kolejno następnych dwóch premierów, ale zamieszki i starcia z policją trwały nadal. Zamknięto uniwersytety.

11 stycznia 1979 r. sekretarz stanu Cyrus Vance ogłosił, że szach udaje się na „czterotygodniowy urlop". Pięć dni później znalazł się na wygnaniu. 1 lutego ajatollah Chomeini opuścił Paryż, gdzie przebywał na wygnaniu, i powrócił do Teheranu.

Ta nowa jakościowo sytuacja wymagała pewnej elastyczności od Sotheby's. Teraz plan „wkupienia się" do Iranu należało odwrócić. Taką ewentualność rozważano już 7 lipca 1979 r. Nota z taką datą od Jacka Fransesa, szefa działu islamskiego, do Marcusa Linella i Peregrine Pollena była zatytułowana: „Dot. planu eksportu dóbr z Iranu". Franses donosił, że niejaki dr Amir Sardari może sporządzić listę Irańczyków, którzy nabyli „obrazy i dzieła sztuki na Zachodzie" i obecnie pragną je odsprzedać. W planie tym zakładano, iż Sardari sporządzi dla Sotheby's listę wszystkich kosztowności każdego z nich. Z kolei dom aukcyjny dokonałby wyboru przedmiotów z listy, po czym bank Sardariego by je zakupił. Sotheby's zaproponowała stałą gażę w wysokości 10 tysięcy funtów za ekspertyzę, dając do zrozumienia, że wszelkie wydatki firmy zostaną pokryte przez sprzedających, łącznie z kosztami podróży do tego kraju.

Dokumenty nie mówią wyraźnie, jaką dokładnie rolę odegrał Sardari. Czy sprzedający w Teheranie wiedzieli, że wyceny miała dokonać Sotheby's? Czy po sprzedaży przez dom aukcyjny przedmioty te stanowiły własność banku Sardariego, domu aukcyjnego, czy też własność wspólną? Jakie były relacje między ceną zapłaconą przez Sardariego sprzedającym, a ceną osiągniętą na aukcji?

Nie wiadomo jak i czym plan ten się zakończył. W każdym razie wygląda na to, że wkrótce zastąpiono go nowym, o wiele bardziej obiecującym. Sotheby's, otrzymała bowiem propozycję odkupienia obrazów nabytych poprzednio przez cesarzową za pośrednictwem tego domu aukcyjnego. W lipcu 1979 roku miała miejsce obszerna wymiana korespondencji między członkami ścisłego kierownictwa Sotheby's dotycząca sporządzenia możliwie dokładnej listy pozycji zakupionych przez małżonkę cesarza. Okazało się, że „Dubois" nabył trzydzieści dziewięć pozycji na łączną kwotę 2 533 102 dolarów, wśród których najcenniejszą było płótno Gauguina.

Długi list sir Michaela Stewarta skierowany do brytyjskiego ambasadora w Teheranie sir Johna Grahama był pierwszym posunięciem firmy w tej grze. Stewart zajął stanowisko, że nowy rząd irański może uznać ten rodzaj sztuki współczesnej, jakim interesowała się cesarzowa, „nie tylko za obraźliwy, ale wręcz plugawy". Wśród przedmiotów zakupionych przez cesarzową, pisał Stewart, znajdowały się pewne „dzieła wyjątkowej wagi" i stąd gorąca prośba, by przy następnym spotkaniu ambasadora z premierem Barzaganem, powołanym na to stanowisko przez Chomeiniego, rzucił słówko w imieniu Sotheby's i zaproponował sprzedaż tych dzieł. Ambasador odpowiedział raczej cierpko, że nie przewiduje spotkania z premierem irańskim w najbliższej przyszłości i poradził napisać do niego bezpośrednio.

Takie bezpośrednie działanie nie odpowiadało Sotheby's, dlatego firma wybrała inną drogę działania. Roy Britton, jeden z naganiaczy klientów, miał znajomego w Libanie, niejakiego Marca Hazana, który z kolei miał kolegę w Iranie, niejakiego Abbasa Chossrowshahi, prezesa Royalit Co., będącego zagorzałym szyitą i przyjacielem Chomeiniego. Plan działania, według jednej z not sir Michaela Stewarta, zakładał, że należy nakłonić Chomeiniego i innych członków rządu do wydania jeszcze przed końcem roku oświadczenia następującej treści:

> Rząd irański jest w zasadzie gotów wystawić na sprzedaż pewne pozycje zagranicą, stanowiące własność państwową i wyraża zgodę na to, by pracownik domu aukcyjnego Sotheby's Par-

> ke Bernet był jedynym pośrednikiem. Warunki sprzedaży oraz ewentualne zezwolenia na wwóz i wywóz zostaną uzgodnione w drodze negocjacji, podobnie jak zezwolenie na przyjazd przedstawiciela firmy, który dokona oględzin i skataloguje pozycje stanowiące własność państwową.

Oświadczenia tego nie opublikowano nigdy. W latach 1979–1980 ajatollah Chomeini zajęty był innymi sprawami, o wiele ważniejszymi dla Iranu. Świadczy jednak ono o arogancji firmy, ponieważ rozważała podjęcie takiego kroku. Nie sposób nie zauważyć przy tej okazji, że Sotheby's dokonała nagłego zwrotu swej polityki. Szach i jego małżonka żyli w tym czasie – szach znajdował się szpitalu nowojorskim, natomiast Bahadori mieszkała na południu Francji. Ale dla Sotheby's interes to interes.

Cztery miesiące później pojawili się następni pośrednicy. Tym razem odpowiednią notatkę wystosował Marcus Linell w dniu 7 listopada 1979 r. (trzy dni po ataku irańskim na ambasadę amerykańską i wzięciu zakładników). Pierwszym osobnikiem wymienionym przez niego był hrabia belgijski Henri de Limburg Stirum, który w owym czasie kierował brukselskim oddziałem firmy (i jest nadal tam zatrudniony). Jak się okazuje, do Limburga Stiruma zwrócił się przyjaciel jego szwagra, pół-Holender, pół-Włoch mieszkający w Bostonie, o nazwisku Tulio Ponzi. Linell tak pisał:

> Tulio Ponzi robi interesy z ajatollahami oraz w ich imieniu od dłuższego już czasu. Powiada, że posiada z nimi bardzo dobre kontakty robocze i że powierzyli mu kilka ważnych zleceń. Szwagier Henriego wspomniał przy nim, że może zainteresować nas zorganizowanie aukcji zachodnich dzieł sztuki stanowiących własność państwową, i ze względu na sympatię do niego zgodził się postarać o zaproszenie dla nas do przyjazdu do Iranu w celu zorganizowania przetargu.
>
> Ponzi prowadzi obecnie rozmowy w Iranie i jest przeświadczony, że otrzymamy zaproszenie od nowego dyrektora fundacji Alavi, powołanej w miejsce fundacji Pahalvi i Ashraf. Z tego, co wie Irańczycy chcą pozbyć się wielkich ilości dzieł sztuki i przedmiotów, w tym (1) dużej liczby samochodów łącznie z zabytkowymi rolls-royce'ami, w liczbie stu, (2) obrazów, rzeźb itd., (3) antyków, tj. dywanów i mebli, (4) biżuterii. Nie wie dokładnie, ile mogą być warte, ale jest przekonany, że są bardzo cenne. Zapytaliśmy do kogo należą i zapewnił nas, że stanowią własność rządu, podobnie jak i poprzednie fundacje

> Ważną sprawą zarówno dla nas, jak i dla naszych klientów jest to, czy uda nam się uzasadnić transakcję w postaci zorganizowania międzynarodowej aukcji.

Sotheby's chciała uniknąć ewentualnych spraw sądowych, jakie mogliby wytoczyć przeciwko firmie Irańczycy przebywający na emigracji, żądając odszkodowania za swe dobra. W roku 1979 arystokracja irańska była bardzo aktywna i brakowało jej pieniędzy. Następny fragment notatki:

> Pan Ponzi robi wrażenie człowieka, na którym można polegać. Posiada znaczną wiedzę o tym kraju, jest nadzwyczaj ostrożny w tym, co mówi, i odznacza się kompletnym brakiem poczucia humoru, co wydaje się odpowiadać charakterowi obecnego reżymu.
>
> Pan Ponzi sam nie żąda zapłaty, ponieważ, jak się nam wydaje, ewentualne niepowodzenie transakcji dziełami sztuki mogłoby mieć negatywny wpływ na interesy, w które jest osobiście zaangażowany. Z drugiej jednak strony z przyjemnością przyjąłby gratyfikację w jakiejś formie dla szwagra swego brata i wyraźnie dał do zrozumienia, że wyższej rangi ajatollahowie liczą na dziesięcioprocentową prowizję na kontach szwajcarskich.
>
> W następnym etapie, pan Ponzi podejmie wysiłki celem uzyskania podpisów dyrektorów fundacji Alavi na oryginale listu, którego projekt dołączam, po czym uda się on ponownie do Iranu przez Szwajcarię pod koniec listopada. Możemy wysłać z nim naszą ekipę. Ma wrażenie, że priorytetowe znaczenie mają samochody i obrazy.
>
> Musimy się więc zastanowić i podjąć decyzję, czy chcemy podjąć ryzyko wdania się w interesy z Iranem, na czym możemy sporo zarobić, czy też lepiej poczekać z tym do chwili ustabilizowania się sytuacji w tym kraju...

Pomimo to plan związany z Ponzim był realizowany, jak się wydaje, w takiej czy innej formie przez miesiąc. 11 grudnia Marcus Linell przesłał listę samochodów do wyceny Michaelowi Worthington-Williamsowi z działu motoryzacji Sotheby's. Na odręcznie skreślonej liście znajdowało się przynajmniej trzydzieści samochodów, a wśród nich kuloodporny lincoln continental, mercedes z barkiem, zabytkowy kuloodporny rolls-royce, unikatowy samochód sportowy z karoserią mercedesa, silnikiem porsche i podwoziem volkswagena. Inne samochody były ręcznej roboty. Niektóre z nich miały gałki i przyrządy ze złota.

W tydzień potem Worthington-Williams odpowiedział w odręcznie skreślonej notatce – i wydaje się, że treść jej jest chyba najbardziej budująca ze wszystkich. Oto co napisał m.in.:

> (1) Lincoln continental, rok produkcji 1975. Żadna atrakcja dla kolekcjonerów. Opancerzenie może kosztować aż 30 tysięcy funtów, ale komu ono potrzebne? Arabowie nie chcą rzeczy z drugiej ręki. (2) Mercedes benz 600. Kiedyś chętnie nabywany przez naszych prowincjonalnych przedsiębiorców pogrzebowych, kiedy mercedes przerabiał go na karawan za darmo. Niewielki popyt w Anglii na te samochody. Gdyby go przerobić na kabriolet, może by „poszedł" za jakieś 25 do 30 tysięcy funtów. (3) Mercedes benz 600 (prawdopodobnie limuzyna) – zbyt duża i trudna do sprzedania. Za nowa dla kolekcjonerów (10-15 tysięcy funtów)... (25) [Mercedes-porsche-VW]. Szczerze mówiąc to bzdura. Trudno ustalić cenę na to dziwo... (30). Chrysler z 1955 roku. Który model? Standard imperial „poszedłby" za 6 tysięcy dolarów, ale ten to chyba specjalne zamówienie za 30–60 tysięcy dolarów. Ale komu na litość boską potrzeba pozłacanego chryslera?

I tak kończy swą notatkę: „Niewiele wyobraźni potrzeba, by zdać sobie sprawę z tego, do kogo samochody te należały. Mając na względzie reperkusje polityczne, szczególnie w Ameryce, odradzałbym stanowczo angażowania się w tę sprawę."

Co prawda Worthington-Williams nie był członkiem kierownictwa firmy, lecz miał rację, kiedy mówił o sytuacji politycznej. Do 11 grudnia, czyli do dnia napisania notatki, prezydent Carter wprowadził embargo na import ropy naftowej z Iranu i chociaż Chomeini rozkazał swoim bojownikom uwolnić wszystkie kobiety i czarnych zakładników wolnych od zarzutu szpiegostwa, wielu zakładników w dalszym ciągu przetrzymywano. 12 grudnia, na sześć dni przed wystosowaniem odpowiedzi Linellemu, amerykański departament stanu wydalił 183 irańskich dyplomatów. Szach przebywał w Panamie i „umiarkowany" Bani-Sadr zastąpił ministra spraw zagranicznych Sadegha Ghotbzadeha, który zalecał uwolnienie zakładników pod warunkiem wszakże powrotu szacha do Iranu.

Panowie Limburg Stirum i Ponzi stanowili drugą grupę pośredników między Sotheby's i Iranem. Rozważano powołanie trzeciej grupy w notatce przesłanej przez Thilo von Watzdorfa do Peregrine Pollena. Kopie doręczono Peterowi Wilsonowi, lordowi Westmorlandowi i Michaelowi Straussowi, kierownikowi działu impresjonistów w Londynie. Dotyczyła ona kolekcji muzeum sztuki w Teheranie. Von Watzdorf dawał do zrozumienia, że posiada dobry kontakt dzięki pośrednictwu niejakiego Johna Bulla. Nie bardzo wiadomo, czy było to prawdziwe nazwisko czy tylko kryptonim. Irańczycy wykorzystali Bulla podczas licytacji obrazów, które Sotheby's doradziła im kupić, najwyraźniej w ramach planu Dubois. Z notatki Watzdorfa wynika jasno, że kolekcja muzealna składała się z płócien Picassa, Deraina, Schwittersa, Giacomettiego, Henry Moora, Maxa Ernsta, Miro, Daliego, Magritta i całej plejady ekspresjonistów amerykańskich i artystów pop, takich jak: Pollock, Rothko, de Kooning, Johns, Rauschenberg, Lichtenstein itd. W ostatnim ustępie noty napisał, że władze irańskie sporządzą inwentarz przed licytacją, co może im zająć „kilka miesięcy". Gwoli porządku nota nosi datę 14 grudnia 1979 roku.

Cztery dni przed Bożym Narodzeniem prezydent USA ogłasza, że Stany Zjednoczone zwrócą się do Rady Bezpieczeństwa Organizacji Narodów Zjednoczonych o nałożenie embarga na Iran. Mniej więcej w tym samym czasie pewne osobistości ze ścisłego kierownictwa firmy postanowiły w końcu zaniechać oportunistycznego podejścia do nowej republiki islamskiej i podczas spotkania zarządu zdecydowało, że Sotheby's nie może robić interesów z Teheranem, w sytuacji, gdy kraj ten trzyma zakładników brytyjskich i amerykańskich.

Niemniej jednak wysłano list do prawnika szwajcarskiego, który „ponoć" reprezentował rząd irański, w którym Sotheby's wyraża zainteresowanie kontaktami „w jak najbardziej ostrożny sposób". Prawdopodobnie chodziło tu o podtrzymanie dialogu. Tematu jednak nie podjęto aż do początku 1981 roku, kiedy to wszystkich amerykańskich zakładników, z wyjątkiem jednego, uwolniono.

Teraz kluczową postacią w kontaktach z Iranem był obywatel tego kraju Sadeq Tabatabai. To właśnie on, jak mówiono, odegrał poważną rolę w uwolnieniu brytyjskich zakładników. Będąc bliskim przyjacielem Bani-Sadra, należał do grupy „umiarkowanych" w rządzie irańskim. Według Ponziego, Tabatabai chciał zdobyć oficjalne zaproszenie do złożenia wizyty w Anglii, której głównym celem miał być zakup broni. I gdyby Sotheby's zechciała pomóc w zorganizowaniu tej wizyty, to w zamian Tabatabai użyłby swych znacznych wpływów, by pomóc z kolei Sotheby's.

Według notatki sporządzonej przez Peregrine Pollena w dniu 23 kwietnia 1981 r. brytyjskie ministerstwo spraw zagranicznych odmówiło wystosowania oficjalnego zaproszenia dla Tabatabaia, podając jako jedną z przyczyn, poważne zadłużenie Iranu w stosunku do Wielkiej Brytanii. Ale ministerstwo wyraziło zgodę na to, by minister spraw zagranicznych Douglas Hurd spotkał się z Irańczykiem prywatnie, jeśli Sotheby's zorganizuje takie spotkanie.

Obiad zaplanowano na początek lipca. Jednak nie wiadomo, czy do spotkania doszło i czy podpisano kontrakt na dostawę broni, ponieważ w dokumentach nie ma ani słowa na ten temat. Jednak równie dobrze mogło się tak stać, ponieważ kontakty z Iranem były w dalszym ciągu podtrzymywane. Ostatni z dokumentów z niebieskiej teczki nosi datę 5 marca 1986 roku. Jest to telex do Joe Ocha, prawnika firmy, od Bernda D. Laabsa z Kolonii, którego kopię przesłano dr. Jurgowi Wille, kierownikowi oddziału Sotheby's w Zurychu. Sedno tego pisma sprowadza się do wyliczenia szczegółowych ustaleń, uzgodnionych przez brytyjski dom aukcyjny i rząd irański. Oto odnośne fragmenty:

> Jak uzgodniono z dr. Wille, przedstawiam projekt umowy prowizyjnej:
>
> > Ścisła współpraca z Islamską Republiką Iranu, jej rządem oraz agendami rządowymi, jest trwałym zamiarem grupy Sotheby Parke Bernet & Co, mającej na uwadze uzyskanie zezwolenia na organizowanie licytacji-sprzedaży różnych rodzajów przedmiotów i dzieł sztuki (biżuterii, obrazów, etc.), znajdujących się w posiadaniu Islamskiej Republiki Iranu.
> >
> > Na prośbę Sotheby Parke Bernet pan Bernd D. Laabs przekonał pana Ahmeda Chomeiniego (brata ajatollaha) oraz dr. Sadougha Tabatabai, którzy są wpływowymi członkami rady rewolucyjnej, do udzielenia pomocy firmie Sotheby's ku obopólnej korzyści, na co londyński Sotheby Parke Bernet U. Co, odpowiedział niezłomnym zobowiązaniem się do wypłacania dziesięcioprocentowej prowizji za pośrednictwo [disagio], do uzgodnienia między Sotheby's i sprzedającym i którą należy odjąć od ceny sprzedaży.
> >
> > Płatność ma nastąpić niezwłocznie po sfinalizowaniu danej aukcji, za co odpowiadają wspólnie te oddziały firmy, które są zaangażowane bezpośrednio w daną transakcję.

Umowa niniejsza obowiązuje do 31 marca 1988 roku i dotyczy wszystkich transakcji, dostaw i umów licytacyjnych, do których dojdzie przed tą datą. Umowę tę można przedłużyć na następne dwanaście miesięcy, o ile nie zostanie wypowiedziana na trzy miesiące z góry. Umowa niniejsza dotyczy pełnego zakresu przedmiotów wystawianych na sprzedaż przez Sotheby Parke Bernet w imieniu Republiki Iranu lub stosownych agend rządowych.

Dokument ten rodzi wiele pytań różnego rodzaju. Czy doszło do jego podpisania? Czy Sotheby's sprzedawała przedmioty należące do Iranu potajemnie przez ostatnie lata? Czy ajatollahowie otrzymywali 10 procent i lokowali je w bankach szwajcarskich? Czym było owo disagio, czy umową zawartą przez Sotheby's z Irańczykami? Czy owa prowizja w wysokości dziesięciu procent była także udziałem Laabsa, czy był on tylko przykrywką dla ajatollahów? Czy kierownictwo Sotheby's było tego świadome? Czy Irańczycy otrzymywali 80 procent ceny sprzedaży, jak wcześniej chciał Roy Britton, a jeśli tak, to czy 10 procent szło do kieszeni Laabsa i następne 10 procent do kieszeni ajatollahów?

Pytanie, czy ajatollahowie brali bezpośredni udział czy nie – jest w tym momencie zagadnieniem kluczowym. Czy to możliwe, żeby dziesięciu irańskich przywódców religijnych zgarniało pieniądze należące do państwa? I czy Sotheby's wiedziała o tym wszystkim?

ROZDZIAŁ DWUNASTY

Nocna dostawa

Przez cały rok 1996, gdy wraz z Samem przygotowywaliśmy się do wyprawy do Indii, trwała dobra passa na rynku dzieł sztuki. Oczywiście nie taka jak pod koniec lat osiemdziesiątych, kiedy doszło do bulwersujących czterdziestu ośmiu godzin w Nowym Jorku w maju 1990 roku, w ciągu których *Portret dr. Gacheta* Van Gogha osiągnął zawrotną kwotę 82,5 miliona dolarów, zaś w dwa dni potem płótno Renoira *Au Moulin de la Galette* 78,1 miliona, obydwa zakupione przez tę samą osobę! Jednak od tego czasu do 1995 r. ruch w interesie był mizerny i wielu handlarzy poszło z torbami. Popyt wyraźnie się skurczył, jak to mówią ludzie z branży.

Ale od roku 1996 ceny znowu poczęły piąć się do góry. Co prawda nie w tym tempie, co poprzednio, nie do poziomu 70 czy 80 milionów dolarów, ale zawsze. Obraz Van Gogha sprzedano za 14 milionów dolarów, natomiast płótno Johna Singera Sargenta za ponad 11 milionów. Jesienią w Nowym Jorku Degas poszedł za 10 milionów dolarów.

Pod koniec października pojechałem Eurostarem pod kanałem La Manche do Paryża na prywatną wystawę portretów Picassa. Jednym z wystawionych tam płócien było *Le Miroir*. Obraz ten ostatni raz widziałem w listopadzie 1989 roku w Nowym Jorku, kiedy sprzedano go na aukcji pewnemu Japończykowi za 26,4 miliona dolarów.

Stałem tak sobie przed nim, otoczony innymi wspaniałymi dziełami i targały mną mieszane uczucia. Oczywiście na wielkich wystawach nie liczą się ceny wystawianych dzieł. Jedyną właściwą miarą mogą być tylko odczucia estetyczne. Ale nie do końca, nie w obecnych czasach, kiedy rynek dzieł sztuki zyskał już tak ogromny rozgłos. Patrząc na *Le Miroir* przyszło mi nagle do głowy, że w drugim programie powinniśmy wykorzystać jeszcze inny dokument, który wręczył mi Hodges.

Hossę na rynku lat osiemdziesiątych oraz przeważający wówczas pogląd, że dzieła sztuki należy traktować jak inwestycje zaprezentowano w pewnej publikacji, w której wyraźnie przeciwstawiano Sotheby's innym domom aukcyjnym, gdyż firma ta stała się niewolnikiem wszechobecnych rządów ceny i uznawała cenę jako najwyższą wartość. Publikacją tą był „Biuletyn Rynku Dzieł Sztuki".

Raz jeszcze musimy się cofnąć do przeszłości. Tym razem do roku 1989, by ująć rzecz w odpowiednim kontekście. Był to szczytowy rok rozkwitu rynku dzieł sztuki, rok bardzo dobry, ale następny okazał się jeszcze lepszy. Bez wątpienia gwiazdą sezonu był autoportret *Yo Picasso*, oraz *Portret Cosimy* pędzla Pontormo. Picasso należał do Wendella Cherry, właściciela sieci szpitali prywatnych Humana. Kupił ten obraz zaledwie przed sześciu laty za 5 milionów dolarów, a już w maju 1989 roku sprzedano go za 47,9 miliona dolarów, co sprawiło, że płótno stało się trzecim najdroższym obrazem na świecie. Pontormo to zupełnie inna sprawa. Wisiał sobie w Nowym Jorku w znanej Frick Collection, której obraz wypożyczono na wiele lat. Jednakże widząc, że rynek zupełnie zwariował, właściciel uznał, że przyszła odpowiednia chwila na sprzedaż. I obraz został sprzedany tego samego miesiąca za 35,2 miliona dolarów.

Były to lata szalone. Na początku roku Sotheby's ogłosiła, że rozpocznie wyprzedaż kolekcji należącej do Funduszu Emerytalnego Brytyjskich Kolei Państwowych. Była to mądra decyzja ze strony funduszu, ponieważ fundusz zainwestował w dzieła sztuki i teraz uznał, że należy dzieła te spieniężyć.

Obrazy z tej kolekcji poszły znakomicie owej wiosny. Portret Pissara, za który zapłacono w 1978 roku 33 tysiące funtów, sprzedano za 1,32 miliona funtów. *Santa Maria della Salute* Moneta, za którą zapłacono 253 tysiące funtów w roku 1979, poszła za 6,71 miliona funtów. Brąz Matissa *Dwie Murzynki*, za który zapłacono 58,240 funtów, sprzedano za 1,76 miliona funtów (przebicie 39--krotne). W sumie za dwadzieścia pięć dzieł sztuki, które kosztowały Fundusz 3,4 miliona funtów, otrzymał on 35,2 miliona. A zatem inwestycja przyniosła zysk rzędu 20,1 proc. rocznie, a po uwzględnieniu stopy inflacji – 11,9 proc.

Sukces ten nie uszedł niczyjej uwagi i wywarł bezpośredni wpływ na losy Hodgesa. Żona jego była Amerykanką, miał więc o wiele więcej przyjaciół w Stanach aniżeli przeciętny Anglik. Na początku marca, a więc między ogłoszeniem wyprzedaży dzieł sztuki przez Fundusz i samą aukcją, zwrócił się do niego jeden z jego znajomych Amerykanów, pewien bankier z banku inwestycyjnego, mieszkający w Londynie. Oświadczył mu, że interesują go inwestycje na rynku dzieł sztuki (użył zupełnie nowego terminu, nie mówił, że chce stać się kolekcjonerem). Ale zanim się zdecyduje na cokolwiek, „pragnąłby zapoznać się z kilkoma liczbami" i poprosił Hodgesa o pomoc w tej sprawie.

Jakże to typowe dla tamtych czasów. W roku 1989 świat sztuki tonął w liczbach i danych statystycznych, a wszystko po to, by wykazać, jak bardzo opłaca się wydawanie pieniędzy na dzieła sztuki i jaka to dobra lokata kapitału i jego zabezpieczenie, a ponadto o wiele ciekawsza i bardziej godna zachodu niż inne. Poczęły się mnożyć jak grzyby po deszczu tabele rekordów „uzysków inwestycyjnych" i na całym świecie porównywano dzieła sztuki z różnymi wskaźnikami giełdowymi, a nawet z lokatami w złocie, w diamentach i w ziemi.

Ten aspekt handlu dziełami sztuki nabrał takiego znaczenia, że Sotheby's uznała za stosowne zatrudnienie dwóch statystyków na Bond Street. Wśród wielu tworów, jakie spłodzili, znajdował się właśnie „Biuletyn Rynku Dzieł Sztuki" oraz „Indeks Rynku Dzieł Sztuki". Jednym z aspektów odróżniających w owym czasie Sotheby's od Christie's był zasięg oraz jakość publikacji wydawanych przez obydwa konkurujące ze sobą domy aukcyjne (Sotheby's uważała, że bije konkurenta na głowę pod tym względem). Obydwie firmy wydawały miesięczniki, zamieszczały w nich artykuły i zdjęcia najbardziej wartościowych pozycji, pełne były różnych obietnic i złotych gór na zbliżających się aukcjach. Obydwa domy wydawały także barwne roczniki, z najważniejszymi pozycjami z aukcji z poprzedniego roku. Jednak Sotheby's posunął się o krok dalej niż Christie's i wydał „Biuletyn Rynku Dzieł Sztuki".

Fascynujący to, lecz dziwaczny stwór. Zaczęto go wydawać we wrześniu 1985 roku i ukazywał się dwa razy w roku przez cały okres rozkwitu rynku (tj. aż do roku 1990), ale potem, gdy wiadomości przestały być dobre, publikację zawieszono. „Biuletyn" redagowało dwóch statystyków (znających się w każdym razie na cyferkach): Ruth Corb i Jeremy Eckstein i jak napisano w pierwszym numerze celem wydawnictwa było:

> Przedstawianie aktualnych kierunków w handlu dziełami sztuki. „Biuletyn" będzie zawierać stały komentarz do zasadnicze-

go funkcjonowania rynku, biorąc pod uwagę informacje mogące zainteresować obecnych i potencjalnych kolekcjonerów, takie jak popyt i skutek wymiany oraz zmiany stóp procentowych. W celu zapewnienia ogólnych wiadomości, „Biuletyn" zawierać także będzie wskaźniki obrazujące ruch i zmiany w istotnych dziedzinach w danym okresie.

W ciągu miesięcy i lat ukazywania się „Biuletynu" poruszano w nim takie sprawy, jak: opodatkowanie a dzieła sztuki, wpływ specjalistycznych aukcji na ceny, popyt japoński czy wpływ zmiennej wartości dolara na ceny. Z równą powagą traktowano pieniądze, jak i dzieła sztuki. Ale dla osób nie wtajemniczonych chyba najbardziej szokującym aspektem „Biuletynu Rynku Dzieł Sztuki" były tabele statystyczne, znane pod nazwą „Indeksu Rynku Sztuki". Pomyślane zostały jako wskaźniki mające na celu określać sytuację na rynku. W każdym numerze podawano dziesięć sektorów (podobnie jak na giełdzie), np.: płótna starych mistrzów, srebra angielskie, meble francuskie i europejskie lub ceramika chińska. W każdym z sektorów śledzono ruchy cen i w każdym numerze „Biuletynu" podawano wskaźnik, zupełnie jak na giełdzie, wykorzystując ceny z roku 1975 jako punkt odniesienia (przyjmując 1975 r. jako sto). Na przykład w „Biuletynie" z czerwca 1990, czyli w miesiąc po rekordowej sprzedaży *Portretu dr. Gacheta* Van Gogha w Nowym Jorku za sumę 82,5 miliona dolarów, indeks ten wyglądał następująco:

Stare płótna	1039
Malarstwo dziewiętnastowieczne	859
Impresjoniści	2282
Malarstwo współczesne (1900-1950)	2245
Ceramika kontynentalna	712
Ceramika chińska	1234
Srebra angielskie	579
Srebra europejskie	503
Srebra francuskie i europejskie	604
Meble angielskie	1176

Historia indeksu była pokrętna (redakcji jego podjął się niechętnie jeden ze statystyków londyńskiego „Timesa"). Niemniej jednak Robert Hughes, krytyk magazynu „Timesa", uważa, że indeks ten odegrał poważną rolę czynnika regulującego rynek i handel dziełami sztuki. Nawet posunął się on do stwierdzenia, że ostatni boom na rynku był ściśle związany z jego pojawieniem się. Dom aukcyjny Sotheby's traktował wydawnictwo w sposób niemal mistyczny. Na przykład od czasu do czasu domagał się od redaktorów sprawdzania, czy potencjalni subskrybenci są na tyle rozgarnięci, by móc korzystać z niego. Sam pomysł, że można dokładnie określić cenę (mimo wszystko dzieła sztuki są czymś wyjątkowym), wydaje się być czymś atrakcyjnym, ponieważ pozwala sprawiać wrażenie, iż inwestowanie w dzieła sztuki może być dyscypliną ścisłą oraz że wartość i cena stanowią tę samą kategorię. W Stanach Zjednoczonych tygodnik biznesu „Barron's" zamieszczał przedruki tabel i indeksu beż żadnych zmian.

Hodges zdawał sobie sprawę, że właśnie tego typu informacji potrzeba jego znajomemu bankierowi. Dlatego pewnego ranka zajrzał do redakcji Jeremiego Ecksteina, którego nie znał osobiście. Eckstein to wysoki, blady i znerwicowany jegomość, z rzadką brodą. Hodges przedstawił się i wyjaśnił cel swej wizyty. Eckstein zajęty był rozmową telefoniczną i nie miał czasu na udzielenie wyczerpującej informacji, ale chwycił w lot, o co chodzi i skinął na stertę papierów na półce.

Z perspektywy czasu nie wydaje się, by Eckstein pozwolił Hodgesowi zabrać wszystkie papiery, na jakie wskazał. Prawdopodobnie miał na myśli tylko te, znajdujące się na górnej półce. Jednakże zdając sobie sprawę, że przeszkadza Ecksteinowi, Hodges zgarnął całą stertę i wyszedł. Po powrocie do biura, odłożył je na bok i wziął się do swej roboty. Zajrzał do nich dopiero po pewnym czasie i wśród starych numerów „Biuletynu" znalazł kupę różnych kartek, których treści z początku nie był nawet w stanie zrozumieć. Ale z czasem dotarło do niego, że oto natknął się na dokument, który nigdy by nie ujrzał światła dziennego.

Pomijając cały żargon zawarty w nim, dokument, noszący datę 5 listopada 1986 roku, świadczył o tym, że pozornie ścisłym i dokładnym indeksem można było manipulować w taki sposób, aby uzyskiwać jak najlepszy obraz rynku dzieł sztuki. Pierwszy paragraf dotyczył poplątania dat, na podstawie których „Barron's" miał publikować indeks. Tak naprawdę to wysyłano mu nieprawdziwe dane, wskazujące na większe przyrosty niż miały miejsce w rzeczywistości. Ale Sotheby's nie poprawiła błędu. Jeśli obraz jest lepszy od rzeczywistości to niech już tak będzie. Następny paragraf był o wiele bardziej istotny w swej wymowie, świadczył bowiem o tym, że nie uwzględniono w wyliczeniach indeksu całej serii niepowodzeń na aukcjach sreber na prośbę szefa działu sreber z Nowego Jorku, Kevina Tierneya, który był tak „załamany", że nie życzył sobie uwzględnienia tych wyników w obliczeniach, na co Eckstein wyraził zgodę, powołując się na „wyjątkowe" okoliczności.

Innymi słowy, kiedy dane statystyczne były niezbyt korzystne, by przedstawiać rynek w tak różowym świetle, jakby personel firmy sobie tego życzył, wówczas po prostu pomijano je w obliczeniach, a sytuację taką nazywano „wyjątkową". Nawet dane podstawowe dostarczane przez Sotheby's w owych czasach były nierzetelne.

Zdawałem sobie sprawę z tego, że sposób, w jaki Hodges natknął się na „Indeks Rynku Dzieł Sztuki" był niewłaściwy. Czy aby na pewno Hodges mówił prawdę? Czy, co wielce możliwe, słyszał tylko o tych praktykach i celowo poszukiwał dowodów? Nie zmienia to, co prawda, w niczym zakresu wykroczeń na terenie firmy Sotheby's i stawia ją w nieco odmiennym świetle.

Naciskałem na niego mocno, by wyjawił, w jaki sposób wszedł w posiadanie dokumentu, ale nie zmienił swej pierwotnej wersji. Jego wyjaśnienie nie satysfakcjonowało mnie wcale, ale kiedy zastanawiałem się nad własną motywacją doszedłem do wniosku, że nie widzę żadnych powodów, dla których miałbym mu nie wierzyć. Ponadto do tego czasu zapoznałem się z treścią jeszcze innych dokumentów, które uznałem za obciążające, a których Hodges nie włożył do czerwonej teczki. Innymi słowy, nie był aż tak przebiegły i wyrachowany, jak się czasami wydawało. Trzecia teczka zawierała materiały, które Hodges uznał za mało istotne lub wręcz nieważne. Wśród nich znajdowały się papiery dotyczące Funduszu Emerytalnego Kolei Brytyjskich. Dla mnie okazały się one iście rewelacyjne.

I znowu należy się cofnąć do przeszłości. Inwestowanie w dzieła sztuki w owym okresie stało się tak powszechne, że nawet Fundusz Emerytalny Kolei Brytyjskich postanowił wziąć w nim udział. Autorem owego przedsięwzięcia inwestycyjnego był pewien ekspert ubezpieczeniowy, Christopher Lewin, który był człowiekiem o łagodnym usposobieniu i ścisłym umyśle matematycznym. Nabrał przekonania w roku 1974, kiedy to po kryzysie naftowym stopa inflacji w Anglii skoczyła aż do 27 procent, że najlepszym sposobem zwiększenia dochodów jest właśnie lokowanie pieniędzy w dzieła sztuki. Dokonał dokładnej analizy sytuacji finansowej rynku dzieł sztuki w latach 1920–1970 i doszedł do wniosku, iż jedynie „gobeliny i arrasy oraz broń i zbroje tracą na inflacji". Planował na dłuższą metę, ponieważ nie nosił się z zamiarem sprzedaży w ciągu najbliższych dwudziestu pięciu lat. Założył także, że za dwadzieścia pięć lat roczny obrót na tym rynku wyniesie około miliarda funtów. Postanowił przeznaczyć na tę inwestycję około 3 proc. rocznych wpływów funduszu, czyli od czterech do ośmiu milionów funtów, różnicując przy tym zakupy tak, by nie doprowadzić do wzrostu cen.

Lewin potrzebował fachowej porady, więc zwrócił się o pomoc do Sotheby's. Prezes firmy Peter Wilson wziął się ostro do roboty, nie bacząc na wymóg zachowania bezstronności, czym licytatorzy zawsze się chlubili. Zlecił Annamarii Edelstein, włoskiej małżonce znanego projektanta mody, stałą opiekę nad kolekcją Funduszu. Edelstein pracowała w roczniku firmy „Art at auction" i posiadała odpowiednią wiedzę do tego zadania. W praktyce Fundusz ściśle kontrolował przebieg operacji. Propozycje dotyczące zakupów musiały być przedkładane podkomisji ds. dzieł sztuki, wraz ze zdjęciami i cenami porównawczymi.

Naturalnie środowisko odniosło się do tej transakcji nieprzychylnie, ponieważ oto poważny kupiec dokonuje poważnego zakupu bez jego pośrednictwa. Ponadto Sotheby's znalazła się w uprzywilejowanej pozycji, ponieważ doskonale wiedziała, czego sobie klient życzy i ile jest w stanie zapłacić, a to dawało jej niczym niezasłużoną przewagę nad innymi. W rzeczywistości jednak Fundusz skorzystał z usług co poważniejszych pośredników podczas licytacji bez wiedzy Sotheby's, dokonując nawet u nich zakupów. Edelstein powie potem, że wystąpiła pewna sprzeczność interesów, bowiem Peter Wilson wywierał nacisk na nią, by kupowała rzeczy, których Fundusz wcale sobie nie życzył, ale uciekając się do groźby rezygnacji, udało się jej wybrnąć z tej sytuacji.

Działalność Funduszu wywołała także krytykę innych środowisk, a mianowicie na łamach prasowych, w parlamencie i związkach zawodowych. Opinie związkowe okazały się chyba najbardziej wymowne. Przywódca Krajowego Związku Kolejarzy oświadczył, że inwestowanie w dzieła sztuki nie przynosi rocznych dywidend, jak to ma miejsce w przypadku akcji czy obligacji, pozwalających ponadto na korzystanie z ulg podatkowych. A więc nigdy nie było pełnej jasności, do jakiego stopnia operacja finansowa Funduszu Kolei Brytyjskich była udana.

Pierwotnie Fundusz planował inwestycję na dwadzieścia pięć lat. Ze zdziwieniem więc przyjęto wiadomość w roku 1988, czyli po czternastu latach, że postanowił wystawić kolekcję na sprzedaż. Ale podobnie jak istniało wiele powodów, dla których dokonał zakupu w 1974 r., tak i obecnie wyłoniły się ważne okoliczności, z powodu których postanowił kolekcję sprzedać: lata 1986–1989 to okres największego prosperity na rynku dzieł sztuki.

Wszystko to tłumaczy, dlaczego każdy dokument dotyczący inwestycji Funduszu w dzieła sztuki jest tak istotny. To, co znalazłem w teczce Hodgesa przeszło jednak wszelkie moje oczekiwania.

Pierwszym dokumentem był list napisany 26 października 1987 r. przez Marcusa Linella do Maurice'a Stonefrosta, eksperta ubezpieczeniowego, odpowiedzialnego wówczas za inwestycje Funduszu. Data listu jest tu istotna, ponieważ dokładnie w tym miesiącu w komentarzu „Biuletynu Rynku Dzieł Sztuki" czytamy następujące słowa: „Sezon handlowy 1987/1988 rozpoczął się pod znakiem wydarzenia, które rokuje najważniejszy jak dotąd okres...", a dalej: „Jeśli chodzi o perspektywy zbliżającego się sezonu 1987/1988, nie widać oznak zwolnienia tempa aktywności". Ale czy naprawdę tak było? Bez względu na to, co firma Sotheby's mówiła publicznie, obraz rynku wyglądał nieco inaczej, przynajmniej w niektórych dziedzinach. Oto co Linell napisał do Maurice'a Stonefrosta:

Drogi Panie Stonefrost,

Dot: Kolekcji sztuki plemiennej Kolei Brytyjskich. Ze wszystkich zbiorów w posiadaniu Kolei Brytyjskich ta jedna stwarza największy problem. Otóż w okresie, w którym kolekcję kompletowano rynek poszedł w górę do tego stopnia, że nawet zagorzali kolekcjonerzy, którzy go wspierali dotąd, doszli do wniosku, że nie mogą pozwolić sobie dalej na to i skierowali swe zainteresowania gdzie indziej. Skutkiem tego nastąpiło załamanie rynku i ciągłe fluktuacje [wymazane] nie sprzyjały pozyskaniu nowych kolekcjonerów. Jesteśmy przekonani, że na dłuższą metę rynek powróci do równowagi, ale oznacza to, iż należy wstrzymać się ze sprzedażą jeszcze przez przynajmniej pięć lat. Na podstawie informacji, o której rozmawialiśmy na ostatnim spotkaniu, przygotowaliśmy dla pana propozycję podziału kolekcji.

Składa się ona z trzech elementów: sztuki Afryki, Oceanii i amerykańskich Indian. Elementy afrykańskie i oceaniczne można rozpatrywać łącznie, ponieważ zainteresowania kolekcjonerów pokrywają się tu w znacznym stopniu, natomiast jesteśmy przekonani, że zbiór indiański należy oddzielić.

Kolekcja Indian amerykańskich

Koszt/cena (w funtach)	RPI	Dolna wycena licytacyjna	Górna wycena licytacyjna
171 258	393 000	169 000	241 500

Popyt na przedmioty indiańskie jest większy od popytu na dzieła sztuki Oceanii czy Afryki, ale w obecnych warunkach polecamy raczej sprzedaż prywatną, ponieważ obawiamy się, że niektóre pozycje nie zostaną sprzedane na aukcji publicznej, a wówczas będzie jeszcze trudniej je potem sprzedać. W związku z tym, Instytut Sztuki z Detroit od dawna wyraża ochotę nabycia kolekcji. Jeden z największych kolekcjonerów przedmiotów indiańskich jest jego sponsorem i sądzimy, że dzięki temu osiągniecie państwo dobrą cenę.

A zatem poprosimy Roberta Fainello o zwrócenie się do dyrektora muzeum z propozycją sprzedaży całej kolekcji bez możliwości wyboru poszczególnych pozycji za 300 tysięcy funtów, co i tak stanowi znacznie większą kwotę niż uzyskano by na aukcji. Spodziewamy się, że będziemy się musieli nieco targować i być może trzeba będzie tę cenę obniżyć do 275 tysięcy.

Sztuka Oceanii i Afryki

Koszt/cena (w funtach)	RPI	Dolna wycena licytacyjna	Górna wycena licytacyjna
1 150 290	2 287 500	1 080 600	1 330 000

I właśnie ta część kolekcji sprawia zasadniczy problem. Wielu kolekcjonerów pragnęłoby nabyć najwartościowsze pozycje z niej, ale zalecamy mocno sprzedaż kolekcji w całości, bez możliwości wybierania z niej tego czy owego, ponieważ pozostałe pozycje będzie niezmiernie trudno upłynnić, przynajmniej w najbliższej przyszłości.

Pewien kolekcjoner dopytywał się od dawna, czy ktoś nie chce sprzedać niektórych przedmiotów ze swej kolekcji. Stać go na poważne wydatki i jest obecnie czynnym kolekcjonerem. Sugerujemy, by na początek zaproponować mu kolekcję za kwotę RPI. Nie wydaje się, aby na nią przystał, ponieważ cena ta jest z pewnością wygórowana, ale jest on tego typu osobnikiem, że zrozumie motywy, jakimi się państwo kierowaliście

> jako właściciele w ustaleniu jej. Zapewne zechce złożyć własną kontrpropozycję, dzięki czemu będziemy w stanie podjąć negocjacje wyłącznie z nim lub dołączyć do rozmów jednego lub dwóch potencjalnych kupców.
>
> Jesteśmy przekonani, że pozostałych kupców nie zainteresuje cena zbliżona do RPI i wydaje się nam, że jej nie przyjmą, w przeciwieństwie do niego. Wydaje się nam także, że tych pozostałych będzie można przekonać do złożenia raczej luźnej oferty aniżeli ustalania ceny sztywnej. Skłonni jesteśmy przypuszczać, że jeśli nasz pierwszy kolekcjoner nie złoży odpowiedniej kontrpropozycji, wówczas negocjacje mogą przybrać taki obrót, iż będziemy musieli zalecić cenę zbliżoną do dolnej kwoty licytacyjnej. I na odwrót. Gdyby kolekcję sprzedać na aukcji, dochód ze sprzedaży mógłby być nawet podobny, ale z pewnością nie udałoby się sprzedać wszystkich pozycji, a te, które by pozostały byłoby potem bardzo trudno sprzedać.
>
> Mając na względzie fakt, iż nasze zalecenia dotyczące sprzedaży nie spełniają całkowicie oczekiwań państwa odnośnie swej inwestycji, uważamy za celowe przedyskutowanie tej sprawy na naszym wtorkowym spotkaniu.

List ten zawiera dwie paradoksalne sprawy. Pierwsza i chyba najważniejsza dotyczy tego, że Sotheby's co innego twierdziła w „Biuletynie Rynku Dzieł Sztuki", a co innego doradzała swym najlepszym klientom. Publicznie firma ta twierdziła na początku sezonu 1987–1988, że nie ma żadnych oznak pogorszenia koniunktury. I zapewne tak było, wziąwszy pod uwagę całość rynku. Jednak już w liście Stonefrosta, napisanym w październiku 1987, czyli w miesiącu rozpoczynającym sezon 1987–1988, mówi się o tym, że popyt na dzieła sztuki plemiennej był tak słaby, że prawie zamarł. Przedmioty te traciły na wartości w takim stopniu w porównaniu ze stopą inflacji, że wycena licytacyjna zarówno kolekcji z Oceanii, jak i afrykańskiej była niższa od ceny zakupu. W numerze czerwcowo-lipcowym z 1989 r. magazynu „Preview Sotheby's" firma posuwa się tak daleko, że daje wyraźnie do zrozumienia, iż należy kupować dzieła sztuki plemiennej, podczas gdy z listu Linella wynika coś zupełnie odmiennego.

Naturalnie zalecanie sprzedaży prywatnej to następna ironia losu, Sotheby's bowiem zawsze głosiła wszem i wobec, że sprzedaż na aukcji to najbardziej otwarta i uczciwa forma sprzedaży. Jednak w tym przypadku zaleca coś zupełnie przeciwstawnego. Sprawą oczywistą jest, że taka forma sprzedaży pozwoliłaby firmie tej zachować niczym nieskalany wizerunek. Ponadto Sotheby's doradzała Funduszowi zakup tych dzieł sztuki, co potem obróciło się w klęskę finansową. I ostatnią rzeczą, jaką by sobie firma życzyła to właśnie przetarg, który zwróciłby uwagę wszystkich.

Nigdy przedtem, tj. przed kwietniem 1989 roku, nie poświęcono całego numeru „Biuletynu" sprawie Funduszu. Rozpatrywano dokładnie każdy aspekt inwestycji Kolei Brytyjskich, ale sztuce plemiennej i Oceanii poświęcono zaledwie kilka linijek: „[Kolekcja] została sprzedana w lipcu 1988 r. za kwotę 280 tysięcy funtów, czyli za cenę najniższą jak dotąd, przynosząc minimalny zysk w stosunku do ceny zakupu".

Na pierwszy rzut oka wygląda to dziwnie, ponieważ wymienia się tu kwotę 280 tysięcy funtów, tak jakby licytacja odbyła się normalnie i kolekcjoner z Detroit zakupił ją w całości, podczas gdy tak naprawdę interesowała go tylko sztuka plemienna i Oceanii. Tym samym trudno sobie wyobrazić, że Fundusz rozstał się z kolekcją z Oceanii za zaledwie 280 tysięcy funtów, zapłaciwszy za nią aż 1,15 miliona funtów. A zatem trzeba przyjąć, że nie sprzedano całej kolekcji i wiadomość z „Biuletynu" była niepełna.

I na koniec trzeba powiedzieć wyraźnie, że jeśli mówimy o kolekcji indiańskiej, to Sotheby's spisała się nieźle sprzedając ją za 280 tysięcy funtów, czyli powyżej wyceny przetargowej. Ale czy firma nie ryzykuje swym dobrym imieniem doprowadzając licytacje do cen najwyższych? Oto mamy przypadek, kiedy dom aukcyjny uzyskał dla siebie znacznie więcej ze sprzedaży prywatnej, niż gdyby zorganizował licytację.

Następny dokument dotyczący drugiego funduszu emerytalnego, na jaki się natknąłem, był o wiele większej wagi, przynajmniej teoretycznie rzecz biorąc, aczkolwiek i ten papier Hodges uznał za mało istotny i nie włożył go do czerwonej teczki. Składał się z dwóch części. Pierwszą stanowił list od C.G. (Chrisa) Lewina, inspektora Funduszu Emerytalnego Kolei Brytyjskich i autora pomysłu inwestowania w dzieła sztuki, do Petera Wilsona, prezesa firmy.

Drogi Piotrze,

Dot. sprzedaży i dzierżawy dzieł sztuki

W nawiązaniu do naszych rozmów i ostatniego spotkania podkomisji ds. sztuki, załączam pismo wyszczególniające warunki, na jakich sądzę możemy wyrazić zgodę na rozpatrzenie propozycji sprzedaży lub dzierżawy. Szczegółów nie przedstawiliśmy jeszcze naszemu prawnikowi, ani komisji ds. sztuki, i w żadnym przypadku nie podjęliśmy jeszcze decyzji.

Byłbym wielce zobowiązany, gdybyś był tak miły i dopilnował, by odpowiedni specjaliści z Sotheby's zapoznali się z treścią tego pisma i poczynili ewentualne poprawki i uwagi mogące być pomocne z publicznego punktu widzenia.

Pismo to z datą 20 września 1978 (kiedy to według „Biuletynu Rynku Dzieł Sztuki" fundusz wydał 28,5 miliona funtów z planowanych 40 milionów do 1980 roku) Lewin dołączył do listu. Oto jego najciekawsze fragmenty:

Dot. sprzedaży i dzierżawy zwrotnej dzieł sztuki Funduszowi Emerytalnemu Kolei Brytyjskich

1) Proponuje się wypożyczenie na początkowy okres pięciu lat. Fundusz zastrzega sobie prawo wypowiedzenia umowy w dowolnym czasie bez podania przyczyny po uprzednim powiadomieniu o swej decyzji na dwadzieścia osiem dni przedtem. (Umowę można przedłużyć na następne pięć lat za obopólną zgodą).

2) Czynsz dzierżawny wynosić będzie 5 procent wysokości ceny sprzedaży i obowiązywać będzie przez cały okres trwania umowy. Koszt ubezpieczenia poniosą Koleje Brytyjskie. W przypadku odnowienia umowy wysokość czynszu zostanie rozpatrzona ponownie.

3) Jeśli Koleje Brytyjskie zdecydują się na sprzedaż poszczególnych pozycji w ciągu owych pięciu lat (nawet po wypowiedzeniu umowy i powiadomieniu o swej decyzji na dwadzieścia osiem dni przedtem stosownie do punktu pierwszego), wówczas dzierżawca będzie miał prawo „pierwszej odmowy" po cenie, która zostanie ustalona w danej chwili przez Fundusz. Dzierżawca będzie miał jeden miesiąc, licząc od daty wręczenia powiadomienia, na podjęcie decyzji i wykorzystanie opcji, po którym to terminie Fundusz będzie mógł sprzedać pozycje dowolnemu kupcowi. Jeśli dzierżawca dokona ponownego zakupu w myśl niniejszej klauzuli, wówczas jest zobowiązany w przypadku odsprzedaży pozycji w ciągu następnych dwóch lat do udzielenia Funduszowi prawa „pierwszej odmowy" przez jeden miesiąc po cenie ponownego zakupu (i udostępnienia Funduszowi pozycji do sprawdzenia w ciągu tych dwóch lat).

11 września 1978 r.

I na tym dokument ten się kończy. Nie wiadomo, czy cokolwiek wyszło z tego zamierzenia. List przewodni Lewina dotyczy „publicznego punktu widzenia", co może sugerować, że autor mógł nosić się z zamiarem opublikowania informacji, lub po prostu niepokoił się, że nastąpi przeciek informacji. Jednak z całą pewnością informacja ta nigdy nie ujrzała światła dziennego, aż do chwili obecnej.

Co się sugeruje w tym piśmie? Proszę zwrócić uwagę na słownictwo: sprzedaż, dzierżawa, dzierżawa zwrotna. Widać wyraźnie, że Fundusz jest właścicielem dzieł sztuki, patrz punkt 3, według którego może sprzedać pozycje w każdej chwili lub wydzierżawić je komuś innemu, za co ma otrzymać zapłatę dzierżawną, o której mowa w punkcie 2. Ale użyto wyrażenia „dzierżawa zwrotna", sugerującego, że rentę dzierżawną płaci ktoś, kto przedtem był posiadaczem tych rzeczy. Innymi słowy, ktoś sprzedaje, no powiedzmy, obraz Moneta, Funduszowi za milion funtów. Tak więc Fundusz posiada aktywa wartości jednego miliona funtów, ale sprzedający postanawia wydzierżawić od niego obraz płacąc pięć procent rocznie, czyli 50 tysięcy.

Jeśli rozumowanie ma sens, to mamy do czynienia z istotnym momentem z dwóch względów. Po pierwsze, można z niego wnosić, że już w roku 1978 Fundusz zdawał sobie sprawę z krytycznych uwag pod adresem całego przedsięwzięcia, zgłaszanych przede wszystkim przez George'a Ross-Goobeya, osoby wielce poważanej w środowisku. Powiedział on dziennikarzowi Nicholasowi Faithowi: „Osobiście uważam tego rodzaju inwestycje za chybione... Jedną z niezaprzeczalnych zalet funduszów emerytalnych było to, że zwolnione są od podatków od dochodów. Z dzieł sztuki można czerpać tylko dochód ujemny, ponieważ trzeba zapłacić za ubezpieczenie, konserwację i przechowywanie. Zysk kapitałowy może być w końcu nawet na tyle spory, by pokryć koszty, ale na samym początku są one dużym utrudnieniem". A zatem wielce prawdopodobne, że propozycja dzierżawy zwrotnej była obliczona na zapewnienie Funduszowi dochodu wolnego od podatku.

Ale jeśli tak się rzeczy istotnie miały, to komu Fundusz wydzierżawił owe dzieła sztuki? I czy doszło do szczegółowych ustaleń? Trzeba zacząć od tego, iż większość ludzi sprzedających posiadane dzieła sztuki chce się ich pozbyć. Oczywiście mogą istnieć pewne wyjątki, ale większość z nich na pewno nie będzie chciała brać w dzierżawę czegoś, co już sprzedali.

A może uzgodniono tak, że Sotheby's sprzeda Funduszowi owe pozycje i potem je wydzierżawi od Funduszu, wykorzystując pożyczkę zaciągniętą w Funduszu do zapłaty czynszu dzierżawnego? W takiej sytuacji nie trzeba dokonywać żadnych wpłat czy wypłat, wszelkie bowiem rozliczenia sprowadzają się wyłącznie do zabiegu księgowego, mającego na celu umożliwienie Funduszowi skorzystanie z ulgi podatkowej od nieistniejącego w rzeczywistości dochodu z dzierżawy dzieł sztuki. Być może pożyczka rzeczywiście miała miejsce i pieniądze rzeczywiście przelano z jednego konta na drugie, i spłacono ją z odsetek kapitałowych w momencie sprzedaży rzeczonych pozycji.

W dokumentach nie ma ani słowa o tym, czy doszło do jakichkolwiek ustaleń w tej sprawie. Jeśli doszło, to niektóre dokumenty z trzeciej teczki Hodgesa nabierają w takiej sytuacji szczególnej wymowy i znaczenia. Są to wydruki komputerowe dotyczące sprzedaży mebli francuskich w listopadzie 1989 r. Na sprzedaż wystawiono wówczas szereg pozycji skatalogowanych jako „Własność Funduszu Emerytalnego Kolei Brytyjskich", które zostały sprzedane za około 4 miliony funtów. Jednak w utajnionych wydrukach komputerowych mówi się o nich, że stanowią własność Lexbourne. Pod tą nazwą występowała spółka konsultacyjna mająca doradzać Funduszowi w zakupach, powołana wspólnie przez Sotheby's i Fundusz. Być może, że pociągnięcie to było czystym zabiegiem księgowym, ale jeżeli nie, i jeżeli nie doszło do zawarcia umowy o dzierżawie zwrotnej, to i tak Sotheby's zaangażowała się w sprawy Funduszu o wiele mocniej niż publicznie ujawniono. Z następnego dokumentu, bez żadnej daty, wynika niezbicie, że dwanaście pozycji z kolekcji obejmującej sztukę Pacyfiku przejął w imieniu Sotheby's Roberto Fainello. Zostały one wysłane przez Lexbourne'a. Jeśli nie popełniono tu błędu księgowego, wynika z tego, że przedmioty te należały zarówno do Sotheby's, jak i do Funduszu.

Brak współpracy ze strony Sotheby's uniemożliwia dotarcie do prawdy. Nie sposób dowiedzieć się dokładnie, kto i co posiada na własność, kto płaci dzierżawne i komu, w jaki sposób oszacowano inwestycję i jaki wpływ miała ona na rynek.

Sprawy komplikują się jeszcze bardziej, jeśli porówna się wyżej wzmiankowane papiery z pewnym dokumentem pochodzącym z teczki irańskiej, o którym nie było jeszcze mowy. W rozdziale 11. *Ludzie z Teheranu* pisaliśmy, że kiedy Sotheby's zaangażowała się w Iranie, doradzała cesarzowej w zakupach dzieł sztuki dla Muzeum Sztuki Współczesnej w Teheranie. Był to program tajny, noszący kryptonim „Dubois". W swej pierwszej nocie dotyczącej Iranu Jeremy Cooper napisał do Petera Wilsona 31 grudnia 1975 roku: „W pewnym momencie musimy powiadomić ustnie [Bahadori za pośrednictwem biura cesarzowej] o sytuacji B.R. oraz Abu Dhabi". Cooper nie precyzował dokładnie o co mu chodzi, ale wziąwszy pod uwagę datę oraz kontekst, to z całą pewnością chodzi tu o Fundusz Emerytalny Kolei Brytyjskich (British Rail) i jego program inwestycyjny.

I właśnie ten aspekt noty jest najbardziej interesujący, ponieważ mówi o zainteresowaniu Sotheby's stosunkami z trzema dużymi partnerami, mającymi na celu przejęcie doradztwa w planowanych zakupach. Partnerami tymi mieli być: Fundusz Emerytalny Kolei Brytyjskich, cesarskie Muzeum Sztuki Współczesnej w Teheranie oraz Abu Dhabi (aczkolwiek o szejkanacie tym nie ma już żadnej wzmianki w pozostałych dokumentach). Oprócz tego istniał jeszcze w Iranie Fundusz Ladjevardi, w którym Sotheby's była mocodawcą lub przynajmniej się o to ubiegała.

Czy to było uczciwe działanie handlowe? Czy też konflikt interesów na wielką skalę, jeśli się weźmie pod uwagę, że wszystko, z wyjątkiem stosunków z funduszem, zostało utajnione? Jeśli podobne plany związane z Abu Dhabi doszłyby do skutku (a takie z pewnością były sądząc ze wzmianki zawartej w dokumencie), Sotheby's weszłaby w posiadanie ogromnej ilości danych dotyczących popytu, podaży, cen żądanych przez sprzedających oraz kwot, jakie ewentualni kupcy byli gotowi za nie zapłacić. Trudno powiedzieć, w jakim stopniu mogło to kolidować z normalnym funkcjonowaniem sił rynkowych, ale konflikt interesów występował naprawdę.

W końcu może to i prawda, że plany związane z Kolejami Brytyjskimi, Funduszem Ladjevardi i być może Abu Dhabi stanowiły w większym stopniu problem etyczny niż prawny. Jak mogliśmy się przekonać, Sotheby's była bezpośrednio zainteresowana tym, by przedstawiać sztukę jako znakomitą lokatę kapitału. Plany te, niektóre z nich utajnione, stanowiły znakomity środek promowania tego poglądu.

Do Hodgesa zrażał mnie sposób, w jaki wszedł w posiadanie niektórych dokumentów nie dotyczących bezpośrednio działów, w których pracował. Jak sam powiedział, w pewien czas po odejściu z Sotheby's, już po pierwszym aresztowaniu, a przed procesem i skazaniem go przez sąd, ktoś wiele razy pukał późnym wieczorem do jego drzwi na Tunis Road. Za każdym razem, kiedy podchodził do drzwi, nikogo tam nie było, ale zawsze na progu znajdowała się paczka z dokumentami.

Myślałem, że wszystko to zmyślił, gdyż chciał w ten sposób pokazać, że pracują w firmie ludzie, którzy są po jego stronie i mu współczują do tego stopnia, iż próbują mu pomóc. Sądziłem, że chciał się rozgrzeszyć przed samym sobą z kradzieży papierów i postawić się w lepszym świetle, by nie uważano go za „padalca". Powiedziałem mu o moich wątpliwościach, ale wersji swej nie zmienił. Trzeba jednak przyznać, że sam się przedtem do kradzieży przyznał, i jeśli ja mam rację, to i tak to, co teraz mówi niczego w niczym nie zmienia. Kiedyś powiedział mi, że niektóre dokumenty znalazł w kartotece ogólnej, stanowiącej rodzaj archiwum centralnego kierownictwa firmy na Bond Street, gdzie zaprzyjaźnił się z człowiekiem odpowiedzialnym za nie. Osobiście byłem przekonany, że szukał tam czegokolwiek, co mogło obciążać firmę. Ale być może nie mam racji i jestem niesprawiedliwy w stosunku do niego. Dokumenty zdobył i fakt ten w niczym nie umniejsza ich wagi, bowiem ukazywały to, co się działo w samym środku domu aukcyjnego.

Mając to na względzie wydawało mi się, że naturalną rzeczą będzie, jeśli zachowam dla siebie pewne wątpliwości, nie do końca ufając Hodgesowi. Mimo wszystko był jedyną osobą, która stanęła przed sądem i została skazana na pobyt w więzieniu, m.in. za fałszerstwo. Dlatego zdziwiło mnie mocno, kiedy się przekonałem, że on także nie ufa mi do końca. Przekonałem się o tym około dwa tygodnie przed jego wyjazdem do Ameryki, kiedy podczas ostatnich odwiedzin u swych rodziców w Suffolk wręczył mi w końcu pewien dokument, który od wielu miesięcy obiecywał, a w istnienie którego zacząłem powątpiewać.

Celem naszego wyjazdu do Suffolk było przekazanie mi następnej walizki papierów, czwartej z kolei. Zawierała głównie kopie, jak powiedział Hodges. Chciałem jednak je przejrzeć osobiście, ponieważ mogły być wśród nich takie, których wagi Hodges nie docenił. Wyjął walizkę z szafy. Była ciężka i zawilgocona, i kiedy ją otworzył ujrzałem na wierzchu papiery, które obiecywał.

Przyglądał mi się uważnie, gdy je przeglądałem. Gdy skończyłem, zapytałem go: – Skąd je wziąłeś?

– Znalazłem w ostatniej paczce na progu drzwi.

Nie dowierzałem, ale nic nie odrzekłem. Przećwiczyliśmy to już przedtem. Byłem w stanie zrozumieć, dlaczego mi nie ufał w przypadku tego dokumentu. Chciał mieć coś w zanadrzu na wypadek gdyby doszło do nieporozumienia między nami, coś, co umożliwi mu negocjacje i da broń do ręki. A ten dokument możliwości takie stwarzał, dotyczył bowiem tajnego porozumienia osiągniętego po obydwu stronach Atlantyku i wielkich pieniędzy. Jak wielkich tego jeszcze nie wiedziałem, ale na pewno wielkich, co do tego nie było żadnych wątpliwości, w grę bowiem wchodzili Japończycy.

W tym miejscu należy kilka rzeczy przypomnieć. Rozwój gospodarczy Japonii stanowił jedno z najważniejszych zjawisk politycznych, ekonomicznych i społecznych od drugiej wojny światowej i miał ogromny wpływ na rynek dzieł sztuki. Japończycy pojawili się na aukcjach po raz pierwszy pod koniec lat sześćdziesiątych, ale nie przetrwali kryzysu naftowego. Japonia była bowiem jednym z tych krajów, które były najbardziej zależne od ropy bliskowschodniej, i podniesienie cen ropy przez kraje OPEC miało dla niej skutek fatalny. Pod koniec lat siedemdziesiątych Japończycy znowu pojawili się w salonach aukcyjnych, ale recesja z lat siedemdziesiątych ostudziła nieco ich zapał do sztuki. Nie było ich widać w ogóle na rynku aż do roku 1985, tj. do chwili zawarcia porozumienia International Plaza Agreement, na mocy którego jen zyskał na wartości 40 procent w stosunku do dolara. Powrócili masowo dopiero potem, dominując na rynku bezspornie w latach hossy pod koniec lat osiemdziesiątych. Za przyczyną słabego dolara jen rósł w siłę do tego stopnia, że zyskał na wartości aż sto procent w ciągu półtora roku poprzedzającego podpisanie owego porozumienia. Dzięki takiej koniunkturze doszło do spektakularnych aukcji, a na jednej z nich do rekordowego zakupu przez pana Ryoei Saito w ciągu dwóch dni *Portretu dr. Gacheta* Van Gogha i płótna *Au Moulin de la Galette* Renoira za łączną sumę 160,6 miliona dolarów.

Jednak na początku roku 1991 „bańka" japońska prysła. Jeden z największych domów aukcyjnych ogłosił bankructwo, pozostawiając bankom od dwóch do czterech tysięcy nie sprzedanych płócien. Najsmutniejsze jednak było to, że doszło do szeregu skandali, a dzieła sztuki posłużyły na wielką skalę do zawierania nielegalnych transakcji ziemią. Najbardziej chyba szokującym przykładem było kupno aż 7437 obrazów przez pewną firmę z Osaki. Obrazy te wykorzystano w sposób nielegalny przynajmniej w dwojaki sposób. Po pierwsze, pewną liczbę płócien sprzedała jedna firma z tej samej grupy przedsiębiorstw po ustalonej cenie, natomiast druga firma z tej samej grupy kupiła je, ale już po zupełnie innej cenie. W ten sposób znaczna kwota pieniędzy po prostu znika w powietrzu, stając się „niewidoczną". I następny wariant. Jakaś firma zajmująca się obrotem ziemią kupuje place po cenach ustalonych przez rząd, a zatem niższych od rynkowych. W tym samym czasie pewien Ito „odstępuje" obrazy sprzedawcy ziemi po cenie nominalnej. Potem, w kilka miesięcy później, ów Ito odkupuje obrazy za kwotę o wiele wyższą, spłacając w ten sposób swe zobowiązania względem sprzedawcy, nie naruszając przy tym prawa.

Jeszcze innym przykładem funkcjonowania japońskiego rynku dzieł sztuki jest działalność sieci japońskich domów towarowych Seibu, stanowiących osobliwe kuriozum na rynku, nie mające odpowiednika nigdzie indziej. Takie wielkie domy towarowe jak Mitsukoshi i Seibu przystąpiły do handlu dziełami sztuki już na początku okresu *prosperity*. A zatem nikogo nie może dziwić w tym kraju, że kolekcjonerzy nabywają tam cenne obrazy ot tak, po prostu, w domu towarowym, co może wydawać się dziwaczne na Zachodzie. Ten niezwykły sposób sprzedaży wywarł pewien wpływ na podejście Sotheby's do kontaktów z Japończykami. W roku 1979, firma otworzyła oddział w Tokio i mianowała Kazuko Shiomi szefową. Będąc byłą wysokiej rangi tłumaczką w ONZ, Shiomi zdawała sobie doskonale sprawę z tego, że w Japonii potrzeba wiele czasu na zdobycie zaufania zanim będzie można robić porządne interesy. I choć spodziewała się, że Japończycy odegrają wkrótce ogromną rolę na rynku dzieł sztuki, to nie liczyła jednak na to, że Sotheby's będzie w stanie zorganizować aukcję w Tokio przez najbliższe dziesięć czy nawet więcej lat.

Jak się później okazało miała zupełną rację, Sotheby's udało się bowiem przeprowadzić pierwszą licytację starodruków w tym mieście dopiero w 1990 roku. Ponadto kiedy amerykański rekin finansowy Alfred Taubman przejął Sotheby's na początku lat osiemdziesiątych mógł się poszczycić znajomościami i kontaktami z takimi osobistościami jak Heini Thyssen, Gianni Agnelli, Anne Getty i tak dalej. Wśród jego znajomych był także prezes Seibu, Seidżi Tsutsumi. Seibu i Sotheby's poczęły robić spektakularne interesy. Ponieważ firma ta miała tylko przedstawicielstwo w Tokio i nie rozporządzała tam własnym salonem, licytacje organizowano wspólnie w modnych hotelach. Nawet po ośmiu latach działalności w Tokio Sotheby's nie mogła nawet marzyć o dorównaniu Seibu pod względem popularności czy solidności. Do roku 1989 obydwie firmy uzgodniły kontakty robocze między sobą.

Dzięki temu oraz dzięki fachowości Kazuko Shiomi Sotheby's zrozumiała, że japońscy handlarze dziełami sztuki zawsze spełniali dodatkową funkcję prawie nie znaną na Zachodzie. Wynika to stąd, że Japończycy, chyba w o wiele większym stopniu niż inne narody, nie znoszą podatków. Niechęć ta jest tak mocno zakorzeniona, że nawet najbogatsi kolekcjonerzy unikają rozgłosu na aukcjach i wykorzystują w tym celu pośredników. Z kolei ci w wielu przypadkach podstawiają agentów do licytacji, by w ten sposób dodatkowo chronić kolekcjonera przed urzędami podatkowymi. Według ankiety przeprowadzonej wśród handlarzy tokijskich w roku 1989, czyli w samym środku hossy na rynku, około 60 procent z nich nigdy nie widziało na oczy aukcji w stylu zachodnim. Z tego wynika, że stosunki między salonami sprzedaży, handlarzami i kolekcjonerami różnią się nieco od standardów zachodnich. Dealer na Wschodzie posiada znacznie mocniejszą pozycję, i o tym nie należy zapominać.

Zanim przejdę do dokumentu, który Hodges ukrywał przede mną przez tak długi okres i który poruszył mną do żywego, kiedy go czytałem tego dnia w Suffolk, należy się państwu kilka słów wyjaśnienia czym są prowizje odstępne, ponieważ chodzi tu o bardzo duże kwoty. Prowizje te stosuje się w branży wszędzie, choć wielu ludzi nie zdaje sobie z tego sprawy.

Zarówno w praktyce, jak i w teorii sprawa ta zwykle nie budzi, lub nie powinna budzić, żadnych wątpliwości. Jeśli ktoś podkręca transakcję Sotheby's (lub któremukolwiek innemu domowi aukcyjnemu), wówczas otrzymuje odstępne. Zwykle wynosi ono 40 procent prowizji pobieranej przez Sotheby's, czyli 40 procent dziesięciu lub piętnastu procent od wyceny przedmiotu, lub 4 do 6 procent ceny osiągniętej na licytacji. Na przykład, za przedmiot, który został sprzedany za 10 tysięcy funtów, Sotheby's pobiera 15 procent, czyli 1500 funtów, a osoba, która doprowadziła do transakcji otrzymuje 40 procent tej kwoty, czyli 600 funtów.

Wśród wydruków komputerowych przedstawionych mi przez Hodgesa znajdowało się kilka kartek z nagłówkiem „Podrejestr

Kod 03 – Prowizje odstępne". Wskazywały one na to, że prowizje takie wypłacono trzy razy pod koniec 1988 roku i na początku 1989 roku, i że w tym czasie doszło do 138 transakcji na różne kwoty od 14,25 do 34 500 funtów (co oznaczało, że firma skorzystała z pomocy i pośrednictwa w sprzedaży przedmiotów na łączną sumę 862 500 funtów). Pewne nazwiska powtarzają się wiele razy, tak jakby osoby te utrzymywały się wyłącznie z naganiania klientów Sotheby's.

Czy to etyczne? Mało kto by na taki układ nie poszedł. Jeśli przyjąć, że każdy dom aukcyjny jest święcie przekonany, iż jest najlepszym i najlepiej dba o interesy swego klienta, wówczas rzeczywiście nie można mu zarzucać, że instytucja odstępnego jest mało etyczna. Znane domy aukcyjne uzgadniają między sobą terminy licytacji w każdej dziedzinie, tak aby zarówno dealerzy, jak i kolekcjonerzy byli w stanie uczestniczyć we wszystkich aukcjach, w jakich pragną uczestniczyć, nie można więc powiedzieć, by odstępne dla sprzedających miało jakiś większy wpływ na rynek.

Jednak istnieje pewna różnica pomiędzy prowizją wypłacaną komuś, kto wprowadza sprzedającego, a prowizją wypłaconą osobie wprowadzającej kupującego. Jeśli jakieś płótno lub mebel idzie pod młotek w Sotheby's lub Christie's, lub gdziekolwiek indziej, to i tak pozostanie tym samym płótnem czy meblem. Jeden dom aukcyjny może spisać się lepiej od drugiego, może lepiej zareklamować wystawiane przedmioty, może lepiej zaprezentować daną pozycję, ale żaden z nich nie jest w stanie zmienić jego natury. Dlatego akwizycję sprzedających można uznać za prawnie uzasadnioną. Ale jeśli stosuje się takie same praktyki w stosunku do kupujących – to jest zupełnie inny problem zarówno pod względem koncepcyjnym, jak i etycznym.

Powodzenie aukcji po drugiej wojnie światowej zawdzięczamy ich charakterowi. Mimo wszystkich możliwych niedoskonałości tej formy handlu, ma ona wiele zalet. Na aukcjach dzieła sztuki są wystawiane, można je obejrzeć, sprawdzić, i licytator uderzeniem młotka sprzedaje tym, którzy dają najwięcej. Osoba, która je kupiła najwyraźniej pragnęła posiadać je i dlatego była gotowa zapłacić więcej niż pozostali. System ten jest otwarty, uczciwy i przejrzysty.

Jeden z wewnętrznych dokumentów Sotheby's, znajdujący się w stercie przekazanej mi przez Hodgesa, przedstawia to chyba najlepiej. Sporządzony w roku 1981, stanowił część analizy wysokości opłat klientów w stosunku do wysokości prowizji dla sprzedających, bowiem w owym czasie firma zamierzała zmniejszyć wysokość tych ostatnich. W paragrafie siódmym tego dokumentu, zatytułowanym „Zmniejszenie opłat klientów", w podpunkcie (a), zatytułowanym „Zróżnicowanie w stosunku do kategorii klientów", czytamy m.in.:

> Rozpatrując możliwość zmniejszenia opłat klientów, Komitet poważnie zastanawiał się nad ewentualnością rozróżniania pomiędzy poszczególnymi kategoriami, tak aby pewne grupy klientów traktować na licytacji inaczej niż innych. Innymi słowy, klient A zapłaciłby 110 funtów (plus 1,50 funta podatku VAT od opłaty, czyli 111,50 funta) do ceny osiągniętej na licytacji natomiast klient B, nie posiadający tego obowiązku, zapłaciłby w takiej sytuacji 100 funtów.
>
> Komitet stanął na stanowisku, że byłoby to całkowicie niesprawiedliwe i sprzeczne z istotą i charakterem otwartej licytacji wolnorynkowej i że wszyscy uczestnicy aukcji powinni brać w niej udział na równych prawach.
>
> Zasięgnęliśmy porady prawnej w tej sprawie w roku 1979, z której wynikało niezbicie, że z całą pewnością bezprawne są te aukcje, podczas których jedni klienci są faworyzowani kosztem innych. Wniosek ten znajduje uzasadnienie zarówno w prawie zwyczajowym, jak i pisanym.

W dalszej części dokument wymienia siedem przypadków prawa precedensowego oraz cztery akty prawne, które złamano w takich okolicznościach.

Komitet co prawda rozpatrywał możliwość specjalnego traktowania muzeów na aukcjach, ale w końcu podjął decyzję negatywną. Założywszy, że jest to dokument firmy, to co nastąpiło potem jest najbardziej interesujące.

Na pierwszy rzut oka wypłacanie prowizji komuś, kto przyprowadza klientów do salonu sprzedaży nie ma większego sensu. Na ogół klienci sami wiedzą doskonale czego chcą, i mogą to kupić na wielu aukcjach i w tysiącach prywatnych galerii na całym świecie. Owszem, klient może zapłacić za poradę, które płótno czy mebel warto nabyć, i za jaką kwotę, i niech będzie, że nawet handlarzowi. Wszystko odbywa się zgodnie z prawem, ponieważ rzecz dzieje się między klientem i jego agentem, i dotyczy przedmiotu do sprzedania i kupna bez względu na miejsce.

Z drugiej jednak strony nie wydaje się, by istniały jakiekolwiek okoliczności usprawiedliwiające wypłatę prowizji klientowi przez dom aukcyjny za prezentację posiadanych przedmiotów, ponieważ stanowiłoby to nic innego, jak tylko pewien rodzaj zachęty. W takiej sytuacji Sotheby's miałaby przewagę nad rywalami. Czy postępowanie takie byłoby uczciwe względem klientów, których w ten sposób zachęcałoby się do kupna gorszych rzeczy u Sotheby's, podczas gdy lepsze i bardziej wartościowe przedmioty można nabyć gdzie indziej po znacznie niższej cenie? Z tych względów oferowanie prowizji klientom jest z punktu widzenia etyki sprawą wątpliwą nie tylko dla tego, kto płaci, ale i dla tego, kto bierze.

Istnieje jeszcze jeden powód, dla którego praktyka taka nie tylko jest nieetyczna, ale i rzadko spotykana, ponieważ kto poszedłby na taki układ? Jacy rozsądni ludzie pozwoliliby sobą kierować w taki sposób? Istnieje tylko jedna odpowiedź na to pytanie: tacy, którzy o tym nie wiedzą.

Powróćmy do treści dokumentu. 28 kwietnia 1986 roku Julian Thompson, prezes wydziału dalekowschodniego, przesłał fax do Kazuko Shiomi w Tokio. Pismo towarzyszące zaczynało się od słów „Mam już zgodę Michaela Ainslie i Dede Brooka (*sic*) na propozycję, którą załączam i którą przesłałem Seibu. Nie było łatwo i mam nadzieję, że Seibu ją przyjmie..."

Oto treść zasadniczego dokumentu:

Propozycja zapłaty honorarium przez Sotheby's Seibu za wprowadzanie klientów

Zastanawialiśmy się nad odpowiednią metodą wyliczania wysokości honorarium, jakie Sotheby's będzie wypłacać Seibu za klientów, których państwo wprowadzacie do aukcji oraz za usługi ajenckie.

Proponujemy trzy procent ceny sprzedaży aukcyjnej od wszystkich pozycji, jakie zostaną zakupione w imieniu Seibu poniżej kwoty 100 tysięcy dolarów (lub w funtach czy innych walutach) oraz dwa procent ceny sprzedaży aukcyjnej od wszystkich pozycji zakupionych w imieniu Seibu za 100 tysięcy dolarów lub więcej.

W roku kalendarzowym 1985 honorarium wynosić będzie około 75 tysięcy dolarów. Odzwierciedlać powinno wzrost naszych kosztów własnych w Japonii, i propozycję naszą należy

> uwzględnić w umowie o zmiennej skali zmian [opłat?], jaką Seibu ma zamiar wprowadzić celem zastąpienia dziesięcioprocentowej opłaty, pobieranej przez Seibu od swych klientów. Jesteśmy gotowi zastosować nowy system wynagrodzeń, gdy tylko Seibu wprowadzi nową zmienną skalę opłat. Pociągnie to z pewnością za sobą negatywne zmiany w naszym budżecie na rok 1986, ale nie będziemy opóźniać inicjatywy Seibu zmierzającej do zwiększenia akwizycji nowych klientów dzięki obniżce opłat.
>
> Pragnę podkreślić, że propozycja niniejsza ma wysoce poufny charakter, ponieważ stoi w całkowitej sprzeczności z oficjalną naszą polityką niewypłacania prowizji stronom trzecim za zdobywanie klientów, tym bardziej że nie nosimy się z zamiarem wprowadzania takiego systemu poza Japonią.

Innymi słowy, Sotheby's proponuje coś zupełnie przeciwnego temu, co głosi publicznie. Otóż wyraża gotowość stosowania zachęt finansowych w stosunku do Seibu, by firma ta wpływała na swych klientów i zachęcała ich do kupowania u Sotheby's. Jak wskazuje na to wysoce poufny charakter noty Thompsona, dom aukcyjny Sotheby's doskonale zdawał sobie sprawę z delikatnego charakteru takiej propozycji.

Z kolei Seibu kierowała się chęcią zmniejszenia prowizji pobieranej od swych klientów, by uzyskać przewagę nad innymi dealerami w kraju. I dlatego Seibu chciała wyrównać straty, lub przynajmniej część z nich, kosztem Sotheby's. Nie zmienia to w niczym aspektu etycznego sprawy, ponieważ Seibu będzie w tej sytuacji bardziej zainteresowana zdobywaniem klientów dla Sotheby's, aby zwiększyć swoje dochody.

Jakie rodziło to konsekwencje praktyczne? Thompson pisze, że honorarium Seibu w 1985 roku wyniesie 75 tysięcy dolarów. Kwota ta stanowi 3 procent od 2,5 miliona i 2 procent od 3,75 miliona dolarów. Następne kilka lat po wystosowaniu noty było okresem najlepszej koniunktury na rynku dzieł sztuki i import do Japonii ulegał podwojeniu każdego roku. A zatem honoraria Seibu rosły w podobnym tempie i można przypuszczać, że wynosiły 150 tysięcy dolarów w roku 1986, by wzrosnąć do 1,2 miliona w 1989 roku, co stanowi 3 procent od kwoty 40 milionów oraz 2 procent od kwoty 60 milionów. Kwoty te odpowiadają prowizji w wysokości 4 i 6 milionów dolarów pobieranych odpowiednio przez Sotheby's i Seibu, która musi od tego odliczyć prowizję klienta.

Ale kwota 75 tysięcy dolarów, o jakiej pisze Thompson, została wypłacona przed podpisaniem umowy. Po jej podpisaniu Seibu była o wiele bardziej zainteresowana „naganianiem" klientów swemu partnerowi, a więc i jej honoraria były zapewne o wiele wyższe.

Czy propozycję tę zaakceptowano? Wydaje się, że tak, ponieważ wśród wydruków przekazanych mi przez Hodgesa były takie, które wyraźnie świadczyły o tym, że w okresie od stycznia 1987 r. do kwietnia 1989 r. Sotheby's wypłaciła Seibu 171 razy honoraria na łączną kwotę 133 865 funtów i 10 pensów (około 250 tysięcy dolarów). Być może kwoty te zawierały prowizje za przedmioty wystawione przez Seibu na aukcjach Sotheby's, co nie stanowi żadnego wykroczenia. Ale na jednym z wydruków wymienia się płatność jako „odstępne" zaś drugi z kolei paragraf poufnego pisma Seibu także zawiera słowo „odstępne".

Do tego wszystkiego należy dodać jeszcze niezwykle konspiratorski i tajemniczy charakter japońskiego handlu dziełami sztuki. Dlatego nie wydaje się, że Seibu udostępniła Sotheby's nazwiska swych klientów, występując w roli ajenta. A jeśli tak, to kto może wiedzieć, czy Japończycy rzeczywiście szukali klientów dla Sotheby's, czy też po prostu sami nie dokonywali zakupów dzięki pośrednictwu Sotheby's na własny rachunek? Gdyby tak było, to Seibu płaciłoby tylko 7 lub 8 procent prowizji od kupna, a nie 10 procent jak każdy inny klient. Na przykład szkic Degasa, który „poszedł" za 100 tysięcy dolarów, kosztowałby każdego innego 110 tysięcy, zaś Seibu musiałoby zapłacić tylko 108 tysięcy dolarów. Jeśli pójdziemy dalej w naszych obliczeniach zgodnie z ową skalą opłat, to dojdziemy do wniosku, że za każde pięć obrazów o wartości jednego miliona dolarów nabytych przez Seibu, firma ta otrzymuje jeden obraz wartości stu tysięcy dolarów gratis (a w latach 1989–1990 sprzedano 338 dzieł sztuki na łączną sumę jednego miliona dolarów).

Tak naprawdę to nieważne, jakie kwoty wchodzą w grę, bowiem aspekt moralny liczy się tu o wiele bardziej. Faktem jest, że pozostali uczestnicy licytacji nie mają żadnej szansy w konfrontacji z Seibu, nie mając nawet o tym pojęcia. Porozumienie tego rodzaju, zawarte pomiędzy dwoma firmami, godzi w pozostałych pośredników, ponieważ to oni będą nabywcami na aukcjach. W rezultacie Seibu wypłaca prowizję w tej samej wysokości za pięć obrazów, jaką inni płacą za cztery.

I nie tylko to jest niezgodne z prawem, ponieważ jak wynika z dokumentacji Sotheby's, praktyki takie pociągają za sobą różnego rodzaju komplikacje. Na przykład utarło się już, że po każdej poważnej aukcji jej wyniki podawane są do publicznej wiadomości łącznie z 10-procentowym upustem. Ale upust Seibu wynosi siedem lub osiem procent, a więc i w tym przypadku, Sotheby's publikuje nieprawdziwe dane.

Najbardziej oburzające jest to, że w takiej sytuacji wielu uczestników licytacji zasiada do gry, w której karty już dawno ułożono i żaden z nich nie może jej wygrać, nie zdając sobie nawet z tego sprawy. Podobnie jak w wielu innych przypadkach i tu prawo powinno wkroczyć do akcji.

W piątek, 1 listopada, 1996 roku udaliśmy się do Cambridge z ekipą filmową celem przeprowadzenia wywiadu z dr. Dilipem Chakrabartim, którego kontakty okazały się wielce pomocne dla Sama w Uttar Pradesh. Wypowiedział on wiele cierpkich słów pod adresem nielegalnego handlu antykami hinduskimi i apelował do władz hinduskich o wszczęcie śledztwa przeciwko Sotheby's.

Kiedy ekipa ustawiała oświetlenie, wręczyłem dr. Chakrabartiemu katalog z aukcji hinduskich, islamskich i himalajskich dzieł sztuki sprzed kilku tygodni, na którą przybyli Fakrou Sham i dr Usha Ramamrutham i na której Essa Sham wystawił przedmioty pochodzące z przemytu.

Dr Chakrabarti przeglądał katalog i w pewnym momencie podskoczył do góry.

– Panie Watson, niech pan popatrzy – wykrzyknął wskazując palcem na rzeźby hinduskie. Były to trzy płyty ofiarne z piaskowca Sunga, przedstawiające postacie żeńskie o wymiarach od kilkunastu do dwudziestu kilku centymetrów. Były prześliczne. Wyceniono je na 1000 do 3000 funtów. Według katalogu pochodziły „prawdopodobnie z Chandraketugarh, w zachodniej części Bengalu, z II/I wieku p.n.e.". Dr Chakrabarti wyjaśnił, co to oznaczało.

– Jest taki rejon nieopodal Kalkuty, który przeżywał niebywały rozkwit w okresie od trzeciego wieku przed naszą erą do dziesiątego wieku naszej ery. Nikt nie pamięta już jego starożytnej nazwy. Obecnie znany jest pod nazwą Chandraketugarh i nie sądzę, by jakakolwiek wiadomość o jakimkolwiek znalezisku w tym rejonie dotarła kiedykolwiek do archeologów i naukowców w czasach współczesnych. Ostatnio powiedziano mi, że miejscowym chłopom proponuje się pieniądze na renowacje stawów i grobli w zamian za wszystko, co mogą odkopać przy takich robotach.

Okolica ta była nieznana nikomu do połowy lat pięćdziesiątych dwudziestego wieku i w ogóle nie prowadzono tam wykopalisk. Ponieważ już w owym okresie obowiązywały ustawy zabraniające wywozu antyków, to z samej definicji wynika, że wszelkie przedmioty wywodzące się z tego rejonu pochodzą z nielegalnych wykopalisk i przemytu – mówił nasz rozmówca.

Oprócz płyt ofiarnych w katalogu znajdowało się zdjęcie rękojeści z kości słoniowej, pochodzącej także z zachodniego Bengalu, z drugiego lub pierwszego wieku przed naszą erą.

– Przedmiotów tego typu nie znano jeszcze sześć lat temu – powiedział dr Chakrabarti – co oznacza, że rękojeść musiała być także nielegalnie wykopana i stosunkowo niedawno wywieziona z Indii.

Słownictwo użyte w katalogu przez Sotheby's mówi samo za siebie. Zwrot „prawdopodobnie Chandraketugarh" wydaje się świadczyć, że firma ta doskonale wie, że wszelkie przedmioty pochodzące z tego rejonu są nielegalne i dodanie słowa „prawdopodobnie" ma na celu uniknięcie ewentualnych kłopotów. Naturalnie skutek jest zupełnie odwrotny. Co za uderzające podobieństwo do waz apulijskich! W obydwu przypadkach przedmioty z samej definicji pochodzą z nielegalnych wykopalisk i przemytu, ale logika tego faktu nie przemawiała w ogóle do nikogo na terenie firmy. Od waz apulijskich zaczynaliśmy i teraz dochodzenie nasze zatoczyło cały krąg.

ROZDZIAŁ TRZYNASTY

Zgniłe jabłka

W styczniu 1997 roku poleciałem do Nowego Jorku na spotkanie z James Hodgesem, by go zorientować w sytuacji. Nie widziałem go prawie rok i nie wiedział nic o naszej wyprawie do Mediolanu ani o żadnych szczegółach dotyczących naszej podróży do Indii. Spotkaliśmy się na śniadaniu w hotelu Drake należącym do Swiss Air na Park Avenue. Przytył i widać było, że nie jest w stanie zrzucić nadwagi na skutek nerwowych przeżyć podczas sprawy sądowej.

W milczeniu wysłuchał uważnie tego, co miałem do powiedzenia i kiedy skończyłem nie odrzekł nic. Z początku zdziwiło mnie to trochę, ale po chwili powiedział, że zawsze mówił prawdę i jest przekonany, iż odwaliliśmy kawał dobrej roboty potwierdzając fakty zawarte w dokumentach, w co nigdy ani przez chwilę nie wątpił. A zatem czym tu się ekscytować? Został skazany na więzienie, nie udało mu się zdać testu na wykrywaczu kłamstw, dlatego mógł już się przyzwyczaić do tego, że mu się nie wierzy. Ale wiedział, co wiedział i nasze działania potwierdziły tylko to, o czym był święcie przekonany od dawna. Cieszyło go, że wszystko w końcu wyjdzie na jaw i że ludzie może zmienią postawę w stosunku do Sotheby's i może się poprawi atmosfera na rynku, ale czy to zmieni w czymkolwiek sytuację, w jakiej on się znajduje.

Zdawałem sobie doskonale sprawę z tego, co ma na myśli i trochę mu współczułem. Być może mogliśmy działać nieco szybciej, ale chyba niewiele. Osiągnęliśmy to, co nam się udało osiągnąć, nie przyspieszając niczego, tak jak byśmy byli prawdziwymi pośrednikami lub kolekcjonerami.

Trochę to dziwne. Myślałem sobie, że się będzie cieszył, a tu nic. Po śniadaniu zatrzymaliśmy się na rogu Park Avenue i 56. ulicy. Podaliśmy sobie ręce bez słowa, bez żadnych dramatycznych gestów czy pożegnań. Wsiadł do pierwszej napotkanej taksówki i odjechał na dworzec, by zdążyć na pociąg do Waszyngtonu. Nie umówiliśmy się na następne spotkanie.

Dopiero w samolocie zdałem sobie sprawę z tego, co sam odczuwam. W poprzednich rozdziałach starałem się pisać wyłącznie o faktach, wprowadzając elementy emocjonalne, takie jak zdenerwowanie, zaskoczenie lub rozbawienie tylko tam, gdzie to było konieczne dla opisania stanu rzeczy. Jednak wydaje mi się, że w tym rozdziale, rozdziale ostatnim, potrzeba czegoś zupełnie innego. Minęło już pięć lat od skazania Hodgesa i w tym czasie wydarzyło się tyle ważnych rzeczy, o których i miejsce i pora napisać, ponieważ dokumenty w rodzaju tych, jakie przekazał nam Hodges, na pewno nie pojawiają się często.

Jak już napomknąłem, owego dnia, kiedy zakończyła się sprawa Hodgesa w sądzie, zostałem zaproszony wraz z innymi dziennikarzami na spotkanie z Timem Llewellynem i chyba warto przypomnieć najważniejsze punkty jego wystąpienia.

– Sotheby's nie występuje tu w roli oskarżonego – powiedział Llewellyn. – Hodges to jedyne zgniłe jabłko w koszyku. Dopuścił się w sądzie tylu daleko idących pomówień, na które nie ma żadnych dowodów i które zdecydowanie odrzucamy.

Llewellyn przyznał jednak, że „tyle dziwnych rzeczy" dzieje się w branży, ale firma istnieje „po to, aby zarabiać pieniądze". Nie do niej należy pilnowanie rynku. Klienci firmy mają prawo do anonimowości i Sotheby's dba o to, by nie łamać prawa w krajach, w których prowadzi interesy.

Czytelnicy tej książki i widzowie, którzy obejrzeli obydwa programy telewizyjne mogą teraz wszystkie przedstawione problemy osądzić sami. Ale sam opis występku w oparciu o dokumenty nie wystarcza. Obraz, jaki się wyłania z lektury papierów, przekazanych mi przez Hodgesa owego wieczoru Pod Białym Koniem, sposób wejścia w ich posiadanie oraz reakcje Sotheby's rodzi szereg pytań o wiele szerszej natury. I nadszedł już czas, by je omówić. Tym bardziej że rewelacji jest o wiele więcej.

Ale najpierw trzeba uporządkować kilka spraw. Nie ma żadnych wątpliwości co do tego, iż ustawy dotyczące wywozu skarbów dziedzictwa kulturowego z takich krajów jak Włochy czy Indie mają charakter drakoński. Niektórzy uważają nawet, że właśnie ta bezkompromisowość jest jednym ze źródeł problemów, ponieważ gdyby nie były tak rygorystyczne, nie byłyby tak często łamane w tak jaskrawy sposób. Być może jest w tym część prawdy, kiedy się na problem spojrzy z punktu widzenia potencjalnego kolekcjonera, pośrednika lub domu aukcyjnego, zajmującego się obrotem tymi dobrami. Ale jest też kilka kontrargumentów.

Zarówno Włochy, jak i Indie zazdrośnie strzegą swego dziedzictwa i mają do tego pełne prawo. Obydwa te kraje mają ustrój demokratyczny. W przypadku Włoch wazy apulijskie pochodzą ze stosunkowo biednego rejonu kraju. Kto wie, może gdyby *tombaroli* nie zniszczyli tych bezcennych zabytków, gdyby zostały one odkopane i wystawione w sposób właściwy i należyty, to nauka poznałaby nie tylko unikatowe aspekty cywilizacji starożytnej, ale turyści mogliby oglądać atrakcyjne stanowiska archeologiczne. W przypadku Indii Sotheby's zabiegała dwukrotnie w przeszłości o zmianę ustawodawstwa indyjskiego dotyczącego wywozu skarbów narodowych. Miała do tego pełne prawo. Ale za każdym razem ponosiła fiasko, co wcale nie przeszkadzało jej pośredniczyć w sprzedaży przedmiotów pochodzących z przemytu, z czego za każdym razem doskonale zdawała sobie sprawę. Czy właśnie takiej postawy należy się spodziewać od renomowanej firmy międzynarodowej? Ponadto wizerunku firmy wcale nie poprawia jej postawa w stosunku do przemytu dzieł sztuki z Francji, takich jak potłuczone wazy, o jakich mówiliśmy przedtem, lub przedmiotów egipskich, o jakich będziemy mówić na następnych stronach niniejszej książki. Ustawodawstwo francuskie nie ma charakteru drakońskiego. Wprost przeciwnie, jest wynikiem rozsądnego kompromisu między uprawnieniami jednostki oraz państwa.

Wracając do głównego problemu trzeba odpowiedzieć na cztery podstawowe pytania. Po pierwsze: czy obraz, jaki się jawi z dokumentów to odosobniona sprawa odzwierciedlająca chęć Hodgesa skompromitowania swego pracodawcy, czy też ukazuje rzeczywisty obraz metod działania wewnątrz firmy? Innymi słowy czy udało mu się zebrać większość przykładów występku i zła, czy tylko zaledwie kilka przykładów mogących być powielanymi przez firmę w różnym czasie i miejscu? Po drugie: czy to możliwe, bym mógł pisząc tę książkę i kręcąc dwa programy telewizyjne gloryfikować skazanego przestępcę, prowadzącego prywatną wendetę przeciwko swemu byłemu pracodawcy? Po trzecie: czy sąd popełnił błąd skazując Hodgesa na więzienie? I po czwarte: czy Hodges to rzeczywiście jedyne zgniłe jabłko w koszu, tak jak utrzymuje Sotheby's? Odpowiedzi na te pytania omówię po kolei i z osobna.

Czy obraz wyłaniający się z dokumentów jest prawdziwy? Chciałbym rozpocząć od stwierdzenia, że papiery cytowane do tej pory nie wyczerpują wszystkich wykroczeń wymienianych w dokumentach z czerwonej teczki, przedstawionych mi Pod Białym Koniem. Weźmy na przykład dwa egipskie przedmioty, kota z brązu i kamienne popiersie, które podobno nadesłano ze Szwajcarii, a które, jak odkrył Hodges, tak naprawdę pochodziły z pewnej galerii paryskiej. Albo figurkę Wenus, także z brązu, którą ponoć przesłano ze Szwajcarii, ale korespondencja na jej temat pochodziła z Paryża. Czarną figurkę attycką z szóstego wieku p.n.e., przedstawiającą Herkulesa atakującego Amazonkę, opisano w dokumentach jako przedmiot nadesłany przez oddział genewski, ale adres właściciela pochodził z Rzymu. Pewna przesyłka zawierająca trzynaście antyków nadeszła z biura brukselskiego z „bardzo niską wyceną". Lecz kiedy dotarła do Londynu ową niską wycenę przemianowano „na właściwą", a wszystko po to, aby oszukać pewną małżonkę, która przy podziale majątku po rozwodzie miała otrzymać połowę wyceny belgijskiej, podczas gdy małżonek postanowił antyki wystawić na sprzedaż w Londynie, gdzie mogły uzyskać znacznie wyższą cenę.

Oto następne przykłady. Dwie wazy apulijskie nadeszły od pośrednika włoskiego z pominięciem Giacomo Medici. Jednak w tej samej przesyłce znajdowała się okrągła mozaika rzymska, wyobrażająca głowę Meduzy. Jak się potem okazało, Meduza pochodziła z kradzieży i z całym rozgłosem została zwrócona przez pośrednika nowojorskiego, który ją kupił od Sotheby's. Pewien Włoch zgłosił się na Bond Street z kolekcją biżuterii ostrogockiej z północnych Włoch, na którą składały się głównie rubiny oprawione w srebro, pochodzące z szóstego wieku n.e. (Ostrogoci to wschodni odłam Gotów, barbarzyńców, łupiących Europę od III do V wieku). Jednak ów Włoch nie miał żadnych dokumentów na posiadane przez siebie przedmioty, skutkiem czego Felicity Nicholson poleciła Hodgesowi, by się tym zajął. Hodges wyjaśnił mu, że potrzebny będzie adres i sprzedawca brytyjski, albowiem w przeciwnym wypadku będzie trzeba zameldować brytyjskim władzom skarbowym o biżuterii. Włoch podał mu nazwisko i adres pewnej Angielki, z którą, o dziwo, Hodges spotkał się niedawno. Była wielce wzburzona i nie życzyła sobie, by jej nazwisko wykorzystywano do takich celów.

Wśród papierów znajdował się także wewnętrzny wykaz przedmiotów przeznaczonych do sprzedaży, zawierający stwierdzenie, że większość przedmiotów pochodzących z Hiszpanii „miała charakter nieoficjalny" (czyli pochodziły z przemytu) oraz że przedmioty „nieoficjalne" pochodzące z Południowej Afryki stanowiły znaczną większość. Jeszcze inne dokumenty świadczyły o tym, że Sotheby's dokonała sprzedaży kolekcji biżuterii egipskiej w Szwajcarii i że występowała podczas transakcji jako mocodawca, a nie ajent. Firma ta zamieszana była także w sprzedaż przedmiotów wywiezionych nielegalnie z Czechosłowacji i poważnie zastanawiała się nad usunięciem odsyłaczy (w kształcie sztyletu) ze swych katalogów, wskazujących na pozycje, za które należało zapłacić podatek VAT. Wykaz zawierał także wyraźną sugestię, że w tym względzie Sotheby's podąża utartym szlakiem, bowiem praktyki takie stosowały już przedtem inne domy aukcyjne.

Obraz wyłaniający się z dokumentów Hodgesa jest unikatowy także i w tym względzie, iż nie wydaje się, by kiedykolwiek w przyszłości można będzie zdobyć tyle informacji o tak szerokim zakresie. Ponadto istnieją pewne inne dowody na to, że obraz ten nie jest tylko migawką.

Pierwszy z nich to skarb z Quedlinburga, stanowiący zbiór przedmiotów średniowiecznych i składający się z Ewangelii zdobnych w klejnoty, szat liturgicznych, srebrnych relikwiarzy. Przedmioty te zrabowano z kościoła w Quedlinburgu w Niemczech pod koniec II wojny światowej (w którym tradycyjnie koronowani byli królowie Saksonii). Pojawiły się na rynku w latach osiemdziesiątych dwudziestego wieku w podejrzanych okolicznościach, ponieważ zostały wystawione na sprzedaż przez spadkobierców pewnego żołnierza amerykańskiego, który stacjonował w tym mieście w maju i czerwcu 1945 roku. W końcu przedmioty te zostały zwrócone prawowitemu właścicielowi, ale zanim do tego doszło proponowano je kilku domom aukcyjnym i antykwariatom. I żaden z nich nie uznał za stosowne powiadomić o tym fakcie odpowiednich władz. Natomiast reakcja Sotheby's była szczególnie interesująca w kontekście niniejszej książki.

Dr Christopher de Hamel, szef działu rękopisów zachodnich, napisał do prawnika proponującego sprzedaż, że wartość rynkowa owych przedmiotów wynosi około 10 milionów dolarów, ale zostały zrabowane podczas wojny. Oświadczył, że Sotheby's nie może wystawić do publicznej sprzedaży ani Ewangelii, ani innych rzeczy, ale może zorganizować sprzedaż prywatną, na której mogą osiągnąć kwotę 1 miliona dolarów. Pismo to ujawniono podczas rozprawy sądowej, do której doszło w 1996 r. na skutek prób sprzedaży zrabowanych przedmiotów, czynionych przez spadkobierców owego żołnierza.

Następne zdarzenie dotyczy pośrednika amerykańskiego Richarda Feigena oraz marmurowej rzeźby greckiej Artemidy, dziewiczej bogini światła księżycowego. W roku 1990 zapłacił on 130 tysięcy dolarów za rzeźbę metrowej wysokości i wagi około stu osiemdziesięciu kilogramów i zdecydował się wystawić ją na licytację pięć lat później. Wybrał w tym celu Sotheby's w Nowym Jorku. Artemidę wyceniono na 60-90 tysięcy dolarów, ale nikt nie zgłosił chęci kupna. Jednak kiedy opublikowano katalog aukcyjny, władze włoskie rozpoznały w rzeźbie Artemidę skradzioną w roku 1988 z zakonu pod Neapolem. Podczas rozprawy sądowej rząd włoski (skutecznie) domagał się zwrotu posągu i wówczas okazało się, że pan Feigen nabył go od Roberta Symesa oraz że obydwaj działali w dobrej wierze. Ale ani słowem nie wspomniano, że Symes kupił Artemidę od Sotheby's.

Wszelkie istniejące dowody, nawet te niekompletne i pośrednie, wydają się potwierdzać wizerunek wyłaniający się z dokumentów, przekazanych mi przez Hodgesa. Ciagle te same metody i wszędzie te same nazwiska.

Czy książka ta gloryfikuje skazanego przestępcę, prowadzącego wendetę przeciwko byłemu pracodawcy? W pewnym sensie na pytanie to mogą sobie odpowiedzieć sami czytelnicy. Sami mogą osądzić z tonu argumentów przytaczanych na stronach niniejszej książki, czy zanadto polegałem na Hodgesie, czy zbyt bezkrytycznie przyjmowałem jego twierdzenia, czy zbytnio go wybielałem, robiąc z niego niemal anioła?

Są jeszcze inne fakty, które można przytoczyć. Ale zanim to uczynię, pragnąłbym kategorycznie zaprzeczyć, jakoby Hodges prowadził osobistą wojnę przeciw swemu byłemu pracodawcy. Na pewno przed rozprawą sądową zrobiłby wiele, by do niej nie dopuścić, co jest zupełnie normalną rzeczą. Po wyjściu z więzienia pojechał do Ameryki i rozpoczął tam nowe życie, pomyślne, jak sadzę. Od tamtej pory spotykaliśmy się sporadycznie, wydaje mi się, że może co kilka miesięcy, ale zawsze do spotkań dochodziło z mojej inicjatywy. Nie wiedział nic o naszej działalności w Szwajcarii i Foggi. Nie wiedział o naszych wysiłkach zmierzających do spotkania się z Giacomo Medicim i Sergem Vilbertem. Dowiedział się o nich dopiero po fakcie. Jak już powiedziałem o „eksperymencie", o którym mowa w rozdziale pierwszym tej książki, dowiedział się dopiero dwa miesiące potem. Nic nie wiedział o wyprawie do Indii aż do chwili naszego powrotu. Prawdą zatem jest, że dochodzenie nasze odbywało się niezależnie od Hodgesa na długo przed jego rozprawą, a po opuszczeniu więzienia nie brał w nim żadnego udziału, wyjąwszy naturalnie sporadyczne porady, jakich udzielał, dwudniowy test na wykrywaczu kłamstw oraz jeden dzień zdjęciowy do pierwszego programu. A więc, gdzie tu mowa o wendecie?

Co się tyczy „gloryfikacji", to już na samym początku powiedziałem Hodgesowi, że w mojej książce nie będzie żadnych upiększeń ani makijażu. Zaznaczyłem z całą mocą, że muszę dowiedzieć się od niego o wszystkim, co może mieć jakiekolwiek znaczenie w tej sprawie, oraz że gdyby się okazało po wydaniu książki i emisji programów, iż coś zataił przede mną, co mogło mieć wpływ na to, co napisałem, to go podam do sądu. Byłem szczególnie szorstki w stosunku do niego podczas jego odsiadki w więzieniu Ford Open. Rozumowałem bowiem w ten sposób, że kiedy wyjdzie na wolność może dojść do wniosku, iż lepiej o wszystkim zapomnieć. Może zabrzmieć to grubiańsko, ale założyłem także i to, że pobyt w więzieniu będzie dla niego samym dnem, okresem największego przygnębienia, i że będzie wtedy najbardziej skłonny do wynurzeń, nawet niezbyt przychylnych sobie. Podczas całodniowych przepustek jechaliśmy do pobliskiego Arundel, gdzie w miejscowej herbaciarni i podczas spacerów brzegiem rzeki „maglowałem" go niemiłosiernie. Nie jestem w stanie orzec, czy powiedział mi wszystko, ale to, co mi przekazał sprowadzało się do trzech kwestii, niezmiernie istotnych z mojego punktu widzenia, których nie poruszono podczas procesu.

Pierwsza to ta, że Hodges dwukrotnie uzgodnił z jednym z młodszych pracowników Sotheby's, którego nazwiska mi nie podał, że wystawią przedmioty należące do jego znajomego na licytację Sotheby's, tak jak gdyby zgłosiła je firma należąca do niego. Firma ta otrzymała prowizję za wprowadzenie klienta, którą następnie przekazano jeszcze innemu koledze z pracy, ale Hodges odliczył z tej kwoty część dla siebie. Twierdził, że „dola" mu się należała, ale gwoli prawdy pracownicy Sotheby's nie mają prawa do prowizji za wprowadzanie klientów. Według mnie fakt ten wskazuje, że wykorzystywał do własnych celów system wynagradzania za nowych klientów, czemu zawsze zaprzeczał. Czytelnicy sami mogą osądzić, jak fakt ten mógłby zaszkodzić mu podczas rozprawy, gdyby ława przysięgłych wiedziała o nim.

Kwestia druga. Hodges powiedział mi, że wraz z Sergem Vilbertem obmyślili plan, według którego starożytny hełm, o kradzież którego został oskarżony, miał zostać skopiowany przez znanego fałszerza londyńskiego. Wyznanie to wskazuje, że Hodges rozważał możliwość prowadzenia lewych interesów na własny rachunek bez wiedzy swego pracodawcy, z drugiej zaś strony potwierdza fakt, iż hełm naprawdę otrzymał od Vilberta, tak jak zeznawał w sądzie. Jednak Hodges przyznał, że wykonano jedną kopię, którą wrzucił do dużej sadzawki znajdującej się w pobliżu domu rodziców w Suffolk. Kilka razy prosiłem go, by mi wskazał to miejsce, ale nigdy tego nie zrobił. Dlatego uznałem, że historia ta nie jest prawdziwa.

Z tego względu, a także na skutek zmiany linii obrony przez Hodgesa, który najpierw twierdził, że hełm i czara należały do nieznanego właściciela wyrażającego zgodę na przechowywanie ich w domu, a potem zeznawał, iż przechowywał je dla Vilberta, doszedłem do przekonania, że ława przysięgłych miała całkowitą rację odnośnie tej konkretnej części oskarżenia i jej przekonanie co do winy podsądnego pogłębiłoby się, gdyby znane były jej fakty, o których ja wiedziałem. Hodges zdawał sobie sprawę z tego, co o tym wszystkim sadzę, ale uparcie trwał przy swoim. Po obejrzeniu pierwszego programu oświadczył, że nie zna Serge'a Vilberta, z którym przeprowadziliśmy wywiad w Genewie po francusku, natomiast osoba, którą znał pod tym nazwiskiem, jest kimś zupełnie innym. Z kolei Felicity Nicholson zeznała na sali sądowej, że Vilbert i Giacomo Medici to ta sama osoba. A zatem, jak się wydaje, Serge Vilbert naprawdę istniał i pracował dla przemytników w Genewie, natomiast przynajmniej dwóch osobników używało tego nazwiska w Londynie. Co za pomieszanie z poplątaniem! I bądź tu mądry!

Trzecia kwestia. Hodges wyznał podczas owych wycieczek za miasto, że jego przyjaciel został wydalony z (renomowanego) Harrow za fałszerstwo czekowe. Otóż wpadła mu do ręki czyjaś książeczka czekowa. Podrobił więc podpisy na kilku czekach i został na tym przyłapany. Podpisy na zezwoleniach były prawdziwe, natomiast fałszerstwa, przynajmniej w przypadku Brendana Lyncha, dokonano w ten sposób, że na pustym blankiecie firmowym już podpisanym wystukano na maszynie do pisania „lipną" treść. Był to blankiet, jaki zwykle dyrektorzy zostawiają do dyspozycji personelu, kiedy udają się na urlop. Ale czy to ważne? Przyjaciel Hodgesa udowodnił, że potrafi podrabiać podpisy oraz że stać go na to. Zarówno on sam, jak i Hodges utrzymywali, że nie sfałszowano żadnego zezwolenia, ale pojawiły się pewne poszlaki podczas rozprawy wskazujące na to, iż czcionka pisma do złudzenia przypominała czcionkę maszyny do pisania znajdującej się w dziale antyków firmy Sotheby's. Tak czy owak łatwo się domyślić, jaki wpływ fakty te wywarłyby na ławę przysięgłych, gdyby były znane jej członkom.

Istnieją jeszcze pewne inne fakty, z którymi Hodges zapoznał mnie. Co prawda nie obciążają go wprost, ale wymowa ich jest dość dwuznaczna. Jeden z nich już poruszyłem. Otóż chodzi tu o taśmę z rozmową nagraną w biurze Joe Ocha po ukazaniu się mojego artykułu w grudniu 1985 r. w „Observerze" na temat waz apulijskich. Nagrał ją magnetofonem kasetowym ukrytym w kieszeni marynarki. Jakość nagrania była dość kiepska i pomyślałem sobie, że musiał zadać sobie wiele trudu, by zapisać ją na papierze. Hodges twierdził, że Felicity Nicholson poczyniła szeptem pewne uwagi pod adresem Boursauda i że można je dosłyszeć, jeżeli się przysłucha uważnie temu, co nagrano na taśmie.

Może to i prawda. Mnie jednak bardziej interesowało, podobnie jak i Michaela Grieve'a, dlaczego Hodges uznał za konieczne dokonać tego nagrania w 1985 roku, czyli na cztery lata przed oskarżeniem go o cokolwiek. Wiedziałem już wtedy, że nie była to jedyna taśma, jaką Hodges nagrał. Było ich przynajmniej cztery. Twierdził, że nosił przy sobie magnetofon kasetowy, by nagrywać różne uwagi i spostrzeżenia poczynione w magazynie, ponieważ już wtedy brał udział w różnych „lewych" interesach Sotheby's i że w ten sposób zabezpieczał sobie tyły, będąc tylko trybikiem wielkiej machiny, ot tak, na wszelki wypadek, gdyby chcieli z niego zrobić kozła ofiarnego. Była to jedna strona medalu, ale mogło być także kilka innych.

Wraz z Campbellem przetrząsali pojemniki na śmiecie dyrektorów Sotheby's. Robili to z samego rana, często jeszcze o zmroku, w rękawicach, czapkach i w kombinezonach. Nie wkraczali co prawda na czyjś prywatny teren, ale zabierali torby ze śmieciami z chodników sprzed domów dyrektorów, ustawione tam przez ekipy śmieciarzy do zbiórki przez śmieciarkę. Nie było żadnych wątpliwości, że tak robili, ponieważ widziałem tego skutki: papiery cuchnące śmieciami, poplamione herbatą, popiołem z papierosów, zjełczałym mlekiem itd.

Wyprawy te, co prawda, niewiele w sumie dały, ale w jakim świetle stawiają Hodgesa? Z jednej strony można powiedzieć, że był zdesperowany, bo groził mu proces, a przeciwnik jego działał skrycie i chciał z niego zrobić kozła ofiarnego, więc uciekał się do wszelkich metod obrony. Ale z drugiej strony pokazuje to jego pokrętną naturę i zimną kalkulację. Wziąwszy jeszcze pod uwagę fakt, iż nagrywał potajemnie rozmowy z kolegami, wszystko razem świadczy o tym, że był w stanie popełnić przestępstwa, o które go oskarżano. Gdyby ława przysięgłych wiedziała o tych nagraniach oraz o porannych eskapadach na śmietniki, czy byłaby mu przychylna?

I na koniec jeszcze jedna rzecz. Hodges twierdził, że wrócił pewnego wieczoru do domu na Tunis Road i zastał w nim dwóch osobników siedzących w salonie. Według jego własnej wersji osobnicy ci otworzyli drzwi kluczem, który pozostawił pod wycieraczką. Jednego z osobników, pracującego z Vilbertem, znał pod imieniem Stefano. Drugi był kimś obcym. Utrzymywał, że niepokoiło ich to, co może wyjść na światło dzienne podczas rozprawy. Grozili mu i zmusili go do zniszczenia notatnika, jaki przetrzymywał w domu. Były w nim zapiski dotyczące fałszywego konta bankowego A. Yarrowa i H.C. Banksa oraz lista czeków, jakimi płacił przemytnikom w ciągu ostatnich lat.

Nie bardzo wiedziałem jak mam to wszystko rozumieć. Nie mogłem sobie wyobrazić, że ot tak po prostu pozostawił klucz pod wycieraczką. Był dumny ze swego domu i cenił sobie spokój. A historyjka o zniszczeniu notatnika oraz wykazu czeków była zbyt wygodną, by być prawdziwą. Potem Hodges wysłał żonę wraz z córką do Ameryki, ale czy aby ze strachu? Żona jego była Amerykanką i zamieszkała z rodzicami. A może po prostu tak mu było wygodnie, by w ten sposób rozpocząć nowe życie. Ochroniłby w ten sposób własną córkę przed konsekwencjami procesu w Londynie.

Przypominam sobie jednak fragment rozprawy, gdy Michael Grieve pytał Hodgesa o wizytę Stefano i tego nieznanego osobnika. Podczas odpowiedzi sąd musiał przerwać przesłuchanie ze względu na silne wzburzenie oskarżonego, co dało podstawę Grieve'owi do zwrócenia uwagi ławie przysięgłych, że nie było ono udawane.

Być może, nie jestem całkowicie sprawiedliwy względem Hodgesa, ale mam wrażenie, iż gdyby ławie przysięgłych znane były różne fakty, to z całą pewnością nie byłaby do tego stopnia przychylna dla niego. Ale muszę również przyznać, że po rozprawie wyszło na jaw wiele czynników, które mogły bardzo zrazić ławę do domu aukcyjnego Sotheby's. I o nich chciałbym teraz pomówić.

Czy w tym przypadku sprawiedliwości stało się zadość? Trzeba zacząć od podkreślenia, że kiedy Hodges opuszczał Sotheby's, to nie odchodził w niełasce czy niesławie. Stał się po prostu pracownikiem zbędnym, ponieważ czynności przez niego wykonywane przejął komputer. Wypłacono mu nawet dziewięciomiesięczną odprawę. Upłynęły dwa miesiące zanim wyłoniły się podejrzenia w stosunku do niego. Dlaczego? Co się stało?

Wziąwszy pod uwagę to, że Sotheby's odmówiła wszelkiej współpracy, domniemania na ten temat siłą rzeczy mogą się opierać tylko wyłącznie o fakty i przebieg zdarzeń przedstawionych przez Hodgesa. Co prawda zyskały one na wiarygodności po rozmowach z różnymi prawnikami i adwokatami, ale mimo to nie jestem w stanie zaprzeczyć, iż moje źródła informacji mogą mieć stronniczy charakter.

I choć Hodges odszedł z pracy bez cienia podejrzenia, nie oznacza to wcale, że nie sprawiał kłopotów lub że był osobą popularną. Na kilka miesięcy przed odejściem poróżnił się z Felicity Nicholson. Jedną z przyczyn było to, że, jak sam powiedział, cierpiał na schorzenie ucha środkowego, co jest nie tylko bolesne, ale pociąga za sobą utratę równowagi. Na skutek tego musiał często brać zwolnienia, także w okresach nawału pracy. Stosunki z przełożoną uległy pogorszeniu do tego stopnia, że Hodges uznał za konieczne poprosić o rozmowę z lordem Gowrie, ówczesnym prezesem firmy, o czym nie poinformował panny Nicholson.

To podczas tego spotkania Hodges dowiedział się, że koledzy nazwali go „trudnym osobnikiem". Krew go zalała i, jak twierdzi odrzekł Gowriemu, że wprost przeciwnie, jest człowiekiem uczynnym i nawet bardzo chętnym do współpracy, po czym wręczył prezesowi pewne papiery świadczące o tym, że dział antyków fałszuje ważne dokumenty. Jak Hodges powiada, Gowrie się zjeżył i szybko zakończył spotkanie. Jakiś czas potem powiedziano mu, że go już nie potrzebują.

Było to w czerwcu. W lipcu uczestniczył w aukcji. Panna Nicholson była przyjacielska i powiedziała mu, że może śledzić przebieg licytacji zza podium. Odmówił, oświadczając, że będzie licytować w imieniu kogoś innego. W sierpniu odwiedził żonę w Waszyngtonie. Po powrocie pod koniec miesiąca odebrał telefon od Felicity Nicholson z zapytaniem o pewne dokumenty, które zaginęły. Skłamał, że ich nie widział, ponieważ je miał. Powiedział tylko, że ma dokumenty na temat Indii, o które Nicholson nie pytała i że może je zwrócić, co uczynił po kilku dniach.

I właśnie wtedy przyszli do niego Stefano i ów nieznajomy. Potem, jak twierdzi, odwiedzili go jeszcze inni: pewien zagraniczny pośrednik i dwóch przewoźników antyków. Wszyscy grozili mu i bardzo chcieli się dowiedzieć, czy zabrał jakieś dokumenty z firmy. Jak twierdzi, zaprzeczył, jakoby był w posiadaniu jakichkolwiek papierów, ale po trzeciej wizycie spakował dokumenty, jakie udało mu się zebrać, do czterech walizek. Jedną z nich ukrył u rodziców, a pozostałe trzy u przyjaciół w Londynie. I właśnie zawartość tych walizek miałem sposobność obejrzeć.

Ostatniego tygodnia sierpnia, czyli po trzech miesiącach od chwili zwolnienia z pracy, zapukał do niego detektyw Martin Quinn z posterunku na Savile Row w dzielnicy West End, odległego od siedziby Sotheby's tylko o jedną przecznicę. Hodges myślał, że sierżant Quinn będzie go indagował o brakujące dokumenty, ale detektyw zapytał wprost, czy Hodges ma w domu starożytną czarę i hełm. Hodges zaprzeczył zarówno podczas tego spotkania, jak tydzień potem na posterunku policji. Oprócz czary i hełmu, Quinn dopytywał się także o egipską figurkę i obrazy o łącznej wartości 500 tysięcy funtów.

Hodges nie miał figurki ani obrazów, ale miał czarę i hełm. Jak już mogliśmy się przekonać, podał dwie przyczyny, z powodu których przedmioty te znajdowały się w jego posiadaniu, ale ława przysięgłych nie dała wiary żadnej z nich. Wydaje się, że sposób postępowania Quinna miał tu pewien wpływ. Otóż prawdopodobnie wezwał Hodgesa na posterunek policji, by wywrzeć na nim wrażenie i podkreślić powagę sytuacji. Hodges z kolei starał się go przekonać, że motywacja Sotheby's sprowadza się do obaw o zdemaskowanie przemytu, czego Quinn nie potraktował poważnie. W każdym razie, po tym spotkaniu Hodges postanowił zwrócić hełm i czarę, ale uczynił to w sposób dziwaczny, owijając je w gazetę „Racing Post" i pozostawiając w lewym schowku na stacji Marylebone, po czym pozostawił wiadomość dla Quinna w puszce na ofiary w kaplicy Brompton. Quinn zapukał do drzwi Hodgesa w następny wtorek i doprowadził go na posterunek w Shepherd's Bush, gdzie dokonano formalnego aresztowania, po czym wsadzono go do celi, przesłuchiwano i w końcu zwolniono za kaucją. Quinn oświadczył, że chce go widzieć za trzy miesiące, 17 grudnia.

Jak na ironię losu, owej jesieni kiedy Hodges znajdował się na samym dnie, na rynku zapanowała hossa. W listopadzie w Nowym Jorku i Londynie pod młotek poszło przynajmniej 160 płócien po milionie dolarów lub nawet więcej. Hodges pojechał do Stanów, by to obejrzeć. Miał żonę Amerykankę. Doszedł do wniosku, że Sotheby's była teraz firmą amerykańską, zarządzaną z Nowego Jorku. Zastanawiał się także, czy zwierzchnictwo zdaje sobie sprawę z tego, co się dzieje w Londynie. Uważał prezesa firmy Ala Taubmana za przyzwoitego faceta od chwili, kiedy ten wygłosił swe pierwsze przemówienie do personelu, w którym wyznał, że zanim kupił firmę, potraktowano go dość arogancko. Hodgesowi przyszła do głowy myśl, że jeśli personel kierowniczy firmy nic nie wie o tym, co się dzieje w londyńskim oddziale, to jeśli zobaczy jakiego rodzaju dokumenty on posiada i że można je wykorzystać w każdym sądzie, wówczas będą chcieli dobić z nim targu. Chodziło mu głównie o wymianę papierów za zaniechanie postępowania sądowego.

Będąc w Waszyngtonie wynajął adwokata poleconego mu przez teścia. Był nim Michael Conlon z firmy adwokackiej Conlon, Frantz, Phelan i Knapp, który z kolei wprowadził do sprawy Paula Knighta z dużej firmy adwokackiej, niegdyś zatrudnionego w prokuraturze generalnej Stanów Zjednoczonych, człowieka o łagodnym usposobieniu lecz niezmiernie twardego negocjatora. Wspólnie przejrzeli dokumenty przedstawione przez Hodgesa dotyczące czarnej figurki z bazaltu, bogini Sekhmet, oraz przedmiotów wywiezionych z Belgii w celu oszukania małżonki Belga i zgodnie orzekli, że papiery zawierają o wiele więcej faktów aniżeli się wydaje na pierwszy rzut oka. Doradzili mu, aby się spotkał z członkami ścisłego kierownictwa Sotheby's i omówił z nimi to, co się dzieje wewnątrz firmy oraz swój udział we wszystkim.

Do pierwszego spotkania doszło na początku grudnia w biurze domu aukcyjnego, mieszczącym się na rogu 60. ulicy i Lexington Avenue. Ze strony Sotheby's na spotkanie przybyli Marjorie Stone, prawniczka firmy, oraz Richard Davies z firmy Weil, Gotshal i Mangies – jednej z największych kancelarii adwokackich w Nowym Jorku, pozostającej na usługach domu aukcyjnego.

Podczas tego spotkania Richarda Davisa najbardziej interesowały stawiane przez Hodgesa zarzuty dotyczące przetrzymywania w domach, także przez innych pracowników, rozmaitych przedmiotów. Hodges odmówił podania nazwisk, ale przedstawił pewne dokumenty dotyczące potłuczonej wazy i innych rzeczy. Powiedział mi, że nie wymienił Boursauda czy Vilberta z nazwiska, ponieważ miał w pamięci groźby, jakie pod jego adresem czyniono. Nie chciał pokazać wszystkiego, czym dysponował. Chciał tylko dać do zrozumienia Davisowi i Stone, że posiada o wiele więcej aniżeli wręczył lordowi Gowrie.

Następną sprawą, jaką poruszono podczas tego spotkania była kwestia kaucji i przesłuchanie Hodgesa wyznaczone na 17 grudnia w Londynie. Kiedy się okazało, że może dojść do następnego spotkania z przedstawicielami Sotheby's w Nowym Jorku, Hodges oświadczył, że musi udać się Londynu, na wyznaczone przez Quinna przesłuchanie. Dokładnie nie wiadomo, co się wydarzyło potem, ale według listu, jaki Paul Knight wystosował do Richarda Davisa „złożył pan oświadczenia, w których wyraził pan pewność, że spotkanie Jamesa [z Quinnem w Londynie] zostało odłożone. 5 grudnia 1989 roku Marjorie Stone oświadczyła jednoznacznie, że pod jej kierownictwem Sotheby's odbyła rozmowę z sierżantem Quinnem i że wyraził on zgodę na odroczenie sprawy na czas nieokreślony..."

Po zapoznaniu przełożonych z przebiegiem pierwszego spotkania przez Stone i Davisa, odbyło się następne spotkanie w tym samym biurze na dziesięć dni przed Bożym Narodzeniem. Miało ono bardziej konfrontacyjny przebieg niż poprzednie. Richard Davis oświadczył, że jeżeli Hodges nie poda nazwisk dyrektorów Sotheby's, którzy zabrali do domu przedmioty nieznanych właścicieli, nie będą w stanie, i nie zechcą, mu pomóc. Natomiast jeśli poda im te nazwiska, śledztwo będzie kontynuowane. Rozmawiano o dokumentach przekazanych przez Hodgesa podczas pierwszego spotkania, ale Davisa interesowały głównie osoby, które zabrały przedmioty niewiadomego pochodzenia. Bezpośrednio przed przerwą Hodges podał niektóre nazwiska, ale pod warunkiem, że żadne kroki dyscyplinarne nie zostaną podjęte w stosunku do młodszego personelu.

Podczas przerwy doszło do różnicy zdań pomiędzy Conlonem i Knightem. Knight, doświadczony negocjator, doszedł do przekonania, że nadszedł już czas na przedstawienie prawnikom Sotheby's następnych dokumentów, natomiast Conlon i sam Hodges byli zaniepokojeni tym, że prawnicy strony przeciwnej nie zdradzili ani jednej informacji ze swej strony, mimo że spotkanie przebiegało w miłej atmosferze. Dlatego Hodges zdecydował, że nie przedstawi żadnych innych dokumentów, na skutek czego dalsza część spotkania miała już charakter formalny i szybko dobiegła końca.

Co nastąpiło potem wiemy od Paula Knighta. Dwa tygodnie po Nowym Roku rozmawiał on z Richardem Davisem, który powiedział mu, że „na dziewięćdziesiąt dwa procent jest pewien, iż nie dojdzie do oskarżenia". Tak więc Hodges postanowił powrócić do Anglii pod koniec stycznia. Jednak dwa tygodnie później Knight zadzwonił do niego z Nowego Jorku z niepokojącą wiadomością, że ma kłopoty ze skontaktowaniem się z Davisem, który nie odpowiada na jego telefony. Zadzwonił ponownie następnego dnia z jeszcze bardziej niepokojącą wiadomością: „Davis twierdzi, że Sotheby's jest w posiadaniu dowodów na to, iż dopuściłeś się defraudacji prowizji".

Hodges z początku nie przejął się specjalnie tą wiadomością tak jak powinien. Wyjaśnił Knightowi na czym polegały konta Banksa i Yarrowa i do czego służyły. W dwa tygodnie później, sobotniego ranka detektyw sierżant Quinn pojawił się na Tunis Road. Chciał wiedzieć, dlaczego Hodges w grudniu nie stawił się na przesłuchanie, mające na celu ustalenie wysokości kaucji. Hodges osłupiał, ponieważ był przekonany, iż Quinna poinformowano o spotkaniach w Nowym Jorku. Do Anglii powrócił z własnej i nieprzymuszonej woli i przebywał we własnym domu. A więc nikt nie mógł mu zarzucać, że się ukrywa lub unika czegokolwiek.

Nic nie pomogło. Quinn aresztował go i zabrał na posterunek w West End. Nastało już sobotnie popołudnie i nie można było znaleźć sędziego śledczego, i Hodgesa zamknięto w celi aż do poniedziałku. Oczywiście detektyw Quinn miał prawo, przynajmniej z teoretycznego punktu widzenia, aresztować i zamknąć Hodgesa. Ale okoliczności, w jakich to uczynił były niezmiernie upokarzające, ponieważ Hodges nie zagrażał nikomu, nie zamierzał nigdzie uciekać i nie był przedtem karany.

Uwięzienie oraz dalsze upokorzenia związane z przewozem karetką więzienną z posterunku policji do sądu w poniedziałek były dla Hodgesa ciężkim przeżyciem. Patrząc z perspektywy czasu można powiedzieć, że skutek był wprost odwrotny, zaciął się on bowiem w sobie i postanowił walczyć. Na skutek takiego potraktowania postanowił opublikować materiały, które posiadał. Zaczął rozpytywać wokół do kogo mógłby się zwrócić i w ten sposób dotarł do mnie.

Gdyby Hodgesa oskarżono tylko o kradzież, być może nie doszłoby do opisania tej historii. Z całą pewnością nie pozwolono by mu przedstawić tych dokumentów w sądzie i nie można by było sprawdzić ich prawdziwości.

Ale możliwe, że jego próby dojścia do porozumienia z kierownictwem w Nowym Jorku pomogły Sotheby's w rozszerzeniu zakresu zarzutów pod jego adresem. Michael Ainslie, w owym czasie dyrektor wykonawczy, zauważył w rozmowie ze mną (nie wiedząc oczywiście o książce, ani o programie telewizyjnym): „Hodges próbował szantażować nas". Być może, że tak nawet było, ale Ainslie nie wiedział nic o pozostałych dokumentach będących w posiadaniu Hodgesa, wskazujących na przemyt dokonywany przez firmę w Londynie.

Jeśli po stwierdzeniu defraudacji Sotheby's zdecydowałaby się na „wytoczenie całej artylerii" przeciw Hodgesowi, by go zniszczyć, co byłoby całkowicie zrozumiałe w przypadku Ainsliego, to obecnie krok taki wydaje się być całkowicie chybionym z punktu widzenia interesów firmy. Jeśli Stone i Davis byliby bardziej skłonni do ugody podczas spotkań w Nowym Jorku, być może Paulowi Knightowi udałoby się doprowadzić do ujawnienia następnych dokumentów. W tym czasie Hodgesa interesowała obrona własna, a nie książka i był skłonny milczeniem zapłacić za wolność.

Ale stało się inaczej i doszło do postawienia Hodgesa w stan oskarżenia, przy czym kierownictwo Sotheby's w Nowym Jorku nie miało pojęcia, ile informacji Hodges posiada i nie zdawało sobie sprawy, że rozszerzenie zakresu zarzutów umożliwi mu przedstawianie siebie jako małego trybu w o wiele większej machinie. To był błąd, ponieważ w tym momencie nie mieli pojęcia o rozmiarze wykroczeń na terenie oddziału londyńskiego. Teraz już o tym wiedzą.

Jeszcze dwie uwagi o procesie sądowym i dowodach wytoczonych przeciwko Hodgesowi, zanim przejdę do ostatniej i największej ironii losu w całej tej historii.

Cokolwiek by myśleć o motywach Hodgesa i stopniu jego winy czy niewinności, „eksperyment nasz" opisany w pierwszym rozdziale tej książki dowodzi, że kiedy przemycane przedmioty przybywały do Londynu, kurierom płacono gotówką. W naszym przypadku chodziło o kwotę 200 funtów za jeden obraz. Wydawało się rzeczą rozsądną z punktu widzenia Sotheby's, że żądała od klienta zapłaty kurierowi bezpośrednio, co też uczyniliśmy. Oznaczało to, że personel Sotheby's miał tę konkretną rzecz z głowy i że w tym momencie nie mogło być mowy o jakimkolwiek nieporozumieniu, oraz że transakcja odbywa się poza księgowością firmy.

Victoria Parnall była nową klientką Sotheby's. Roeland Kollewijn zgodził się na przemyt obrazu zaledwie po kilku spotkaniach z nią, prezentując w ten sposób całkowicie beztroską postawę odnośnie do łamania prawa. A zatem jest rzeczą zupełnie prawdopodobną, że w stosunku do swych stałych klientów, przekazujących o wiele więcej przedmiotów do sprzedaży w ciągu roku, Sotheby's sama wypłacała kurierom pieniądze. W celu uniknięcia konieczności księgowania owych sum, firma mogła potrzebować kont bankowych, o których mówił Hodges i na które wpłacano prowizję za wprowadzanie nowych klientów. Być może, po założeniu tych kont Hodges mógł z nich korzystać od czasu do czasu dla własnych celów. Mógł je traktować jako pewnego rodzaju premię za ponoszone ryzyko. By jednak oddać mu sprawiedliwość – wszystko inne, co nam przekazał zyskało dokładne potwierdzenie.

Gwoli sprawiedliwości godzi się podkreślić też, że przesyłki Christiana Boursauda oraz Editions Services, największych handlarzy przedmiotami z przemytu, awizowane były ze Szwajcarii, bowiem Sotheby's nie musiała ukrywać faktu opłacania kurierów z tego kraju. Przerzucając antyki przez Genewę dokonywano jednocześnie ich „prania" i przywóz stamtąd do Wielkiej Brytanii był całkowicie legalny, przynajmniej na papierze.

Motywy, którymi kierowała się Sotheby's, doprowadzając do rozprawy przeciwko Hodgesowi wydają się wielce wątpliwe w świetle instrukcji, jakich, jak się wydaje, firma ta udzieliła swemu londyńskiemu doradcy – kancelarii prawniczej Freshfieldsa. W tym konkretnym przypadku należy pamiętać, że w myśl prawa brytyjskiego postępowanie sądowe w sprawach kryminalnych wszczyna Korona. A zatem wszelkie dokumenty zebrane przez Królewską Prokuraturę stają się z definicji dokumentami sądowymi i w myśl prawa brytyjskiego winny być w swej wymowie bezstronne, co oznacza, że dostęp do nich posiada zarówno prokuratura, jak i obrona.

W tym przypadku dokumenty zostały zebrane głównie przez kancelarię Freshfieldsa działającą w imieniu Sotheby's, na skutek czego nie musiały być udostępniane w każdej chwili obronie, o ile ta o to nie poprosiła. Trzeba pamiętać, że kwestię tę podnoszono przed rozpoczęciem procesu.

Sędzia zgodził się z opinią, że Hodgesowi należy zapewnić dostęp do tych dokumentów, w wyniku czego oskarżonemu wolno było spędzać kilka godzin dziennie w kancelarii adwokackiej na ich studiowaniu, niemalże w ostatniej chwili przed rozpoczęciem procesu. Michael Grieve, adwokat Hodgesa, nigdy przedtem nie zetknął się z takim postępowaniem i uważał je za całkowicie niewłaściwe. Jednak upieranie się przy swoim mogło obrócić się przeciw oskarżonemu, obrona bowiem mogła w ten sposób zrazić do siebie sędziego, czego pragnęła uniknąć za wszelką cenę.

Postępując niezupełnie *fair* w stosunku do Hodgesa w kwestii dowodów procesowych, Sotheby's uważała, że on także nie postępował uczciwie w stosunku do niej, przywłaszczając sobie papiery, w myśl prawa należące do firmy. Być może, dom aukcyjny miał trochę racji, ale należy pamiętać, że to nie on stawał przed sądem.

Wziąwszy powyższe fakty pod uwagę, czy można stwierdzić z całym przekonaniem, że Sotheby's postanowiła zrobić z Hodgesa kozła ofiarnego, tak jak uważał? W sumie chyba nie. Wydaje się, że było tak: kilka miesięcy po odejściu Hodgesa z firmy stwierdzono brak kilku cennych przedmiotów o wartości około pół miliona funtów. Hodges zwrócił dwa mniej wartościowe z nich w sposób tak dziwaczny, że detektyw Quinn oraz Sotheby's doszli do wniosku, że zabrał także i te bardziej wartościowe. Co prawda figurka, najbardziej chyba wartościowy z zaginionych przedmiotów, odnalazła się później i okazało się, że Hodges nie miał z tym nic wspólnego, ale stało się to już po spotkaniach nowojorskich, po których kierownictwo firmy w Ameryce uznało, że Hodges jest szantażystą, oraz po odkryciu kont bankowych na nazwisko Yarrowa i Banksa, co dało Michaelowi Ainslie i jego kolegom z Manhattanu podstawę do przekonania, że podobne praktyki mogły być także stosowane w oddziale londyńskim. Postanowili więc dać mu nauczkę.

Ale do postępowania sądowego doszło w Londynie i zaangażowali się w nie dokładnie ci, których dotyczyły dokumenty posiadane przez Hodgesa. Być może to właśnie tłumaczy, dlaczego wstrzymywano i nie udostępniano dokumentów do ostatniej chwili. Gdyby Hodges miał rację co do kont bankowych, mogło dojść do znacznie większego skandalu na sali sądowej, bowiem okazać by się mogło, że jest znacznie więcej zgniłych jabłek w koszu Sotheby's.

Gdyby Sotheby's nie zrobiła kozła ofiarnego z Hodgesa, sytuacja firmy byłaby nie do pozazdroszczenia. Kiedy proces się już rozpoczął, była zainteresowana unikaniem nadmiernego rozgłosu.

Z jej punktu widzenia był to proces samotnego „zgniłego jabłka", usiłującego oczerniać wszystko i wszystkich poprzez stawianie zarzutów o wykroczeniach popełnianych przez innych. Zanim ława przysięgłych udała się na obrady i zanim ogłoszono wyrok, rzecznik prasowy Sotheby's, który do tej pory zachowywał całkowite milczenie odnośnie do trwającego procesu, zaczął wydzwaniać do różnych dziennikarzy, w tym i do mnie, z prośbą o spotkanie po ogłoszeniu wyroku, na którym Tim Llewellyn mógłby przedstawić oficjalny punkt widzenia firmy na sprawę.

Ale zanim do spotkania doszło, Sotheby's robiła wszystko, co w jej mocy, by zachować swe tajemnice dla siebie. Wielu klientów wymieniano tylko z pierwszych liter nazwiska, a z wielu dokumentów przedstawionych sądowi wymazano nazwiska i adresy. Postępowanie to Sotheby's usprawiedliwiała wymogami zachowania tajemnicy handlowej na otwartej sali sądowej w sytuacji, kiedy szczegóły takie nie miały ścisłego znaczenia dla sprawy. Może to w pewnym sensie i uczciwe postępowanie, ale w połączeniu z innymi aspektami procesu gmatwało niezmiernie postępowanie.

Różne poziomy niewiedzy i pogmatwania towarzyszące procesowi – to jeden z najbardziej interesujących aspektów całej sprawy. Faktem bezspornym jest, że na poziomie zasadniczym tylko część prawdy ujawniono w sądzie. Ławie przysięgłych nie przedstawiono dodatkowych i żenujących szczegółów dotyczących Hodgesa, przedstawionych w poprzednich rozdziałach, ale prawdą jest także i to, że nie mogła się ona zapoznać z dowodami na „lewe" zgłoszenia podczas licytacji, podwyższanie dolnych wycen, fałszowanie indeksu rynkowego. Ława przysięgłych nie wiedziała nic o transakcjach irańskich, o formie współpracy z Seibu i o przemycie dzieł sztuki z Hiszpanii, Afryki Południowej, czy innych krajów. Przedstawiono dokumenty dotyczące tylko niektórych przerzutów dzieł sztuki, ale nie wszystkich (na przykład płócien starych mistrzów z Włoch), skutkiem czego pełny dowód procesowy, tak jak by tego pragnął Hodges, nigdy nie został przeprowadzony, a to, co na sali sądowej przedstawiono, zostało nie do końca zrozumiane przez sędziów przysięgłych i jeszcze w mniejszym stopniu przez prasę. Gdyby fakty te były znane sędziom przysięgłym, mogliby być jeszcze bardziej przychylni Hodgesowi.

Czy Hodges rzeczywiście był jedynym zgniłym jabłkiem w koszu Sotheby's? Dochodzimy tu do sedna afrontu i zniewagi w całej tej nieszczęsnej historii. Dla obserwatorów handlu dziełami sztuki maniera, jaką lubią przybierać licytatorzy, stanowi znakomity przykład arogancji, ironii oraz próżności tego środowiska. Co więcej ukazuje prawdziwą naturę dwulicowości i hipokryzji domu aukcyjnego Sotheby's.

W roku 1982 Sotheby's zatrudniała 1400 pracowników i posiadała przedstawicielstwa w Londynie, Nowym Jorku, Tokio, Melbourne, Tel Awiwie, Rzymie, Zurychu, Amsterdamie i Paryżu. Roczny obrót wynosił 500 milionów dolarów, ale zarządzanie firmą pozostawiało wiele do życzenia, ponieważ tego roku firma poniosła straty, czego nie podano do wiadomości publicznej. Cena jej akcji spadła o 48 procent, z 5 do 2,5 funta za sztukę. W kierownictwie istniały różnice zdań co do tego, jak należy kierować firmą. Portfel akcji w posiadaniu kierownictwa firmy zmalał z 50 do nieco powyżej 14 procent. Dom aukcyjny Sotheby's był na kolanach i dojrzał do przejęcia przez innych. I istotnie na przełomie listopada i grudnia dwóch amerykańskich dorobkiewiczów, Marshall Cogan i Stephen Swid, zapłaciło 12,8 miliona dolarów za 14,9 procent udziałów firmy Sotheby's. Ich bankier skontaktował się z prezesem Sotheby's, Gordonem Bruntonem, w sprawie przejęcia firmy.

Przez następne kilka tygodni Sotheby's przeciwstawiała się Coganowi i Swidowi, uciekając się nawet do wstrętnych metod, nieznanych dotąd w historii rywalizacji przedsiębiorstw brytyjskich. Zdecydowanie pewną rolę odgrywał tu snobizm z domieszką antysemityzmu. Cogan i Swid byli dwoma bankierami inwestycyjnymi z Nowego Jorku, którzy w latach siedemdziesiątych przejęli General Felt Industries i później Knoll International, firmę wiodącego producenta nowoczesnych mebli. Obydwaj świetnie radzili sobie w interesach, Cogan był absolwentem prestiżowej Harvard College and Harvard Business School, ale dla arystokracji z Bond Street to nie wystarczało.

Brunton dał pierwszy odczuć, do czego zdolni są Anglicy. Na pierwszym spotkaniu, jak powiadali Cogan i Swid, był „czerwony z wściekłości".

– Popełniliście panowie błąd – grzmiał. – Robicie wykładzinę dywanową. My sprzedajemy na aukcjach dzieła sztuki.

Nie wywarło to żadnego wrażenia na Amerykanach. Skupili się na sytuacji finansowej, podkreślając, że firma, której przewodniczy Brunton jest w marnej kondycji finansowej. Po Bożym Narodzeniu okazało się, że mają całkowitą rację, bowiem Sotheby's ogłosiła straty – za rok finansowy kończący się 31 sierpnia 1982 r. – rzędu 3,06 miliona funtów.

Ale fakt ten tylko wzmocnił upór kierownictwa Sotheby's, które za wszelką cenę chciało wykurzyć producentów filcu z Manhattanu. W obawie, że nastąpi bezpośrednie przejęcie firmy, Brunton zabronił pracownikom wszelkich rozmów z Amerykanami, czemu potem będzie zaprzeczać. Na terenie firmy nazywano obydwu Amerykanów z pogardą „Toboggan i Skid" (tobogan i płoza). Drugie spotkanie w kwietniu, kiedy Amerykanie posiadali już 29 procent akcji, miało jeszcze bardziej nieprzyjazny przebieg. Cogan powie potem:

– Potraktowano nas jak pariasów. Robili wszystko, co w ich mocy, aby nas upokorzyć i zastraszyć.

Spotkanie odbyło się w pomieszczeniach firmy na Bond Street w niedzielę. Cogana i Swida wprowadzono tylnymi drzwiami. Co za upokorzenie.

Amerykanów powitali członkowie zarządu: Gordon Brunton, lord Jellicoe, hrabia Westmorland, sir Angus Ogilvy, Julian Thompson oraz Graham Llewellyn. Brunton nie zmienił nastawienia. Nie chciał nawet podać ręki Coganowi i Swidowi i zaczął od powtórzenia: „popełnili panowie poważny błąd".

– Jesteście od produkcji, a my stanowimy renomowany dom aukcyjny – podkreślił, dodając, że kołatanie Amerykanów do drzwi Sotheby's już zagroziło interesom firmy.

– Lord Astor osobiście do mnie zadzwonił, wyrażając poważne obawy odnośnie panów – mówił dalej Brunton i przytoczył oświadczenie lorda: „Gdyby Coganowi i Swidowi udało się przejąć firmę, to nie będę mieć innego wyboru jak tylko odebrać moje zbroje (które miał zamiar sprzedać) i wystawić je u Christie's".

Julian Thompson był równie wrogo nastawiony. Tego dnia widać było ból na jego twarzy, ponieważ nie doszedł jeszcze do siebie po wypadku samochodowym, jakiemu uległ ubiegłej jesieni. Oświadczył, że Cogan i Swid budzą odrazę u niektórych klientów, ponieważ obawiają się, że nowi właściciele „będą wykorzystywać dobre imię Sotheby's do swych własnych celów", po czym doszło na największego *faux pas*. „Nie jesteście panowie nawet z naszego rdzenia... Amerykanów".

Llewellyn zachował swe uwagi dla siebie, ale i on powiedział potem: – Przywieźli ze sobą całą tę swoją zgraję cwaniaków, która przyjechała kawalkadą wynajętych czarnych limuzyn.

Tak gwoli prawdy, to Cogan i Swid przyjechali w towarzystwie Rogera Seeliga i nikogo więcej.

Trzeba przyznać, że Cogan i Swid byli poruszeni. Byli biznesmenami i przyjechali w interesach. Zamiast tego spotkali się ze złośliwym atakiem na siebie, podłym snobizmem i, jak uważa Cogan, z antysemityzmem. Ale Amerykanie nie byliby sobą i nie doszliby do milionów dolarów, gdyby nie byli odporni wewnętrznie. Już następnego dnia polecili Morganowi Grenfellowi złożyć w ich imieniu ofertę kupna firmy za kwotę 60,6 miliona funtów oraz wykupu pozostałych akcji na sumę 7 milionów dolarów, co w przeliczeniu na jedną akcję było dwukrotnie więcej niż 2,60 funta, jakie jedna taka akcja była warta przed rozpoczęciem sporu.

Zarząd Sotheby's postanowił walczyć. I teraz doszło do najbardziej nieprzyjemnego incydentu. Sotheby's zawsze była renomowaną firmą i do pojedynku musiało dojść na oczach wszystkich, szczególnie prasy. Grahama Llewellyna, następnego po Bogu, wyznaczono do kontaktów z prasą. Po ogłoszeniu oferty, oświadczył, że „jest ona całkowicie nie do przyjęcia". Poproszony o wyjaśnienia odpowiedział tylko, że obydwaj Amerykanie są „całkowicie nie do przyjęcia... To nie ten rodzaj ludzi". Były to słowa dwuznaczne, by nie powiedzieć czegoś więcej. Ale kiedy dziennikarze zadzwonili do niego z pytaniem, co zrobi, jeśli Cogan i Swid osiągną swój cel, Llewellyn zastanowił się chwilę, zachichotał i oświadczył: – Powiem panom co zrobię. Palnę sobie w łeb, ot co.

Potem jego uwagi były jeszcze bardziej niezręczne. Jednemu z dziennikarzy powiedział, że „nie ma takiej ceny, za którą udzielilibyśmy rekomendacji ich ofercie". Zabrzmiało to podejrzanie, jak przejaw snobizmu wołającego o pomstę do nieba. I istotnie szef brytyjskiej komisji ds. sprzedaży i przejmowania przedsiębiorstw John Hignett publicznie zganił Llewellyna za „zbyt emocjonalne" podejście do sprawy, polecając mu pohamować język.

Ale stało się, co stać się miało. Pod koniec następnego tygodnia „Mail on Sunday" zamieścił obszerny artykuł pod tytułem *Snobizm pod młotkiem licytatora*, w którym gazeta napisała, że Sotheby's ma zbyt duże mniemanie o sobie i zatrudnia snobów odnoszących się ze wzgardą do Cogana i Swida, będących „tylko" producentami filcu, i to na dodatek pochodzenia żydowskiego. Jeden z bankierów, cytowany przez gazetę, powiedział:

> Ani razu od początku tej afery Sotheby's nie przedstawiła rozsądnego argumentu wyjaśniającego jej niechęć do Cogana

i Swida. Jeśli popatrzyć na cyfry, widać wyraźnie, że firma ta nie może pozwolić sobie na taką zarozumiałość. Co prawda zwiększyła swe obroty z 5 do ponad 300 milionów funtów w ciągu niespełna dwudziestu lat, ale ostatnimi laty czar rozpłynął się we mgle. Choć w roku 1981 obrót wynosił 321 milionów funtów, to jednak zysk zamknął się kwotą tylko 7 milionów, a powinien wynosić dwa razy więcej. Ostatniego roku zanotowano już straty. Tylko aroganta cyfry takie mogą zadowalać. Snobizmem nie sposób zastąpić fachowości, a Cogan i Swid uważali, że mogą ją wnieść.

Ale pomimo nagany Hignetta i artykułu w „Mail on Sunday" Llewellyn nie był w stanie się opanować.

– Nie mają nic wspólnego z tym, czym my się zajmujemy. Nie mają nic do zaproponowania – powiedział. – Wiem, że warto zajmować się filcem do dywanów, ponieważ wszyscy go potrzebujemy. Jeśli chodzi o meble to rozumiem, że są pięknie zaprojektowane. Ale we mnie one nie wzbudzają emocji.

Arogancja tego rodzaju nie ograniczała się tylko do Llewellyna, Bruntona czy Thompsona. Stu trzydziestu specjalistów zatrudnionych w Sotheby's napisało pismo do Cogana i Swida, grożąc odejściem z pracy w przypadku przejęcia firmy przez nich. Specjaliści Knolla postąpili w podobny sposób, kiedy Cogan i Swid przejmowali tę firmę, ale obaj rozmawiali z zespołem, w następstwie czego prawie nikt nie odszedł. Jednak teraz Amerykanom nie pozwolono na rozmowę z personelem Sotheby's. Krytyk sztuki Brian Sewell określił postępowanie tego rodzaju jako niegodziwe. „Snobizm idzie w parze z nieopisaną arogancją", napisał.

W każdym razie firmie udało się pozbyć Cogana i Swida. Znaleźli „rycerza na białym koniu" w osobie Alfreda Taubmana, także Amerykanina i, co znamienne, także pochodzenia żydowskiego. Będąc z wykształcenia architektem, Taubman był znany jako przedsiębiorca budowlany, który jako pierwszy opracował koncepcję stacji benzynowej w połączeniu ze sklepem wielobranżowym i zbił majątek na budowie pasaży handlowych. Posiadał nienaganną przeszłość, ale nigdy nie wytłumaczono, dlaczego doświadczenia produkcyjne Cogana i Swida nie odpowiadały Sotheby's, natomiast doświadczenia budowlane Taubmana tak.

Jak na ironię losu, najwięksi snobi, ci, którzy wyrażali się w najbardziej protekcjonalny sposób w całej tej aferze, są dokładnie tymi samymi, których dokumenty Hodgesa najmocniej obciążają. Lord Westmorland był zamieszany w działania w Iranie, gdzie Sotheby's dążyła do osiągnięcia pozycji zleceniodawcy, a nie pośrednika. Julian Thompson uczestniczył w aferze Seibu i doskonale wiedział o Sekhmet, był także jednym z tych, którzy wraz z Peterem Bowringiem kontrolowali ekspertów Sotheby's, podczas ich pobytu w Indiach pod pretekstem pisania książki czy urlopu, a tak naprawdę zbierali przedmioty do nielegalnego przerzutu do Londynu.

No i jest jeszcze Graham Llewellyn, uważający Cogana i Swida za „oszustów", nie ten rodzaj ludzi, „całkowicie nie do przyjęcia", przez których musiałby sobie palnąć w łeb, gdyby przejęli firmę. A co z Timem Llewellynem, który wraz z Julianem Thompsonem zademonstrował tak niefrasobliwy brak szczerości w stosunku do nowojorskiego wydziału ds. konsumentów po licytacji kandelabru, gdyby program telewizyjny przypadkowo nie ujawnił całej sprawy. Jeszcze bardziej znamienne jest to, że kiedy Llewellyn senior grzmiał przeciwko Coganowi i Swidowi, to Llewellyn junior kierował w tym samym czasie wydziałem sprzedającym duże ilości staroci przemyconych z Włoch. A zatem niweczył dzieło swego teścia, który ryzykował za nie życiem podczas drugiej wojny światowej. Wziąwszy pod uwagę udział w aferze Sekhmet, podwyższanie ceny minimalnej na srebrną czarę i fałszowanie dokumentacji, to trudno mówić o jakichkolwiek podstawach moralnych do zajęcia takiego stanowiska względem Cogana i Swida, czy kogokolwiek innego.

W takich okolicznościach postawa zarządu Sotheby's podczas walki o niedopuszczenie do przejęcia firmy trąci niczym innym jak tylko matactwem i szalbierstwem.

I jak gorzką ironią jest, że to właśnie Sotheby's oskarża Hodgesa bez względu na to, czy szuka „kozła ofiarnego" czy nie. Jeden z adwokatów biorących udział w sprawie określił to chyba najlepiej, kiedy rzekł:

– Jest rzeczą zupełnie możliwą, że Hodges popełnił wszystko to, o co Sotheby's go oskarża, ale jest równie prawdopodobne, iż Sotheby's dopuściła się wszystkiego tego, co on jej zarzuca.

Ale nawet jeśli jest to prawdą, a wydaje mi się, że tak jest, stwierdzenie to nie wyczerpuje podstawowej kwestii ludzkiej całej sprawy. Otóż wielu kolegów z pracy, którzy zeznawali przeciwko niemu, sami byli winni znacznie większych występków niż on sam. I to chyba ostatnia i najważniejsza uwaga. Hodges nie był jedynym zgniłym jabłkiem w koszu, tak jak zresztą sam twierdził. Podsumujmy najbardziej istotne dowody w tej spawie w sposób jasny i przejrzysty.

Należałoby zacząć od zeznania Felicity Nicholson. Nawet sędzia zauważył w swym podsumowaniu, ze ława przysięgłych ma prawo uznać, iż „nie jest ona najlepszym z możliwych świadków oskarżenia". W opinii personalnej odczytanej na sali sądowej jej przełożony określił ją „jako osobę, której ciemna strona handlu antykami wcale nie jest obca". Zeznawała przez wiele godzin, składając kilka oświadczeń, którym warto dokładniej się przyjrzeć.

Po pierwsze, oświadczyła, że podejrzewała, iż towar nielegalnie przerzucono, ale nie posiadała na to dowodów. Przykład pozycji 540 wskazuje, że nie trzyma się to kupy. Dietrich von Bothmer z Metropolitan Museum w Nowym Jorku zwrócił jednak uwagę, że pozycja ta pochodzi z przemytu i że Felicity Nicholson musiała doskonale wiedzieć skąd – od Boursauda. To samo dotyczy *Śpiewaczki świątynnej*, bogini Sekhmet, obiektów ze świątyni Angkor Wat oraz innych przedmiotów indyjskich. Felicity Nicholson, będąc szefową działu starożytności, ponosiła odpowiedzialność także za sztukę azjatycką.

Po drugie, oświadczyła, że jest przekonana, iż właściciele posiadają „prawdziwe prawa własności" do przedmiotów wystawianych na sprzedaż w Sotheby's. I to twierdzenie jest także nieprawdziwe, ponieważ przykład pozycji 540 musiał ją przekonać, że Boursaud sprzedaje rzeczy pochodzące z nielegalnych wykopalisk i przemytu.

Po trzecie, oświadczyła, że wszystkie licytacje Sotheby's miały charakter otwarty: „To nieprawda, że sprzedajemy w pokątny sposób", powiedziała. Ale właśnie tak dokładnie się to odbyło w przypadku *Śpiewaczki świątynnej*. Kontrabandę sprzedano dyskretnie w sali Sotheby's, i pobrano za to prowizję.

Po czwarte, oświadczyła, że nie do niej należy wyszukiwanie przedmiotów do sprzedaży, ale dokładnie tak postąpiła w przypadku Sekhmet.

Po piąte, owszem, miała do czynienia z Boursaudem, ale towar znajdował się w Szwajcarii, a nie Włoszech. I znowu to samo. Doskonale wiedziała o tym, że pozycję 540 odkopano we Włoszech i wywieziono nielegalnie z tego kraju, i że nadesłał ją Medici/Boursaud. Z korespondencji między nimi dowiadujemy się, że Boursaud postanawia w pewnym momencie skończyć z handlem. Natomiast z jej odpowiedzi wynika, że Boursaud nie jest prawdziwym właścicielem towaru, ale tylko agentem, który go nadesłał. Towar ten pojawi się potem znowu jako własność Editions Services. W sądzie powiedziała, że za ES stał Medici. Nie mogła nie wiedzieć, iż towar pochodził z Włoch. W okresie od czerwca 1985 do lipca 1995 Sotheby's sprzedała aż 339 waz apulijskich na kwotę około 1,5 miliona funtów. Zaledwie 91 z nich, czyli 27 procent, odnotowano w oficjalnych dokumentach. Pozostałe 248 pochodziły z nielegalnych wykopalisk i przemytu.

Po szóste, oświadczyła, że podejrzewała, iż klienci zagraniczni podają nieprawdziwe adresy celem ukrycia faktu przemytu, ale „nie do niej należało, ani do firmy... kwestionować czyjekolwiek metody robienia interesów". Ale mimo to przyłożyła rękę do fałszowania dokumentacji *Śpiewaczki świątynnej*, uznała za stosowne fałszować dokumenty biżuterii ostrogodzkiej i poleciła Hodgesowi robić to samo.

Po siódme, zeznała, że nie wiedziała skąd pochodzi *Śpiewaczka*, którą widziała w Chelsea, ale jej stwierdzeniu przeczą dokumenty.

Każda z tych niezgodności w jej zeznaniach posiada różną wagę i znaczenie. Ale proszę zauważyć, iż składała je w sądzie pod przysięgą, w sytuacji, w której czyjaś wolność od nich zależała. Warto też odnotować, że niektóre oświadczenia (drugie i trzecie) składała dwukrotnie. Po raz pierwszy dla „Observera" w r. 1985, w trakcie afery z wazami, i drugi raz w sądzie w 1991 roku.

I mówiąc bardziej ogólnie. W sądzie chodziło jej o to, by podkreślić, że zdawała sobie doskonale sprawę z tego, że nielegalne wykopaliska i przemyt to część nierozerwalna handlu antykami, ale fakt ten nie miał z nią nic wspólnego i niewiele można było na to poradzić. Natomiast z dokumentów wynika niezbicie, że wcale nie była osobą znowu aż tak bierną i zło wokół niej wcale nie działo się ot tak, po prostu, ale, wprost przeciwnie, przy jej udziale. Była bardzo aktywnym elementem tego, co działo się w branży. Nie tylko doskonale wiedziała, co się wokół dzieje, ale przynajmniej dwukrotnie zorganizowała i przeprowadziła nielegalne transakcje, lekceważąc prawo.

Wziąwszy to wszystko pod uwagę, widzimy, że jej pozycja i znaczenie na rynku nie podlega żadnej dyskusji. Aż do przejścia na emeryturę, 31 grudnia 1996 r., była dyrektorem ds. antyków największego domu aukcyjnego na świecie, a zatem chyba najważniejszą figurą w handlu światowym. A teraz okazuje się, że jest zamieszana w szereg nielegalnych transakcji. Jej zeznania w sądzie są godne pożałowania, a postawa godna potępienia.

Jest jeszcze inny dokument w spawie Felicity Nicholson, mówiący wiele o Sotheby's w sposób bardziej ogólny. To także opinia personalna, wystawiona w listopadzie 1986 r. przez jej zwierzchnika, Colina Mackaya. Jest to obszerne, dobrze przemyślane pismo i na ogół wystawiające pozytywną opinię o jej pracy. Zawiera takie oto zdanie: „Sprzedaż odbywa się zgodnie z planem, ale pani dziedzina należy do skomplikowanych. Miała pani poważne kłopoty w związku z wazami apulijskimi, od chwili podjęcia wysiłków mających na celu uniknięcie niepotrzebnego rozgłosu wokół towaru z wykopalisk". Czyż sformułowanie to nie jest znamienne? Po pierwsze, ani słowa nagany, ale rzuca się w oczy wzmianka o „towarze z wykopalisk". Z całą pewnością Mackay nie ma tu na myśli przedmiotów wykopanych wiele lat temu, ponieważ wywieziono je z krajów pochodzenia dawno temu, zanim wprowadzono w życie współczesne ustawy, a więc nie mogłoby być mowy o niepotrzebnym rozgłosie. A zatem musiał mieć na myśli zabytki wydobyte w ostatnich latach i jedyną możliwą przyczyną niepotrzebnego rozgłosu, którego należy uniknąć, było to, że pochodziły z nielegalnych wykopalisk i zostały nielegalnie wywiezione za granicę. Zatem słownictwo noty Mackaya świadczy, że zdawał sobie sprawę, iż handel nielegalnie wykopanymi i przemyconymi antykami odbywa się wbrew prawu. Proszę zauważyć, że autorem noty jest przełożony Felicity Nicholson i Jamesa Hodgesa.

Co się tyczy Olivera Forge'a, zastępcy Felicity Nicholson, proszę zauważyć, iż przyznał się w sądzie do sfałszowania listów wywozowych w celu ukrycia pochodzenia przedmiotów (inkrustowana zapinka: patrz str. 86). W ogniu krzyżowych pytań stwierdził, że nic nie wiedział o przemycie. Jednak dokumenty wskazują wyraźnie, że zdawał sobie doskonale sprawę z atmosfery oszustwa otaczającej aferę związaną ze *Śpiewaczką* i wazami. Jako główny licytator antyków regularnie stykał się z zawyżonymi katalogami, a więc posiadał wiedzę o pochodzeniu przedmiotów wystawianych na sprzedaż przez Sotheby's. W chwili przejścia na emeryturę Felicity Nicholson pod koniec 1996 roku – Oliver Forge został awansowany na stanowisko szefa działu starożytności.

Przypadek Brendana Lyncha był nieco odmienny. Zeznał w sądzie o dwóch rzeczach, którym dokumenty przeczą, ale kiedy Michael Grieve pokazał mu je, wyznał prawdę. Postawa iście nie do pozazdroszczenia. Lyncha ostatnio awansowano na szefa działu sztuki islamskiej i indyjskiej.

Joe Och nie ugiął się w ogniu pytań krzyżowych. Ale z dokumentów widać wyraźnie, że ten doradca prawny firmy doradzał Felicity Nicholson, kiedy się zastanawiała nad tym, w jaki sposób przedstawić *Śpiewaczkę*, by można było ją wystawić na sprzedaż, mimo że została nielegalnie wywieziona z Włoch. Można by przypuszczać, że zamiar taki zostanie zablokowany przez dział prawny Sotheby's, ale istniejące dowody wskazują, iż tak się nie stało. Sotheby's mogłaby oświadczyć, że importowała posążek zupełnie legalnie ze Szwajcarii, ale Och musiałby nabrać podejrzeń.

I na koniec Tim Llewellyn. Nie zeznawał długo. Wystąpił jako świadek oskarżenia. Wiele różnych rzeczy wyjaśniło się dzięki dokumentom: był zamieszany i wiedział o nielegalnych przerzutach wielu płócien z Włoch do Londynu w latach osiemdziesiątych. Był zamieszany i wiedział o zamiarze zwrotu pieniędzy Robinowi Symesowi za wywóz Sekhmet z Włoch. Wiedział o zawyżeniu ceny minimalnej antyków egipskich podczas aukcji prowadzonej przez Forge'a w grudniu 1985 r. To on na spotkaniu z dziennikarzami zaprzeczył wszelkim zarzutom jakie Hodges wysunął pod adresem personelu Sotheby's. Dementi to trzeba ponownie rozpatrzyć w świetle obecnie dostępnych dokumentów.

Na proces Hodgesa można spojrzeć także i z innej strony. Oskarżono go o kradzież czary i hełmu, ocenianych na 25 do 60 tysięcy funtów oraz sprzeniewierzenie czeków na sumę 12 tysięcy funtów. Ale trzeba pamiętać, że został uniewinniony ze wszystkich księgowych zarzutów z wyjątkiem jednego: że jednego z czeków nie zrealizował i że antyki zostały Sotheby's zwrócone. A więc maksymalna kwota, o jaką ewentualnie mogłoby chodzić oskarżeniu wynosi 72 tysięcy funtów. W rzeczywistości nawet tej kwoty nie było. Natomiast dokumenty wskazują wyraźnie, że Nicholson, Lynch, Och i Llewellyn zamieszani byli w transakcje o wiele większej wartości. Dokładne sumy podane są w załączniku. Chodzi o 1066 przedmiotów o łącznej wartości 4,2 miliona funtów.

W tym kontekście trudno mówić o jakiejkolwiek równowadze w procesie. Być może, sprawiedliwości stało się zadość w przypadku Hodgesa, w tym sensie, że być może popełnił to, za co go skazano. Rola jego w przestępstwie była stosunkowo niewielka. Pracował w otoczeniu osób dopuszczających się o wiele więcej i bardziej poważnych przestępstw, zamieszanych w krętactwa i afery dotyczące o wiele wyższych sum. Warto też wspomnieć, że w podsumowaniu procesu sędzia Lloyd poczynił taką oto uwagę: „Naturalnie, jeśli wiedzieli, że otworzył konta i korzysta z nich za ich przyzwoleniem... należy wówczas postawić pytanie, czy oskarżony wykorzystywał je, nawet jeśli coś uszczknął na stronie dla siebie, za zgodą przełożonych, a jeśli tak, to najwidoczniej nie działał nieuczciwie, i chyba nie mogło być inaczej".

Z całą pewnością James Hodges nie był jedynym nadgniłym jabłkiem w koszyku Sotheby's.

Po nadaniu pierwszego programu, ze zdziwieniem otrzymałem taki oto list od Michaela Cumiskeya, emerytowanego dyrektora szkoły w Uxbridge z zachodniej części Londynu:

> Drogi Panie Watson,
>
> Byłem przewodniczącym ławy przysięgłych rozpatrującej zarzuty, o których mowa w pańskim programie i które Korona postawiła panu Hodgesowi... Skomplikowany charakter materiału dowodowego oraz dobór świadków przywiódł mnie do przekonania, że Sotheby's winna jest zinstytucjonalizowanej zmowy w dziedzinie nielegalnego przywozu antyków... Jednym z przekonywających przykładów było to, że przynajmniej jeden z dyrektorów firmy doskonale zdawał sobie sprawę z tego, iż przedmioty rękodzielnicze, w tym przypadku pochodzące z Indii, nie spełniały wymogów przepisów eksportowych tego kraju. Niektóre ze stwierdzeń poczynione przez niektórych członków ścisłego kierownictwa firmy nie pozostawiają co do tego żadnych wątpliwości w tym względzie... Wziąwszy pod uwagę charakter szczegółów ujawnionych podczas rozprawy, z pewnością nie byłem jedyną osobą na sali zastanawiającą się, dlaczego Urząd ds. Przestępstw Finansowych i Malwersacji lub Dyrektor Prokuratury Generalnej nie zajmą się tą sprawą.

EPILOG

Aresztowanie

Dalszy ciąg wydarzeń miał miejsce na początku roku 1997, kiedy oddawałem do druku książkę. Po powrocie z Indii, pod koniec października 1996 roku, od czasu do czasu kontaktowałem się z Essą Shamem. Podczas pobytu w Bombaju powiedział mi mimochodem, że ma agenta z magazynem czy salonem sprzedaży w Londynie, gdzie znajduje się cały kontener przedmiotów przemyconych z Indii. Postanowiliśmy sprawdzić, gdzie się ów salon znajduje i złożyć tam wizytę.

Pan Sham nie odpowiadał na faxy od Petera Carpentera z Nowego Jorku. W końcu na kilka tygodni przed Bożym Narodzeniem udało mi się porozmawiać z nim przez telefon. Nadmienił, że wybiera się do Londynu, ale przed lutym będzie to niemożliwe. Zapytał jednak, czy nie znam niejakiego Sebastiano Birvę Gallo, Włocha, zajmującego się handlem azjatyckimi dziełami sztuki w Londynie. Odpowiedziałem, że nie, aczkolwiek słyszalność była słaba i nie byłem pewien czy dobrze dosłyszałem nazwisko. Sham zakończył rozmowę, a ja nie naciskałem, by nie wzbudzić jego podejrzeń. Nie mogłem odnaleźć nazwiska Sebastiano Birva Gallo w żadnym dostępnym mi spisie pośredników handlu dziełami sztuki. W książce telefonicznej figurowało nazwisko niejakiego S. Gallo, ale nikt nie odpowiadał na telefon.

Wzięliśmy wolne na Boże Narodzenie. Sam Bagnall pojechał do Australii, ja na wyspy Bahama. Będąc już w Nassau zostałem zaproszony na drinka do mieszkania znajomych moich znajomych, których osobiście nie znałem. Kiedy tam wszedłem, ku memu zdumieniu zobaczyłem mieszkanie wypełnione po brzegi dziełami sztuki indyjskiej – rzeźbami w kamieniu i brązie, parawanami z drewna, wyrobami z kości słoniowej, srebrami i licho wie czym jeszcze. Rozmowę wypełnił wyłącznie ten temat, ponieważ gospodarze byli bardzo dumni ze swej kolekcji. Podczas spotkania dowiedziałem się, że nabyli wszystkie te przedmioty od Włocha mieszkającego w Londynie, niejakiego Sebastiano Barbagallo. Co za zbieg okoliczności. Niesamowite. Nie zmarnowałem czasu. Mieliśmy teraz właściwe nazwisko, a zatem nie było żadnych kłopotów z odnalezieniem adresu, numeru telefonu i faxu. W drodze powrotnej z Nassau do Anglii wysłałem fax z Nowego Jorku do pana Barbagallo, podając się za Petera Carpentera i nadmieniając, że spotkałem się z panami Sham podczas pobytu wraz z synem w Bombaju ubiegłej jesieni.

Ponieważ wystąpiłem w pierwszym programie telewizyjnym, zdecydowaliśmy, że nie mogę odwiedzić pana Barbagallo. Mógłby mnie rozpoznać. Zaraz po powrocie z Australii Sam poszedł tam zamiast mnie.

Pewnego czwartkowego poranka, wyposażony w ukrytą kamerę, udał się do galerii pana Barbagallo na Pembridge Road, nieopodal Notting Hill Gate. Podczas spotkania pan Barbagallo potwierdził, że robi interesy z Essą i Fakrou Shamami. Dzielą także wspólnie magazyn w pobliżu londyńskiej drogi Old Kent. Barbagallo istotnie był ajentem odpowiedzialnym za wysyłki antyków z Indii do Anglii.

Odkryliśmy także, że posiada jeszcze inny magazyn na St James's Road, pomiędzy Bermondsey i Peckham, w południowej części Londynu. Sam pokazał mu katalog z londyńskiej aukcji Sotheby's indyjskich dzieł sztuki z października 1996 roku. Wskazał na pozycję 119, mówiąc, że „ojca" interesuje bardzo kolumna z piaskowca z Kuszanu. Barbagallo odrzekł, że były cztery takie kolumny, ale dwie zostały sprzedane i pozostały tylko dwie. Zgadzało się to wszystko co do joty z tym, co powiedział nam Essa Sham w Bombaju, że pierwotnie były cztery kolumny, ale jedną sprzedano w kwietniu 1996 r., natomiast drugą w październiku tego samego roku. Pan Barbagallo ujawnił także, że podobnie jak kolumny z piaskowca następne dziewięć pozycji z październikowej aukcji pochodziły także od Shamów: pozycje 121, średniowieczna płyta z piaskowca, pozycje 130–135, rzeźby z kamienia i drewna, pozycja 138, cztery indyjskie filary z granitu, pozycja 141, dziewiętnastowieczne drzwi drewniane.

Sam spotkał się z panem Barbagallo ponownie, pięć dni później, 28 lutego 1996 r., tym razem w magazynie na Old Kent Road, składającym się z czterech pokoi zapełnionych po brzegi przedmiotami rękodzieła indyjskiego. W jednym z pokoi znajdowały się wyłącznie rzeźby o wartości muzealnej. Zobaczył tam dwa filary z piaskowca Kuszan, o których mówił Essa Sham w Bombaju oraz cztery wysokie kolumny, bardzo podobne do tych, o których Zohar powiedział, że należą do niego. Barbagallo rzekł, że to nie te same, ale pochodzą z tej samej świątyni.

Informacja ta zgadzała się całkowicie. W ostatniej niemal chwili udało się nam odnaleźć obydwa końce łańcucha osób handlujących nielegalnie odkopanymi antykami, nielegalnie wywiezionymi z Indii i sprzedanymi przez Sotheby's. Skąd my to znamy? Pragnę przypomnieć, że pięciokrotnie zwracałem się do Sotheby's przed nadaniem programu, przedstawiając im pewne dokumenty wraz z moją interpretacją. Za każdym razem firma ta odmawiała wszelkiego komentarza. Po nadaniu pierwszego programu w roku 1995 otrzymaliśmy tylko jeden list od Sotheby's, a i to za pośrednictwem ich prawnika z kancelarii Freshfields, i nic poza tym aż do chwili, kiedy na trzy tygodnie przed emisją trzeciego programu skontaktowaliśmy się z nimi na początku lutego 1997 roku. I tym razem odmówili wszelkiego komentarza, ale wydali oświadczenie dla Channel 4.

Oświadczenie miało charakter nijaki. Podkreślano w nim tylko uniwersalny charakter firmy, zatrudniającej setki ekspertów, wyceniających milion przedmiotów rocznie. W dalszej części mówiono o tym, że firma ściśle współpracuje z rządami, organizacjami odpowiedzialnymi za dziedzictwo narodowe oraz organami ścigania na całym świecie oraz że było wielce pomocne w odzyskaniu wielu skradzionych i zrabowanych przedmiotów. Zaznaczono, że wyspecjalizowany personel przestrzega ściśle określonych norm postępowania, czemu sprzyjają precyzyjnie określone regulaminy. „Jeśli dochodzi do błędu, nie ma ani wytłumaczenia, ani wybaczenia". Firma bardzo dba o swą reputację. I na koniec oświadczenia Sotheby's powiada, że z zadowoleniem wita i nie ma nic przeciwko dziennikarstwu typu dochodzeniowego, pod warunkiem, wszakże, że jest solidne i uczciwe.

Ale na tym jeszcze nie koniec historii. We wtorek, 21 stycznia 1997 r., czyli w dniu, w którym oddawaliśmy książkę do druku i kończyliśmy właśnie scenariusze do dwóch programów, nadeszło pilne pismo od wydziału włoskich karabinieri ds. ochrony dzieł sztuki, przekazane nam za pośrednictwem Cecilii Todeschini w Rzymie. Giacomo Medici został aresztowany i osadzony w więzieniu Latina, odległym o dwie godziny jazdy na południe od stolicy. Poinformowano nas także, że przechwycono nie jeden, ale cztery magazyny w genewskiej strefie wolnocłowej. Generał Conforti (awansowany ze stopnia pułkownika w dniu Nowego Roku) pisał, że w magazynach znajdowało się 10 tysięcy „misternej roboty" antyków pochodzących z różnych miejsc we Włoszech. Były to przedmioty etruskie, rzymskie, apulijskie i kampańskie, o wartości 50 miliardów lirów, czyli 25 milionów funtów. Kwota to ogromna, o wiele większa niż się spodziewaliśmy, a ilość antyków przechwycona przez policję największa w historii.

Następnego dnia policja włoska zorganizowała konferencję prasową w Rzymie. Oto fragment oświadczenia wydanego z tej okazji:

> W roku 1995 wszczęto w Rzymie specjalne dochodzenie mające na celu zaradzenie poważnemu problemowi związanemu z prowadzeniem nielegalnych wykopalisk, dewastujących całe rejony archeologiczne na terenie naszego kraju. Wkrótce dochodzenie rozszerzono na Szwajcarię i Anglię. Działania podjęte w Londynie przy pomocy policji angielskiej (Richard Ellis ze Scotland Yardu) doprowadziły do odzyskania korynckiego kapitelu, sarkofagu oraz płaskorzeźby rzymskiej z brązu, które, jak się okazało, zostały uprzednio skradzione z rezydencji w San Felice Circeo.
>
> W trakcie dochodzenia ustalono, że przechwycone przedmioty należały do spółki Editions Services S.A. mającej siedzibę w Genewie. Kierował nią obywatel szwajcarski mający ścisłe powiązania ze znanym międzynarodowym przemytnikiem przedmiotów pochodzących z wykopalisk archeologicznych – Giacomo MEDICIM, wiek 59 lat, rzymianinem zamieszkałym na viale Vaticano 44.
>
> Czynności śledcze przeniesiono do Szwajcarii, gdzie przy wydatnej pomocy miejscowej policji udało się zlokalizować tajny magazyn Mediciego w genewskiej wolnej strefie, składający się z czterech dużych pomieszczeń wynajętych na inne nazwisko... Ze względu na wagę odkrycia miejscowa prokuratura natychmiast opieczętowała ich zawartość w oczekiwaniu na formalny wniosek władz włoskich.
>
> Medici, który przez wiele lat był mózgiem znakomitej części przemytu znalezisk archeologicznych na skalę międzynarodową, zorganizował szeroką sieć wspólników, złożoną z grup *tomboroli* (łupiących grobowce) oraz pośredników, wśród których

znajdowały się także renomowane domy aukcyjne. Wykorzystywano je do sprzedaży towarów pochodzących z przemytu... Śledztwo jest w toku i ma na celu ustalenie rozmiarów przestępczych działań Mediciego.

Prokuratura Latiny wysłała już formalny wniosek do odnośnych władz szwajcarskich o wydanie tych bezcennych przedmiotów. Kiedy znajdą się z powrotem we Włoszech ze względu na ich ilość i wartość historyczną stworzą podstawę do założenia nowego muzeum archeologicznego, tym bardziej że zostały już skatalogowane przez inspektorat archeologii w południowej Etrurii.

Nowe muzeum. Dziesięć tysięcy eksponatów o wartości 25 milionów funtów. Daje to pewne wyobrażenie o rozmiarach nielegalnego handlu antykami. A rozmiary są kolosalne. Co do tego nie może być żadnych wątpliwości, podobnie jak i co do jego szkodliwości dla takich krajów, jak Włochy czy Indie. Nowe muzeum z najpiękniejszymi eksponatami pochodzącymi z rabunku i kradzieży w stosunkowo biednym rejonie kraju z pewnością może stanowić nie lada atrakcję turystyczną i przyczynić się do zadośćuczynienia, przynajmniej w części, wyrządzonej krzywdzie. Ponadto wzmianka o powiązaniach z międzynarodowymi domami aukcyjnymi świadczy o tym, że pełne blichtru licytacje w Londynie czy Nowym Jorku, a więc nie gdzieś tam na końcu świata, są sprawą kluczową dla tego handlu. I tak oto krąg się zamyka.

Giacomo Medici wyszedł z więzienia Latina 24 stycznia 1997 roku i przebywa w areszcie domowym w Rzymie w cieniu murów watykańskich. Warto chyba podkreślić, że do chwili napisania niniejszego epilogu nie został jeszcze za nic skazany. Gdyby jednak go skazano, wówczas pobyt Hodgesa w więzieniu Knightsbridge Crown Court nabrałby tym większego znaczenia, zawsze bowiem twierdził, że jest tylko małym trybikiem o wiele większej machiny i że jego przełożeni, wymienieni z nazwiska w tej książce, doskonale wiedzieli o konszachtach z Medicim, Shamami i o płótnach starych mistrzów włoskich. A zatem godzi się powtórzyć raz jeszcze, że wszystkie inne fakty, podane nam przez Hodgesa, dotyczące międzynarodowego handlu i przemytu dzieł sztuki zostały potwierdzone w sposób niezależny.

Fakty i dane

James Hodges został skazany za kradzież zabytkowej czary i hełmu o łącznej wartości około 25–60 tysięcy funtów, mimo że zostały zwrócone. Skazano go także za występną próbę realizacji czeku na kwotę 920 funtów, aczkolwiek do podjęcia gotówki nie doszło. Pozostałe zarzuty, których nie przyjęto, dotyczyły sumy blisko 12 tysięcy funtów. Podajemy poniżej listę pozostałych przedmiotów, wymienionych w niniejszej książce, wraz z ich wyceną, które według dokumentów odegrały pewną rolę w przestępstwach popełnianych przez Sotheby's.

		(funty)
1985	Śpiewaczka świątynna	175 000
1985	Sekhmet	63 199
1985	Waza „Epoka”	1 000
1985	Lipcowa aukcja: 104 przedmioty niewiadomego pochodzenia, nadesłane przez Boursauda	199 930
1985	Grudniowa aukcja: 173 przedmioty niewiadomego pochodzenia, nadesłane przez Boursauda	627 000
1985	Grudniowa aukcja: the Bucci painter vase, nadesłane przez Boursauda	110 000
1986	Grudniowa aukcja: 76 przedmiotów niewiadomego pochodzenia, nadesłane przez Editions Services	111 600
1987	Lipcowa aukcja: 62 przedmioty niewiadomego pochodzenia, nadesłane przez Editions Services	318 650
1987	Grudniowa aukcja: 101 przedmiotów niewiadomego pochodzenia, nadesłane przez Editions Services	268 620

1988	Majowa aukcja: 76 przedmiotów niewiadomego pochodzenia, nadesłane przez Editions Services	128 360
1988	Grudniowa aukcja: 41 przedmiotów niewiadomego pochodzenia, nadesłane przez Editions Services	292 700
1986	Domerq „kot". Dwie pozycje	22 000
1986	Pierre Mettral Wenus	9000
1989	Luciano Kyathos	1200
1989	13 belgijskich rękodzieł (w sporze małżeńskim)	27 300
1989	Czara roztłuczona w Paryżu i sklejona w Londynie	60 000
1989	Figurka Taino z Republiki Dominikańskiej	300 000
1989	Biżuteria ostrogodzka nie należąca do obywatelki brytyjskiej, której adres wykorzystano	35 000
1986–1989	Własność indyjska: oszacowana na	652 700
1988	Towar indyjski Bowringa	275 000
1989	Przedmioty indyjskie Lyncha od Ghiyi	60 000
1989	Przedmioty F. Shama	690
1987	Rzeźba dalekowschodnia pani Sabawali	26 000
	Srebrne szkatuły dr Banerjee	1550
1988	Rzeźby z kamienia F. Shama	14 500
	Siodła ze srebra i kości słoniowej F. Shama	38 500
	Płaskorzeźba post-gupta F. Shama	2500
1987	Megavena/Cape Lew Wpis/Artystyczny Import: przynajmniej osiem aukcji: 104 przedmioty niewiadomego pochodzenia plus szczegóły dotyczące dwóch czeków przyjętych przez Megavena, razem	115 925
1987	Lutowy katalog aukcyjny, w którym „chroniono" ceny minimalne	12 210
1985	Grudniowa aukcja: srebrna czara, której dolną cenę podniesiono	80 000
1981–1986	Włoscy mistrzowie wywiezieni nielegalnie	35 500
1989	Carlo Milano	50 000
1989	Inkrustowana zapinka	3 000
1989	Obrazy Bruno Scaioli	57 287
1987	Kolekcja Turri/Sturma	51 800
1987	Antyki Sturma	1 400

Ogólna liczba obiektów, będących przedmiotem powyższych transakcji	1066
Ogólna wartość przedmiotów:	4 229 121

Do transakcji wymienionych powyżej należy dołożyć jeszcze kontrakt zawarty z Seibu, mogący dotyczyć przynajmniej 172 przedmiotów na łączną kwotę 75 milionów dolarów; oraz rozliczne operacje irańskie dotyczące przynajmniej 50 przedmiotów na łączną kwotę 1 451 244 funtów.

ZAŁĄCZNIKI

Wybrane dokumenty

PERSONAL REVIEW

37

29

FELICITY NICHOLSON

Felicity Nicholson joined the Company in 1953 at the age of 23, as a secretary;

She enjoys travelling, is a good and aggressive business-getter, is not beyond taking a gamble on high reserves, maintains friendly and easy contacts with the academics in this area, whose brains she regularly picks, and finds the occasionally 'shady' side of the antiquities market not uncongenial.

ieta personalna Felicity Nicholson. Zwróćcie państwo uwagę na powyższe menty. (*Rozdziały 5-7.*)

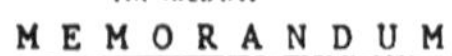

SOTHEBY'S

FOUNDED 1744

MEMORANDUM

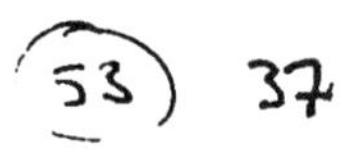

To: Joe Och

From: Felicity Nicholson　　Date: 24th March 1986

RE: EGYPTIAN BLOCK STATUE, THE PROPERTY NUMBER 141749, MRS DOMITILLA STEINER

(See attached correspondence also)

I saw this originally in London, and agreed to sell it after extremely difficult negotiations. There was great secrecy about the actual owner's name and I still do not know it. The piece had to be re-imported into this country as there were no import documents and the agents could not provide us with evidence of import (almost certainly because it had come direct from Italy).

It was then re-exported (not by us) and re-imported from Geneva where it was entered under Nicholas Rayner's step-daughter's name (Nicholas Rayner was involved because he knows a friend of the owner. The owner ~~was~~ lives in Rome I believe).

The piece has been published twice (See letter from B.M. and one of the publications attached (I have not seen the other) The owner says if we are going to mention the publications he will withdraw the piece! It is the best piece in our sale and quite the best piece we have had for some considerable time. The estimate is £100,000 - 150,000 and the reserve £130,000.

What do you think? Can you treat this as a matter of urgency.

Thanks awfully.

Felicity Nicholson

00338

Nota dotycząca *Śpiewaczki świątynnej*, wskazująca na nielegalny przerzut z Włoch. (*Rozdział 6.*)

SOTHEBY'S
FOUNDED 1744

40

1. If it is sold to a museum, there is NO way it is not going to be published. They would not buy it if there were any restrictions. One of the first questions will be is it published?

2. The same applies to a Private Buyer or Dealer. There is NO way that a buyer of a piece of such importance is not going to know or find out about the Provenance and it could well be that they would at some time offer it for sale at either Sothebv's or Christie's; when the provenance and publications are bound to come out.

3. Surely as far as the present owner is concerned all he has to say is that he sold it in the late 1970's and that the piece is no longer his. As far as Sotheby's are concerned it belongs to someone in Switzerland; it wns imported to us absolutely legally from Switzerland and that is the end of the affair.

4. It is much better to have these publications out in the open now rather than wonder what problems might arise in the future.

5. It is a piece which will sell fantastically well in the open market.

6. We do not have to mention the name of the collection or ownre in the catalogue even though the articles mention them. If we mention the publications this will be sufficient.

00339

Punkt trzeci posiada kluczowe znaczenie. (*Rozdział 6.*)

SOTHEBY'S

FOUNDED 1744

67 44a

BLOCK STATUE

Felicity Nicholson spoke to Heidi Betz on the telephone on 6th May 1986 and arranged the following. She has agreed, subject to formal confirmation after discussion with [redacted] to purchase the block statue, property number 141749, for £175,000.

The purchase is subject to two conditions:

1. that it is examined by Bernard V. Bothmer in New York prior to the purchase being made

2. that we ascertain from our legal department that, as far as we are able to do so, that there will be no problems with regard to the Italian government and that we will be able to furnish her with papers showing its import into this country.

Felicity Nicholson also spoke to Madame Burros, who is acting for the owner of the block statue, and she has agreed that he will receive £145,000 net.

In order to arrive at this amount we are in fact charging 2.4% commission and Felicity has agreed that this will be split between Heidi Betz, the agent for [redacted] and Sotheby's.

6.5.86

00347

Proszę zwrócić uwagę na prowizję pobraną przez Sotheby's za *Śpiewaczkę świątynną*, czemu Felicity Nicholson zaprzeczy w rozmowie z autorem, nagranej na taśmie. (*Patrz strony 106 oraz 132*)

(69) 45a

Sotheby's
34-35 New Bond Street, London W1A 2AA

Property Release Note

☐ Dept. Admin. to Note ☐ Data Edit ☐ Gen. File

IS ANY PROPERTY REMAINING IN DEPARTMENT: YES/NO

CC	Account Number	Property Number	Dept	No. Lots
4		141749	01	0000

Date: 22/10/86

Owner's Name: Mrs. Domitilla Steiner

Description of items:

Egyptian Block Statue
late period, 30cm. high

Collected by Guilio Jatta

Released by: F. Nicholson
Authority: Director
Name: (BLOCK CAPS) Guilio Jatta
Address: VIA L RESPIGHI 16 361148 ROME
Tel: 22/10/86
Signature:

Note: THIS FORM SHOULD BE USED WHEN HANDING BACK PROPERTY TO OWNERS OR THEIR AUTHORISED AGENTS. NOT TO BE USED FOR PURCHASE RECEIPT.

6067/FP

00036

Kwit wydania ujawniający posiadacza śpiewaczki. (*Patrz strony 131-132*)

SOTHEBY'S
FOUNDED 1744

48 (75)

M E M O R A N D U M

To: Julian Thompson
Tim Llewellyn
Tom Tidy

From: Marcus Linell

Date: 18th October, 1985

Re: Sekhmet Figure, the property of Xoilan Trading Inc. (Robin Symes)

We have briefly discussed the problem which has arisen with regard to a private sale which we organised.

The situation is that just over a year ago Felicity Nicholson saw a very good Egyptian stone sculpture at a dealer's shop in Italy. The dealer is well known to us, and a regular consignor. Felicity went with Michael Thompson-Glover, and her estimate for the figure was £80,000 to £100,000.

In the discussions which followed, it emerged that the owner did not wish to make arrangements for the export of the figure, and insisted on a private sale. Felicity approached Robin Symes to see if they would be interested in purchasing the figure, without any promise that it would be sold at auction by us.

Felicity made two appointments for Robin Symes to see the figure, and on both occasions he cancelled. The owner was still very keen to sell, so Felicity asked Robin Symes whether or not he wished to pursue the matter. It was agreed between them that Felicity would pass on an offer of £40,000. The owner accepted this, payment was made and we received commission of

We subsequently arranged for the figure to be sent to Rome, and one year later we heard that the figure was in London. Felicity did not see it at this time, but Robin Symes did, although he did not examine it closely. It was then packed for shipment to New York. After its arrival it was set up to be photographed, and while it was extremely well lit they noticed that there was something wrong with it. It emerged that it was a cast, made of a mixture of Portland cement, charcoal, calcite chips and some wood. Both Robin and Felicity say that they have never seen this type of fake before, and it was therefore a completely unprecedented surprise to both of them. Everyone concerned is certain that there can be no question of the sculpture being genuine, and therefore its value must be very little.

The problem which we have to resolve is that of the total costs incurred by Robin Symes, as a result of taking our advice. According to his calculations, the transaction has cost him £63,699, which includes the cost price and our commission, as follows -:

... /2 ...

Nota Marcusa Linella opisująca sagę bogini-lwicy (Sekhmet), łącznie z kosztem przemytu z Włoch. (*Rozdział 7.*)

SOTHEBY'S

FOUNDED 1744

48

M E M O R A N D U M

To: ______

From: ______ Date: ______

- 2 -

	£	
Cost price including our commission	48,800	
Transportation to Rome	2,850	
Transportation to Geneva	10,700	
Transportation to London	633	
Transportation to New York	616	£62,983 $88176,20
From New York to Sotheby's	100	
	63,699	($90,500)

The above equation does not include insurance, or interest for 13 months; also, we have, of course, received our commission. [4600 + 4600 ie. £53383]

Robin feels that we should pay the total $90,500. I must say that I entirely agree that we should be responsible for the basic cost ; but there is no doubt that there was a clear understanding that the figure would have to be exported and that this would be costly. I think, therefore, that we should at least pay all the costs up to the time when the figure reached London, at which time Robin saw it, and that he shoud bear the costs after that. He will certainly accept this arrangement., but anything less will definitely cause a rift and I think this would be counter-productive in our general dealings with Xoilan.

I promised Robin that I would get back to him quickly with a proposal for a settlement., so the matter is urgent.

50

SEKHMET IN ITALY

(Michael Thompson Glover)

MTG says client wants £60,000 but probably some room to manoevre. It will have to be bought first by R & C. Michael will be able to do anything they want. It can not come direct.
£50,000

115cm. high
grey granite
hieroglyphics carved on plinth

Nota wskazująca na to, że boginię-lwicę musiał „najpierw" kupić Robin Symes. (*Rozdział 7.*)

64

(92)

THE METROPOLITAN MUSEUM OF ART
NEW YORK, N. Y. 10028

July 3, 1985

Miss Felicity Nicholson
Director, Antiquities Department
Sotheby Parke Bernet & Co.
34-35 New Bond Street
London W1A 2AA
England

Dear Miss Nicholson,

I am sorry to have missed your party on June 24th: my plane got in at 5:55 p.m. and by the time I got a room in the White House Hotel (the Waverly House Hotel having decided to cancel my reservations when I did not show up before 6 p.m.) it was quite late and I was exhausted from finding a place to stay.

Your catalogue 'Artemis' has just come and I feel honor-bound to inform you that lot 540 (Attic black-figured amphora) has just been illustrated in Epoca (see enclosed xerox) as having been patiently excavated and put together by a tombarolo of Tarquinia and sold to a dealer for 4 million lire. This may get you or your would-be purchaser in trouble should the Italian authorities read your catalogue and make the same identification.

I shall write you again next week to let you know my photo desiderata. In the meantime many thanks for your last sending.

With best wishes,

Sincerely yours,

Dietrich von Bothmer
Chairman, Dept. of
Greek and Roman Art

DvB: ks
enc.

List Dietricha von Bothmera z ostrzeżeniem, iż pozycja 540 została nielegalnie wykopana i wywieziona z Włoch. (*Rozdział 5.*)

Christian BOURSAUD P.O.box 41 - 57 Av. bois de la chapelle

1213 Onex - Geneva - Switzerland 24.9.85 Phone (022) 93 07 34

SOTHEBY LONDON - VENTE DE DECEMBRE 1985 GENEVE LE 19.09.85

PRIX DE RESERVE - PRICE RESERVED

PIECE Nr.	DESCRIPTION	RESERVE STERLING POUNDS
✓1	TETE DE FEMME EN MARBRE	2'200.--
2	TETE DE JEUNE HOMME EN MARBRE	2'800.--
3	TETE DOUBLE FACE EN MARBRE	3'200.--
✓4	TETE DOUBLE FACE EN MARBRE	2'000.--
5	TETE JEUNE HOMME EN MARBRE	2'500.--
✓6	TETE FEMME EN MARBRE AVEC VOILE	8'000.--
✓7	FRAGMENT SARCOPHAGE EN MARBRE FEMME DRAPEE	2'000.--
8	FRAGMENT SARCOPHAGE MARBRE DEUX PERSONNAGES	2'500.--
✓9	DRAPE MASCULIN EN MARBRE	2'200.--
✓10	FRAGMENT SARCOPHAGE MARBRE AVEC BOEUF	650.--
11	FONTAINE EN MARBRE	800.--
12	FRAGMENT SARÇOPHAGE FRISE AVEC LION MARBRE	500.--
13	PIED DE TABLE AVEC GRIFFON ET DAUPHIN	1'200.--
14	FRAGMENT STATUE AVEC CHIEN EN MARBRE	1'500.--
15	STATUE HOMME DRAPE EN MARBRE	4'000.--
✓16	TORSE JEUNE GARCON EN MARBRE	3'700.--
17	TORSE DE CENTURION EN MARBRE	4'000.--
18	FRAGMENT SARCOPHAGE AVEC DRAPEE FEMININ	2'500.--
19	CHAPITEAU EN MARBRE	3'500.--
20	CHAPITEAU EN MARBRE	6'000.--
21	CHAPITEAU EN MARBRE	4'200.--
22	CHAPITEAU EN MARBRE	6'500.--
23	CHAPITEAU EN MARBRE	1'200.--
24	CHAPITEAU EN MARBRE	2'500.--
25	ÇHAPITEAU EN MARBRE	3'500.--
26	CHAPITEAU EN MARBRE	1'200.--
27	CHAPITEAU EN MARBRE	900.--
28	CHAPITEAU EN MARBRE	900.--
29	PILASTRE EN MARBRE	1'500.--
30	CHAPITEAU EN MARBRE	1'800.--
✓31	EPEE EN BRONZE AVEC SON FOURREAU	600.--
✓32	PETITE STATUETTE EN BRONZE	500.--
✓33	PETITE STATUETTE EN BRONZE	500.--
✓34	HYDRIA APULIENNE NOIRE	500.--
✓35	HYDRIA APULIENNE	1'000.--
✓36	AMPHORE APULIENNE	1'500.--
✓37	ANTEFIXE ETRUSQUE TERRE CUITE	2'000.--
✓38	TETE TERRE CUITE ETRUSQUE	500.--
✓39	TETE TERRE CUITE ETRUSQUE	500.--
✓40	PLAT TERRE CUITE	300.--
✓41 A	VASE DAUNIEN	750.--
✓B	VASE DAUNIEN	
✓C	VASE DAUNIEN	
✓42 A	STATUETTE TERRE CUITE BOEUF ET CHARRUE	500.--
✓B	TETE TERRE CUITE	

Typowy konosament Christiana Boursauda. W tym konkretnym przypadku nadesłał on 168 antyków. (*Rozdział 5.*)

…ian BOURSAUD P.O.box 41-57 Av. bois de la chapell…
Jnex - Geneva - Switzerland Phone (022) 93 07 3…

L 60:4

SOTHEBY LONDON - VENTE DE DECEMBRE 1985
PRIX DE RESERVE - PRICE RESERVED PAGE Nr. 5

157 ✓	TETE DE LION EN BRONZE	1'000.--
158 ✓	TETE DE LION EN BRONZE	1'000.--
159 ✓	VASE DAUNIEN TERRE CUITE	150.--
160 ✓	AMPHORE ATTIQUE TETE DE CHEVAUX	6'500.--
161 ✓	MASQUE TETE DE FEMME EN TERRE CUITE	200.--
162 ✓	KYLIX ATTIQUE A FIG. NOIRES	200.--
163 ✓	KYLIX ATTIQUE A FIGURES ROUGES	1'500.--
164 ✓	PETITE AMPHORE EN PATE DE VERRE	1'000.--
165 ✓	PETITE AMPHORE EN PATE DE VERRE	500.--
166 ✓	PETITE OINOCHOE EN PATE DE VERRE	550.--
167 ✓	PETITE OINOCHOE EN PATE DE VERRE	900.--
168 ✓	SCARABE	400.--

TOTAL STERLING POUNDS 284'300.--

Je soussigné Christian BOURSAUD, certifie que ces 168 pièces ou lots de pièces sont authentiques et de plus de 100 ans d'âge.

Christian BOURSAUD

CH. BOURSAUD
Case postale 41
57, av. du Bois-de-la-Chapelle
CH 1213 ONEX / GENÈVE

Boursaud.

A–

MAR,05 '87 12:02 MSE GENEVE +41 22 43 26 30

(154) P.5 826

EDITIONS SERVICES SA

C/O FIDUCIAIRE TECAFIN S.A.
7, AV. KRIEG
1211 - GENÈVE 17

James Hodges and Felicity
Nicolson

c/o SOTHEBY'S
Antiquity Department
34 - 35 New Bond Street
GB - LONDON W1A 2AA

LIST OF OBJECTS FOR SALE BY AUCTION

		reserve price St.£
1.	Greek pottery cup with figures, 4th century B.C.	250,--
2.	Two Italo-Corinthian pottery ARYBALLOI, 6th century B.C.	250,-- (for the two)
3.	Campanian pottery dish, 3rd century B.C.	200,--
4.	Daunian pottery ASKOS, 5th century B.C.	200,--
5.	Daunian pottery ASKOS, 5th century B.C.	150,--
lot 223 (6)	Greek black figure pottery KYLIX, 6th century B.C.	800,--
7.	Greek pottery KYLIX, 5th century B.C.	350,--
8.	Hellenistic terracotta female figure, 3rd century B.C.	750,--
9.	Hellenistic terracotta female figure, 3rd century B.C.	500,--
10.	Greek terracotta bird, 5th century B.C.	400,--
11.	Another, similar, 5th century B.C.	500,--
12.	Two Hellenistic terracotta female figures, circa 3rd century B.C.	500,--
13.	Roman bronze male bust, circa 2nd century A.D.	700,--
14.	Roman bronze applique, circa 2nd century A.D.	500,--
15.	Greek pott jug, 4th century B.C.	400,--
16.	Greek pottery "eye" cup, 6th century B.C.	500,--
17.	Corinthian pottery vase, circa 600 B.C.	900,--
18.	Greek pottery ASKOS, 4th century B.C.	800,--
lot 289 (19)	Roman marble draped torso (in 2 parts), 1st century A.D.	2'500,--
lot 290 (20)	Roman marble torso of draped boy, 1st century A.D.	2'500,--
lot 289 355 (21)	Front of a Roman marble "S LAR" sarcophagus, circa 3rd century A.D.	2'000,--
lot 241 (22)	Roman marble child's sarco , circa 3rd century A.D.	1'600,--

./..

Bardzo podobna lista od Editions Services, która zastąpiła listę Boursauda. (*Rozdział 5.*)

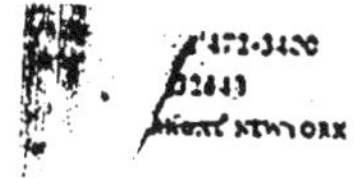

Sotheby Parke Bernet · Inc.

980 MADISON AVENUE · NEW YORK 10021

Affiliated Company:
Sotheby Parke Bernet London
34/35 New Bond Street, London,

October 19, 1977

Schedule I

(Dubois)

Summary of Account

The following purchases and payments have been made to date:

1) Purchases in Sale 3847 (Rosensaft Collection), March 17, 1976

Lot 14	Paul Gauguin painting (oil on canvas) entitled "Nature Morte à l'Estampe Japonaise", dated 1889	$1,400,000.00	
Lot 19	Kees Van Dongen painting (oil on canvas), entitled "Trinidad Fernandez", ca. 1907	160,000.00	
Lot 22	Georges Rouault painting (oil on canvas) entitled "Trio (Cirque)", ca. 1938	280,000.00	
		1,840,000.00	Paid May 4, 1976

2) Purchase in Sale 3848 (Avnet Collection), March 18, 1976

Lot 18	Dubuffet gouache with pen & ink and pencil entitled "Train Arrière Autobus Gare Montparnasse-Porte Des Lilas," dated 1961	27,000.00	Paid September 1, 19

3) Shipment of above four lots on May 6, 1976	1,775.40	Paid September 1, 19
4) Insurance for same (Certificate #1076)	6,417.90	Paid September 1, 19

5) Purchase in Sale 3862 (Chance Hill House Sale), April 24, 1976

Lot 37	Porcelain Phoenix birds	600.00	Paid August 7, 1976

6) Purchases in Sale 3867 (Photography), May 4, 1976

Lot 24	W.H.F. Talbot calotype entitled "The Reverend Calvert Jones Seated in the Cloisters at Lacock Abbey", dated 1843	1,000.00
Lot 252	Alfred Steiglitz photograph entitled "Portrait of John Marin Hand Tinting His Issue of '291'", dated 1915	3,000.00

Representatives: Amsterdam Boston/Edinburgh/Florence Houston Johannesburg/Los Angeles/Madrid/Melbourne/Munich/Paris/Rio de Janeiro/Toronto

Niektóre z tych prac zostały zakupione dla „Dubois", kryptonim Shahbanou, małżonki szacha Iranu. (*Rozdział 11.*)

URGENT

219 119

FACSIMILE

TO: Karen Davidson, Sotheby's, New York **Fax No. 606 7032**

FROM: Jeremy Eckstein, Sotheby's, London

DATE: 5th November 1986

Dear Karen,

Here is the copy of this weeks Barron's, early as promised. There are two points arising.

1. Having spoking to Nancy Harrison last week, I inadvertently included the increase in the 19th Century painting sector in last weeks copy. It should of course not have been shown until this week, with the comment. Therefore, on this weeks index the figure under the "one week ago" column shows 250, not 267. The increase to 267 is shown for this week. I leave it to you to decide whether to point this out to Susan, or whether to leave it as it is, on the assumption that she won't notice.

2. We've mentioned the first part of the Patino collection, the silver sale at Christie's. Kevin Tierney was so dispondent when we spoke to him that he didn't want to revalue the Index. Hence we have referred to it as a special situation to avoid having to make the revision. In the circumstances, even though I know you are going to see Thierry about our sale of the Patino furniture, for consistency we cannot base a revaluation on this sale. Would you therefore please try to limit Thierry's figures predominantly to the results of the previous day's mixed-owner sale.

I hope that's clear but do let me know if you have any questions.

Regards,

Jeremy

INFOTEC
- 5 NOV 1986
SENT
INITIAL

Nota wskazująca na to, że Indeks Rynku Dzieł Sztuki można było „poprawiać”. (*Rozdział 12.*)

228 126

MEMORANDUM *MILAN OFFICE*

To: Tim

From: Nancy *Date:* 10 June

I don't know really what to make of the M+C — it seems to have everything in it including the kitchen sink. The closest analogy is Cesare da Sesto, plus Luini, plus Giambellino etc. Lombard 1520's, possibly 1530's?

Cortona has been by and wants to sell his little Guardi portrait in London with a ~~[illegible]~~ riserva of £2500 what sounds reasonable, but he wants a confirmation. He also wants the Fetti transparency back if it still exists.

I've accepted a 8 milioni riserva for the Michiele Concert the picture published in Apollo. The picture went through Christie's in Dec. 1986 as Tintoretto. Could full information be found in London?

dręczna nota Nancy Nielson z Mediolanu do Tima Llewellyna, dotycząca jed-
ego z obrazów Guardiego, jaki miał być wystawiony na sprzedaż w Londynie.
Rozdział 9.)

229 127

INTERNAL MEMORANDUM SOTHEBY'S

To: NANCY NEILSON

From: T. D. LLEWELLYN Ext: 397 *Date:* 17th June 1980

Dear Nancy,

Thank you for your note about the strange madonna. We would be happy to put the Guardi in the London December sale but we need to have it very soon. We are enclosing a transparency of the Fetti. Neither Hergenroder or Theodore van Loon have any particular value.

Yours ever,

T. D. LLEWELLYN

Odpowiedź Tima Llewellyna na poprzednią notę. (*Rozdział 9.*)

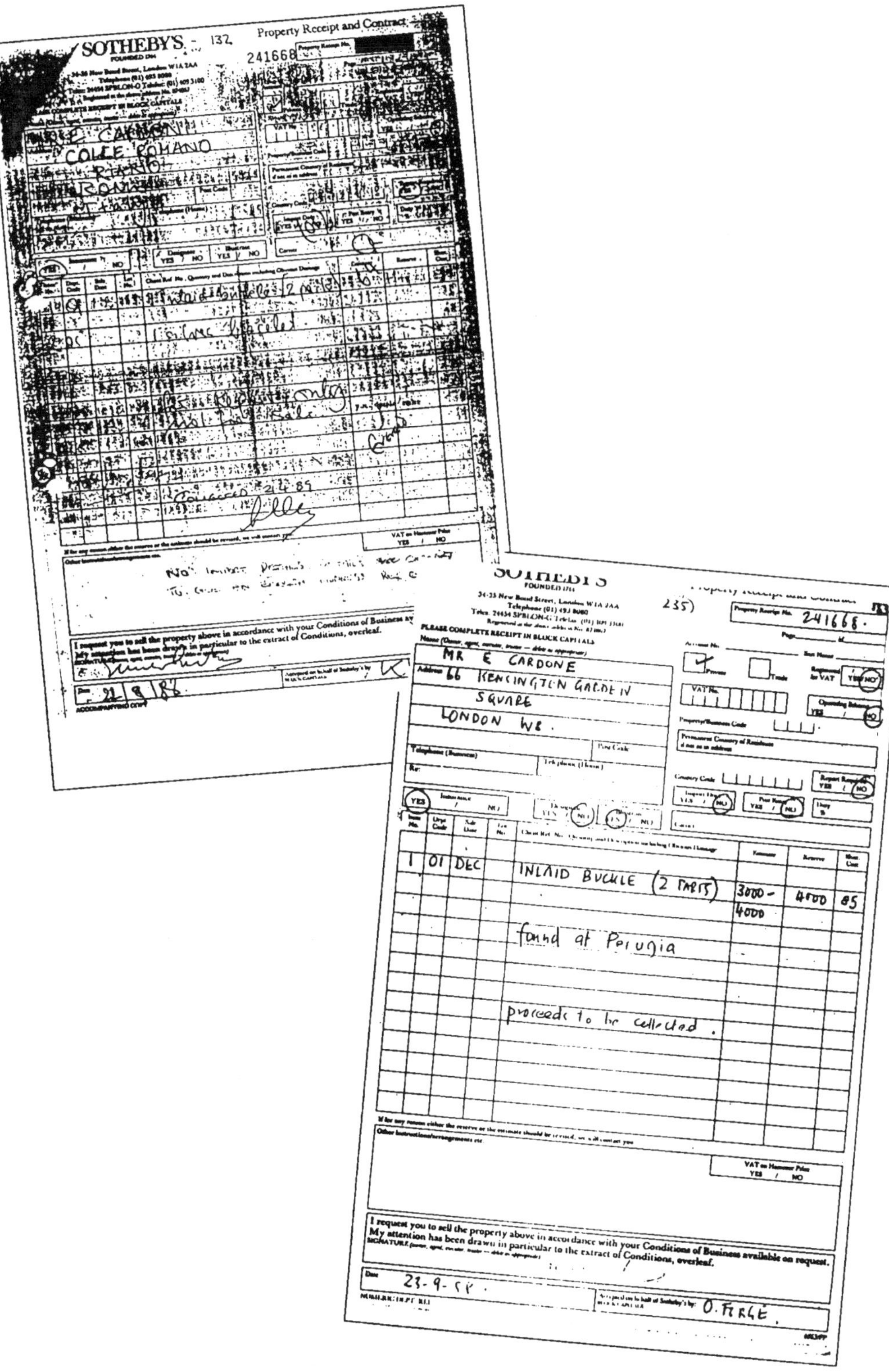

SOTHEBY'S
FOUNDED 1744

Property Receipt and Contract

132

241668

COLLE ROMANO

I request you to sell the property above in accordance with your Conditions of Business available on request. My attention has been drawn in particular to the extract of Conditions, overleaf.

Date 21.9.88

SOTHEBY'S
FOUNDED 1744

34-35 New Bond Street, London W1A 2AA

Telephone (01) 493 8080

235)

Property Receipt No. 241668.

PLEASE COMPLETE RECEIPT IN BLOCK CAPITALS

Name: MR E CARDONE

Address: 66 KENSINGTON GARDEN SQUARE LONDON W2.

Telephone (Business)

Telephone (Home)

Post Code

Private

Trade

Registered for VAT YES / NO

Insurance YES / NO

Item No.	Dept Code	Sale Date	Lot No.	Client Ref. No., Quantity and Description including Obvious Damage	Estimate	Reserve	Illus. Cost
1	01	DEC		INLAID BUCKLE (2 PARTS)	3000-4000	4000	85
				found at Perugia			
				proceeds to be collected.			

If for any reason either the reserve or the estimate should be revised, we will contact you

Other Instructions/Arrangements etc.

VAT on Hammer Price YES / NO

I request you to sell the property above in accordance with your Conditions of Business available on request. My attention has been drawn in particular to the extract of Conditions, overleaf.

SIGNATURE

Date 23-9-88.

Accepted on behalf of Sotheby's by: O. FERGE.

Dwa pokwitowania odbioru posiadanych przedmiotów, wskazujących na sposób, w jaki pan E. Cardone z Rzymu zdobył adres londyński podczas sprzedaży. (*Patrz strony 86-87.*)

15th December 1980

MEMORANDUM

TO : DR. JURG WILLE
FROM : TIM LLEWELLYN

cc : JOHN WINTER

Paintings belonging to Mr. Turri, inspected in Zurich.

1) JACOPO DEL SELLAIO
Christ as Man of Sorrows.
For sale in London

Estimate : £3/4000
Suggested reserve : £2800

2) ATTRIBUTED TO RODOLFO GHIRLANDAIO
Judith and Holofernes
This picture, which as the attribution suggests is 16th century in origin, has been changed at least twice to make it appear a 17th century picture. In the first place, there has been an attempt to change the shape and type of the face and in the second, this presumably within the last 50 years, the panel has been cut to make the octagonal shape, not found in Florence until 17th century. It, therefore, poses some problems but is nevertheless attractive in many ways and would sell in London for £2/3000 with a reserve of £2000.

3 The other four octagonal pictures should be divided as follows :

The two still in Florence of the Healing of Tobit should remain there and eventually be sold there. They are by an as yet anonymous Florentine 17th century hand and worth perhaps 2/3 million lire each. The two in Zurich are by different hands, that of Tobias cutting open the fish seems clearly by Lorenzo Lippi and although it is not in perfect condition, it is by far the most attractive of the four and would sell in London for £3/5000 with a reserve of £3000. The painting of the Sacrifice of Isaac is by a Florentine in the following of Carlo Dolci perhaps near Orazio Marinari but it is in difficult condition and perhaps not very high quality. It would, therefore, fetch only £2/3000 in London with a reserve of £1800.

The pair attributed to Gobbo da Cortona are heavily repainted and would fetch £4/6000 in London with a reserve of £4000.

The other pair by an anonymous 18th century Italian hand would fetch £35/4500 with a reserve of £3000.

The painting of figures outside an inn by a Dutch 17th century painter working in Italy rather in the style of Bramer would fetch £12/1500 with a reserve of £1200.

The pair of large landscapes are attributed, I think charitably

...o Marco Ricci and could be sold in London for £10/12,000.

The fine, big Huilliot, which is signed and dated 1718 and in an excellent state, would fetch between £12/18,000 in London with a reserve, which might be as high as £15,000.

The Florentine painting of the Virgin and Child with two saints poses some problems. The painting ought to be by Biagio di Antonio but there is something about the way it is painted, which makes me nervous of the period. I would, therefore, like to suggest that we treat it for the present as an authentic work of Biagio di Antonio and send it to London with an estimate of £15,000 and that we submit it to various scientific tests when it arrives. If my worst suspicions are confirmed, we will have to reconsider the question.

The picture of the Papal Legates by Azeglio would certainly fetch less here than it would in Italy and we find it very difficult to estimate for London, where it might fetch as little as £2000. Mr. Turri should really discuss this with John Winter the next time they meet.

pp. T. D. Llewellyn

For John Winter : Mr. Turri wants a print expert and an expert in Anatolian rugs to see him in Florence.

Dwie noty wskazujące na to, że obrazy Turriego zostały wystawione pod kryptonimem „Emil Sturm”. (*Rozdział 9.*)

17/11/82 £3200 Sigismondo Coccapani lot 42 (23) MH
Sacrifice of Abraham 104 x 86 octagonal

·HEBY'S

115585

246

Property Emil Sturm

to Old Master Paintings Dept. 13

17/11/82 £4000 lot 32

95 A Painting on a gold background without frame, by Jacopo del Sellaio representing the Redeemer, 72 x 52 cm 4/6000

17/11/82 £6000 lot 58 Another property

102 Two paintings by Marco Ricci representing landscapes, in case No, 2 156 x 111 cm
River landscapes with figures attrib. Marco Ricci

Sigismondo Coccapani 3/4000 104 x 156 cm Another property lot 42

114 A Painting ~~attri to Biliberth~~ in octagonal frame, representing the sacrifice of Isaac, in case no. 3, 110,5 x 87, 5 cm

Lorenzo Lippi – 17/11/82 Tobias gutting the fish £4400

105 A painting ~~by Carlo Dolci~~ in octagonal frame, in case no. 3, 110,5 x 87,5 cm ~~Sigismondo Coccapani 2/4000~~ 3/5000 104 x 86 cm lot 43 octagonal

116 A XVI century painting on gold background without frame, representing the Madonna, in case 6

204 An Italian painting imitating Dutch School, in case no. 5 103 x 66,5 cm

~~[illegible] 2/3000~~ Manner of Abraham Brueghel 2/3000 —

267 Two stillifes by Gobbo da Crotona, in case no.4 ,112 x 48 cm ?

£16,500 17/11/82 lot 70 Gold + Silver Plate on an elaborate buffet. Pierre Nilhet. / various properties

269 Stillife, signed Huilliot , dated 1718, in case no.1, 180 x 145 cm

3 1/2 / 4 1/2 vs 3000 —

270 Two stillifes, Neapolitan school, in case no. 5 both 112 x 93.5 cm

350 A painting without frame maybe by Rodolfo Ghirlandaio, representing Judith and Holophern, 74 x 73,3 cm

Follower of Lattanzio Gambara 2/3000 £1 2000.

17/11/82 £2000 Lattanzio Gambara (style) Judith with the head of Holofernes lot 40 67 + 67 cm. "Another property"

20.10.82. Pair Flowers. 82 x 110 lot 96.

98 at least and of 13

SOTHEBY'S
FOUNDED 1744

34-35 New Bond Street, London W1A 2AA
Telephone (01) 493 8080
Telex: 24454 SPBLON-G Telefax (01) 409 3100
Registered at the above address No. 874867

Property Receipt and Contract

Property Receipt No. 082725

Page 1 of 1

PLEASE COMPLETE RECEIPT IN BLOCK CAPITALS

Name (Owner, agent, executor, trustee — delete as appropriate)
Mr. Carlo Milano

Address
c/o Sotheby's AG
8022 Zurich/Switzerland

Post Code

Telephone (Business) | Telephone (Home)

Re:

Account No | Sort Name

XX Private | Trade | Registered for VAT YES/NO

VAT No | Operating Scheme YES NO

Property/Business Code

Permanent Country of Residence if not as in address

Country Code 863

Export Required YES / NO

Import Docs. YES / NO | Post Entry YES / NO | Duty %

Insurance YES / NO | Designate YES / NO | Illustrate YES / NO

Carrier air freight

Item No.	Dept. Code	Sale Date	Lot No.	Client Ref. No., Quantity and Description including Obvious Damage	Estimate	Reserve	Illust. Cost
1	01			Egyptian statuette, stone Ramses Period 18th-19th Dynasty 30 cm high	£ 30'000		
2	01			Egyptian Stone Relief, square 26 x 28 cm "With Offering Scene" 12th Dynasty	£ 20'000		

If for any reason either the reserve or the estimate should be revised, we will contact you.

Other instructions/arrangements etc.

report final estimate/reserve to Zurich office
commission 10 % plus expenses

VAT on Hammer Price YES / NO

I request you to sell the property above in accordance with your Conditions of Business available on request.
My attention has been drawn in particular to the extract of Conditions, overleaf.
SIGNATURE (owner, agent, executor, trustee — delete as appropriate)

00051

Date 3.5.88

Accepted on behalf of Sotheby's by: BLOCK CAPITALS Georges Heussi

Dwie noty wskazujące na to, że „pan Carlo Milano" i pani Dal Bono byli właścicielami pozycji 30 i 50. (*Rozdział 9.*)

149

FOGLIO INTRODUTTIVO DEL MESSAGGIO TELECOPIATO
TELECOPIER COVER LETTER
LETTRE DE COUVERTURE DU MESSAGE TELECOPIÉ
BEGLEITBRIEF ZUR FERNKOPIERERMITTEILUNG

TELECOPIA n.
DATA/DATE/DATUM 18/5/1989

DA/FROM/PAR/VON SOTHEBY' MILAN OFFICE

NOME/NAME/NOM GRAZIA BESANA

A/TO/A/AN ADMINISTRATOR ANTIQUITIES DEPT. LONDON

NOME/NAME/NOM JAMES HODGES

TESTO/MESSAGE RE: YOUR SALE ON 11/7/1989

OUR CLIENT SENT TO YOUR DEPT. TWO ITEMS THAT WERE INCLUDED IN THE ABOVE SALE AS LOT 30 AND LOT 50.

ONE OF THESE TWO LOTS HAS BEEN UNSOLD.

PLEASE, THE CLIENT WANTS:

1) YOUR RECEIPT FOR THE BI LOT

2) SHE WANTS TO KNOW WHEN AND AT WHICH RESERVE IT SELLS AGAIN.

PLEASE LET ME KNOW ASAP AS THE CLIENT IS RINGING ME TOMORROW.

THANKS AND REGARDS

GRAZIA BESANA MILAN OFFICE

N.B.: PLEASE SEND ONE COPY OF THE RECEIPT VIA FAX TO ME AND THE ORIGINAL TO THE FOLLOWI[NG] ADDRESS: MRS. DAL BONO C/O MR. PAGANI - PALAZZO MERCURIO - PIAZZA BERLUSCONI - CHIASSO - SWITZERLAND -

SHE IS ALSO BE WAITING FOR 500 POUND AS A DIFFERENCE, COULD YOU PLS CHECK IF THEY HAVE BEEN SENT! THANKS

DATA/DATE/DATUM 18/7/89

PAGINE, INCLUSA LA PRESENTE:
PAGES INCLUDING THIS COVER LETTER
PAGES, COMPRIS CETTE PREMIÈRE LETTRE:
SEITEN, DIE VORLIEGENDE MI[T]GERECHNET
N. 1

-3-

CRANE (JAMNAGAR)

This collection of Victorian paintings is still in part frozen by the Archaelogical Survey of India - 41 paintings (value £1 - 1.5 million) have been given export clearance. The remaining 26 paintings (value £2-3 million +) is awaiting permission, and as yet a ban on the export has not been imposed. Crane is determined that the group should be treated as a whole and is prepared to go to court if necessary to achieve this. Martand Singh (INTACH) told me that he would be prepared to do this on Crane's behalf. I quite understand Crane's point of view that to export the non antique paintings now could weaken his case for the rest.

Unfortunately I was unable to meet up with Crane due to his failure to keep endless appointments. Nevertheless our telephone conversations conveyed his wish to see me. I would like to go out to India specificallly to see him at the end of April for 1 week if it can be mutually arranged. I have spoken already to his lawyer in Geneva who agrees to pay 50% of the expenses. This will also give me the opportunity to deliver certain catalogues and books etc. to Bapa Dhrangadhra and persue the Jehangirs. Is the board in agreement?

TIKARAJ OF DHRANGADHRA

We had several meetings including one in Delhi with Lord Westmorland. Subsequently we drew up a contract confirming his appointment as an Associate of Sotheby's in India. The categories of Representative and Consultant were considered inappropriate - copies of the contract are available.

Bapa (who incidentally would prefer to be called Jibava) Dhrangadhra met both Maggie Erskine and Brendan Lynch who liked him enormously. He will be of great help to them as well as Nicholas Rayner, myself and others. As of 1st February 1986 he is officially working for Sotheby's and should be notified of any visiting experts. This should be done in context with the proposal put forward for his appointment in January 1986.

SOTHEBY'S EXPERTS IN INDIA

For reasons of monitoring our position in India as regards the government it is imperative that any member of Sotheby's wishing to visit India whether on holiday or business should notify Julian Thompson or myself so that a rigid record can be kept. Any visit by a Sotheby's expert will be monitored in India and justification for such a visit should be readily available. It is unconvincing to say every expert is there on holiday and even the pretext of "writing a book" is wearing pretty thin! Likewise it is of great importance to Bapa to know who is coming so that he can prepare visits well in advance.

Please can a memorandum be sent to all offices, America included, insisting on this. One perfectly innocent visit for a holiday might be the one to create adverse reactions to Sotheby's.

000.12

Pismo świadczące o tym, że pracownicy Sotheby's przyjeżdżali do Indii w celach służbowych, ale pod innymi pretekstami. (*Rozdział 10.*)

CC. Colin Mackay

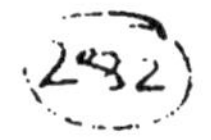

161

MEMORANDUM

TO: [illegible] COMMITTEE

FROM: [illegible]DAN LYNCH, ANTIQUITIES & ASIAN ART DEPT.
c.c. Julian Thompson
Felicity Nicholson
Patrick Bowring

DATE: [illegible] March, 1988

TRAVEL [illegible]PORT

SING[illegible], BANGKOK, INDIA AND PAKISTAN: 24TH JANUARY - 21ST FEBRUARY

I att[illegible] a list of some sixty-five clients seen during the above trip.

SINGAPORE
My fir[illegible] trip to Singapore proved worthwhile, where I mostly saw clients built up by [illegible]anne Tory. Quek Chin Yeow was extremely helpful and about £40,000 of busin[illegible] has been consigned, via the Singapore office, for sale in June.

BANGKOK
Saw a great deal of material with various dealers and also visited a couple of collectors. Property with reserves totalling £80,000 is being sent for the June sale.

INDIA
Various collectors & dealers visited in Calcutta, Bombay, Jaipur & Delhi. Saw dealers' property with reserves totalling £140,000 which is being consigned for sale in June, or if it does not arrive in time, November.

PAKISTAN
Visited Islamabad, Taxila & Peshawar where I visited dealers and saw museums. Although I saw dealers' property worth several hundred thousand pounds, only about £15,000 is initially being sent for sale, through the family who invited me to Pakistan. However, I feel the trip was very worthwhile and should yield much more material in the future.

TOTAL A[illegible]NT OF PROPERTY BEING CONSIGNED: £275,000

Pismo Brendana Lyncha świadczące o tym, że przebywał w Indiach i nadesłał stamtąd towar na kwotę 140 000 funtów. Przedmioty na łączną sumę 15 000 funtów przesłał również z Pakistanu. (*Rozdział 10.*)

M E M O R A N D U M

TO: Margaret Erskine
c.c. Nabil Saidi
FROM: Brendan Lynch

DATE: 25th April, 1989

Re: INDIA

I am attaching a copy of my travel report along with a list of clients visited. As mentioned when we spoke, there are a number of people I came across who do seem to have Indian Miniatures for sale. I have listed them as follows, with comments. Most will be familiar...

Calcutta
Dr P
Comes up with material from time to time, varying in quality. Mentioned that he has a group of Kangra & Mughal paintings which he would like valued. I asked him to send photographs.

Mr B Grand Hotel
Sent best wishes & said his wife would come & see you in the course of the summer to collect the proceeds of pictures sold some years ago. Has further material which he might send for sale.

Mr V
I met him briefly at Mr N shop. Said he is selling various things & would I visit him when next in India. If you are thinking of doing a trip I think we should go together and make a proposal for selling a group of things, if he is keen?

Mr S
Sent his best wishes. Showed me a very nice thang-ka which I am trying to get for sale; it is with in London. I am sure he is also selling paintings through him. Again, something we should follow up.

Bombay
Esajee
He regularly supplies me with material and there seems to be no end to the things he & his brother Fakrou have arriving. With some encouragment (well, probably a lot of encouragment...) he would probably consign some of his paintings. Fakrou is now in London every few months and I would suggest we go & see him together when the next consignment comes.

continued.../..

Pismo Lyncha z adnotacją Esajee w Bombaju (Essa Sham). (*Rozdział10.*)

629581	492785	E SHAM ESQ	95
			103
			107
629581	493601	E SHAM ESQ	76- 77
			81
			86- 88
			91- 94
			96- 97
			100- 102
			104- 106
			130
			133- 139
			153
			156- 157
			159
			161
			174
			177
			236- [illegible]
			251

Wydruk komputerowy z liczbą przedmiotów nadesłanych przez Essę Shama do Sotheby's na aukcję. (*Rozdział 10.*)

SOTHEBY'S
FOUNDED 1744

34-35 New Bond Street, London W1A 2AA
Telephone: (01) 493 8080
Telex: 24454 (SPBLON-G)
Sotheby's London: Registered at the above address
No. 874867

Property Report Form

Date	31 Aug. 1988
Department	Asiatic Art
Property No.	various

F.M. Sham
20 Aberdeen Court
Maida Vale
London W9

Dear Mr. Sham

We have now carefully examined the property you sent us for sale and our recommendations are listed below. If you agree to these recommendations, we would be grateful if you would complete and sign this letter and return it to us in the enclosed envelope. **It is important that we receive this signed letter AS SOON AS POSSIBLE in order that may include the property in the sale** as detailed below. Please retain the pink copy for your own use. Conditions of Business are published in each Catalogue and are available in full on request.

Item No.	Property Description	Estimate	Reserve	Illustration Cost	Sale Category (see Terms overleaf)
1	Large Stele depicting goat-headed Goddess (PN 059158) Sale on November 14th, 1988	10/15,000	7,000	£600 full plate colour	
2	Large Stone Siva Lingam (PN 238122) Sale on November 14th, 1988	6/8,000	5,000	as above	
3	Post-Gupta Relief depicting Jamma and a river God, circa 8th/9th Century (PN 237556) Sale in June 1989	2,500/ 3,000	2,500	£60 1/2 plate black and white	

All figures quoted are in sterling unless otherwise stated. If for any reason we feel either the reserve or the estimate should be revised, we will contact you.

In our experience, buyers both in this country and overseas are greatly influenced by illustrations in the catalogue and we urge you to accept these recommendations.

We look forward to a successful sale on your behalf.

Yours sincerely,

Arthur Millner

for Sotheby's

Arthur Millner

Insurance Required YES NO

I am / I am not Registered as a taxable person for VAT purposes.

I am / I am not Selling the property in accordance with the special arrangements contained in the Value Added Tax (Works of Art, Antiques and Scientific Collections) Order 1972

Client's VAT No.

I request you to sell the property as indicated above in accordance with your Conditions of Business available on request. My attention has been drawn in particular to the conditions overleaf

SIGNATURE (owner, agent, executor, trustee — delete as appropriate)

Date

Daytime Telephone No.

Dwa pokwitowania odbioru, wskazujące na to, że F. Sham przesłał boginię z głową kozy którą skradziono w Lokhari i nielegalnie wywieziono z Indii. Drugie pokwitowanie wskazuje, że Sham podał nie istniejący adres: 38 Crommeock Gardens. (*Rozdział 10.*)

SOTHEBY'S

FOUNDED 1744

54-35 New Bond Street, London W1A 2AA
Telephone (01) 493 8080
Telex: 24454 SPBLON-G Telefax: (01) 409 3100
Registered at the above address No. 874867

Property Receipt and Contract

Property Receipt No. 059158

Page ______ of ______

PLEASE COMPLETE RECEIPT IN BLOCK CAPITALS

Name *(Owner, agent, executor, trustee — delete as appropriate)*

F. SHAW

Address

38 Cromwell Gardens,
LONDON W8

Post Code

Telephone (Business) | Telephone (Home)

Re:

Insurance YES / NO | Designate YES / NO | Illustrate YES / NO

Account No. ______ Sort Name ______

Private | Trade | Registered for VAT YES/NO

VAT No. | Operating Scheme YES / NO

Property/Business Code

Permanent Country of Residence if not as in address

Country Code | Report Required YES / NO

Import Docs. YES / NO | Post Entry YES / NO | Duty %

Carrier R.D.M.Transport

NOTIFICATION OF PROPERTY RECEIVED AT KINGS HOUSE WAREHOUSE

Item No.	Dept. Code	Sale Date	Lot No.	Client Ref. No., Quantity and Description including Obvious Damage	Estimate	Reserve	Illust. Cost
	01			1 Large stone relief.			
		14.11.88	92				

If for any reason either the reserve or the estimate should be revised, we will contact you.

Other instructions/arrangements etc.

VAT on Hammer Price YES / NO

Empty Packing Cases will be destroyed unless instructions to the contrary are received within one week.

I request you to sell the property above in accordance with your Conditions of Business available on request. My attention has been drawn in particular to the extract of Conditions, overleaf.

SIGNATURE *(owner, agent, executor, trustee — delete as appropriate)*

Date 20.7.88

Accepted on behalf of Sotheby's by BLOCK CAPITALS J. Songhurst.

NUMERIC DEPT. REF.

00232

6275/FP

92 **A Large Central Indian Buff Sandstone Stele Depicting a Goat-Headed Goddess. Post Gupta, 8th/9th Century.**

seated in *lalitasana* on the back of a couchant goat, her right hand raised holding a rosary, a water-pot in her left hand, wearing a scarf and *dhoti* with swagged belt and incised horizontal bands, the slender face with long ears and jewelled crown, also wearing a thick jewelled collar, anklets and armlets, plain arched aureole behind. *1m 32cm (52in.)*

£10,000-15,000

Bogini z przemytu, przedstawiona w katalogu Sotheby's. (*Rozdział 10.*)

185

SOTHEBY'S

FACSIMILE/TELEX FORM Keep in separate File "Auction Practices"

No.	TO:	FROM:
DATE: 16 / 8 / 85	MICHAEL AINSLIE	JULIAN THOMPSON
SUBJECT:		REF:
		ANS WANTED/INFO ONLY

bcc. GDL/JO

RE: AUCTION PRACTICES - PRESS QUESTIONS AND ANSWERS, SEE GDL'S TELEX OF 15.8.85

GDL and I have had additional thoughts on the answer which we have given to question 7A.
The question would read more clearly if phrased,"Does an auctioneer ever make fictitious bids?".
The question might be phrased in more detail, "When the auctioneer starts a lot by announcing a bid below the reserve and no bid is made in the room, does he sometimes announce two or three more bids in succession to try to draw out a reluctant bidder in the room?".

The answer we have given has been influenced by our discovery that in a television programme entitled 'In at the Deep End' in which an actor was trained by us to become an auctioneer it is clear that he was taught by his instructor, Peter Nahum, to adopt the practice we are considering. The film of this programme is held with the BBC and we are sure would be made available if pressure is brought. This means in effect that our position is much nearer Christie's following Burg 's comments to the New York Times than we had hoped could be substantiated.

In view of this we have to decide whether to take the initiative in stamping out the practice now with consequent re-training in techniques of auctioneers whose job would undoubtedly become slower and more difficult.

CHECKED BY

DISTRIBUTION

Nota Juliana Thompsona ilustrująca problemy Bakera.

⇒ Auction Prachos' File

27 AUG 1985

SOTHEBY'S

FOUNDED 1744

1334 York Avenue, New York, New York 10021
Telephone: (212) 606-7000
Telex: New York 232643 (SPB UR)

M E M O R A N D U M

To : Michael Ainslie
Julian Thompson

From : John L. Marion

Date : August 23, 1985

Subj : September 19th House Rules Committee Agenda

I A) Sale Reporting -. Information on any unsold lots is available to the press and the general public immediately after the sale. Price lists reflect all lots which are sold and may also include lots which are sold privately between the time of the auction and the time the price lists have gone to be printed provided that the price paid is the same as the price reflected at the time of the auction.

Note: In my view any lots sold privately after the sale could be reflected on price lists and marked with an asterisk to indicate private sales.

B) In the Main Salesroom, there is no differentiation, however practice is for the auctioneer to not actually say the word SOLD unless the property changes hands.

C) Confidential Reserves - Our obligation to sellers is to advise owners on reserves and follow their instructions in executing them at the sale. They are kept in strict confidence and usually relayed from the expert department to the Bid Department which has very good security both in terms of systems and people.

D) Bidding to Protect the Reserve - Bids to protect the reserve are made by the auctioneer in competition consecutively against order bids, telephone bids and bids in the room. Bidding opens at a percentage of the low estimate (usually 40-50%). It is not uncommon for the auctioneer to make the first few bids on his own in order to move the sale along.

Nota Juliana Mariona potwierdzająca fakt zgłaszania kolejnych ofert kupna przez prawników Sotheby's. (*Rozdział 8.*)

87-02-19 10:39

24454 SPBLON B
815333 SOTH CH

ATTN: JOHN BOSS
FROM: J.B. WILLE, ZURICH

RE: SALE MONDAY FEB. 23

AS INDICATED INEZ BODMER WILL PROTECT FOLLOWING NUMBERS UP TO VALUE
KNOWN BY YOU:

124, 132, 144, 146, 155, 162, 164, 168, 170, 180, 188, 253, 254, 255,
262, 263, 325, 326, 327, 328, 329

NATASHA AS FOLLOWS:

129, 142, 145, 147, 157, 163, 165, 169, 179, 181, 189, 248, 259, 260,
261, 318, 320, 321, 322, 330, 332, 333, 334

MYSELF OVER THE PHONE WILL PROTECT:

206, 207, 208, 209, 210, 216, 217, 227, 228, 279, 280, 281, 292, 293,
294, 296, 297, 301, 302, 303, 306, 307, 308, 310, 311, 312, 313,

PLSE KEEP TELEPHONE FREE FOR MY CALLS

THKS AND RGDS,

J.B. WILLE

815333 SOTH CH
24454 SPBLON B

Telex ze Szwajcarii o zgłaszaniu ofert licytacyjnych przez telefon celem ochrony cen minimalnych. (*Rozdział 8.*)

26 October 1987

M F Stonefrost Esq
Chief Executive
British Rail Pension Trustee Co Ltd
6th Floor
Broad Street
London
EC2M 1Rx

Dear Mr Stonefrost

Re: British Rail Collection of Tribal Art

Of all the collections owned by British Rail, this one presents the greatest dilemma. During the period that the collection was formed the market rose dramatically to a point where the group of dedicated collectors, who had hitherto supported the market, began to realise that they could no longer to afford to collect and switched their interests to other channels. The result of this was a decline in the market and this ~~fluctuation~~ has successfully discouraged new collectors from entering the field. We believe that in the long term the market will return but we would anticipate that this would mean holding the collection for at least another five years. On the basis of this information which we discussed at the last meeting, we have now prepared a proposal for the disposal of the collection for your consderation.

The collection falls into three main catagories: African, Oceanic and American Indian. The African and Oceanic section can be considered together as the collectors overlap very considerably but the American Indian we feel should be considered seperately.

American Indian

Cost Price	RPI	Low auction estimate	High auction estimate
£171,258	£393,000	£169,000	£241,500

The market for American Indian items is better than for African and Oceanic but it has to be said that in the current market enviroment that we would recommend a private sale rather than an auction as we fear that you could very well be left with some of the items which will then be more difficult to sell. Combined with this, the Detroit Art Institue has consistently expressed considerable interest in purchasing the collection.
One of the main American Indian collectors is a patron of Detroit and we believe that you should be able to get a very good price as a result of this patronage.

.../2

List Sotheby's do Funduszu Emerytalnego Kolei Brytyjskich, w którym dom aukcyjny zaleca prywatną sprzedaż ze względu na możliwość uzyskania wyższej ceny niż na aukcji. (*Rozdział 12.*)

Confidential

Sale and Leaseback of Important Works of Art
to the British Rail Pension Fund

1) It is suggested that the loan should be for an initial period of five years, subject to termination by the Fund at any time for any reason after twenty-eight days' notice. (The five-year period would be renewable by mutual agreement.)

2) Rent : the rent would be 5% of the sale price and would remain fixed for the whole of the five-year period, British Rail paying all the insurance. If the loan was renewed the rent would be reviewed at that time.

3) If the British Rail Pension Fund decides to sell the item during the five-year period (even if the loan has been terminated by the Fund giving twenty-eight days' notice under Clause 1) above), then the Lessee will be given the "first refusal" at a price to be fixed at that time by the Fund. The Lessee will be given a one month period, from the date that notice of a sale is given to him, to exercise this option, after which time the Fund will be free to sell the item to anybody. If the Lessee repurchases under this Clause he must undertake that in the event of him wishing to sell the item within the following two years he will give the Fund the "first refusal" for one month at the same price for which he repurchased it (and the Fund will have the right to require production of the item for inspection during that two-year period).

4) British Rail Pension Fund would need to be satisfied with the security arrangements and conditions in which the work of art is kept.

Continued .....

Memorandum sprzedaży i dzierżawy zwrotnej. (*Rozdział 12.*)

Sotheby Parke Bernet & Co. FACSIMILE/TELEX FORM:-

No.	TO: KEI EGASHIRA CC.KAZZIE SHIOMI	FROM: JULIAN THOMPSON
DATE: 28 / 4 / 86		
SUBJECT:		REF:
		ANS WANTED/INFO ONLY

SENT INFOTEC 29 APR 1986

PROPOSAL FOR PAYMENT OF FEE BY SOTHEBY'S TO SEIBU IN RESPECT OF BUYERS INTRODUCED

WE HAVE NOW GIVEN MUCH THOUGHT TO THE QUESTION OF AN EQUITABLE METHOD OF CALCULATING A FEE TO BE PAID BY SOTHEBY'S TO SEIBU IN RESPECT OF THE BUYERS WHICH YOU INTRODUCE TO OUR SALES AND ACT FOR AS BUYING AGENT.

WE PROPOSE THAT SOTHEBY'S SHOULD PAY TO SEIBU A FEE AMOUNTING TO 3% OF THE TOTAL HAMMER PRICE OF ALL LOTS BOUGHT IN SEIBU'S NAME, FETCHING LESS THAN $100,000 (OR STERLING OR OTHER CURRENCY EQUIVALENT) AND 2% OF THE TOTAL HAMMER PRICE OF ALL LOTS BOUGHT IN SEIBU'S NAME, FETCHING $100,000 or more.

WINE BOUGHT BY SEIBU FOR RESALE AT A SALE IN JAPAN HELD JOINTLY BY SEIBU AND SOTHEBY'S WOULD BE EXCLUDED FROM THE CALCULATION OF THE FEE.

IN CALENDAR YEAR 1985, THE FEE WOULD HAVE AMOUNTED TO APPROXIMATELY $75,000. THE FEE WILL REPRESENT A DIRECT INCREASE IN OUR COSTS IN JAPAN AND OUR PROPOSAL WOULD BE SUBJECT TO OUR AGREEMENT TO THE SLIDING SCALE OF CHANGES WHICH SEIBU WILL BE INTRODUCING TO REPLACE THEIR PRESENT 10% CHARGE MADE TO ALL BUYERS. WE ARE PREPARED TO INTRODUCE THE NEW FEE SYSTEM AS SOON AS SEIBU IS ABLE TO INTRODUCE THEIR NEW SCALE OF CHARGES. THIS WILL GENERATE A SUBSTANTIAL NEGATIVE VARIANCE TO OUR 1986 BUDGET BUT WE WOULD NOT WANT TO DELAY THE NEW INITIATIVE WHICH SEIBU WILL BE TAKING TO GENERATE NEW BUYERS ON THE BASIS OF THEIR REDUCED CHARGES.

CONT'D/......

CHECKED BY	DISTRIBUTION

Propozycja nowej poufnej umowy Sejbu. (*Rozdział 12.*)

Sotheby Parke Bernet & Co. FACSIMILE/TELEX FORM:-

No.	TO:	FROM:	
DATE: / /			
SUBJECT:		REF:	
		ANS WANTED/INFO ONLY	

2/.......

I WOULD EMPHASIZE THAT THIS PROPOSAL SHOULD BE REGARDED AS HIGHLY CONFIDENTIAL AS IT RUNS COUNTER TO SOTHEBY'S POLICY OF NOT PAYING COMMISSION TO ANY THIRD PARTY IN RESPECT OF INTRODUCTION OF BUYERS, AND WE HAVE NO INTENTION OF INTRODUCING SUCH A SYSTEM OUTSIDE JAPAN.

I LOOK FORWARD VERY MUCH TO SEEING YOU ON MAY 6TH AND TO BEING ABLE TO DISCUSS THE PROPOSAL.

With best wishes,
Julian

RJT
28.4.86

29 APR 1986
INFOTEC
SENT

28 APR 1986
TEC

CHECKED BY

DISTRIBUTION

Indeks